*Para comprender*

# LAS RELIGIONES
# EN NUESTRO TIEMPO

Albert Samuel

evd

Editorial Verbo Divino
Avenida de Pamplona, 41
31200 Estella (Navarra), España
Teléfono: 948 55 65 11
Fax: 948 55 45 06
http://www.verbodivino.es
evd@verbodivino.es

10ª reimpresión (año 2011)

Portada y dibujos: *Mariano Sinués*. Título original: *Les religions aujourd'hui* ©
Les Editions Chronique Sociale - © Editorial Verbo Divino, 1989 • Es propiedad •
*Printed in Spain* • Fotocomposición: Larraona, Pamplona • Impresión: Ulzama •
Depósito legal: NA-3394/2010

ISBN: 978-84-7151-633-6

# Introducción

No hay nada tan interesante en la tierra como las religiones... (Charles Baudelaire, *Mon coeur mis à nu*).

El hombre es un animal religioso.

La prueba es que no ha cesado de inventar dioses. Pero, ¿se trata de una invención o del descubrimiento de una verdad que se le ha impuesto a él a lo largo de los siglos y en todas las civilizaciones?

Esta es la cuestión fundamental que a este libro le gustaría intentar iluminar. Para ayudar a cada uno a concretar su propia respuesta.

Hay que confesar que semejante intención tiene mucho de temeraria y hasta de inconsciente. Si los filósofos y los teólogos hubieran logrado demostrar la existencia de un Dios eterno y universal, eso se sabría. Y todo el mundo creería en Dios lo mismo que el libertino don Juan estaba convencido de que «dos y dos son cuatro».

Por eso nuestra finalidad es más modesta. Una exploración de las grandes religiones muestra ya por lo menos la *permanencia del fenómeno religioso*, a pesar de los progresos del conocimiento científico y de la modernidad. Por un lado, esta permanencia no puede menos de plantear interrogantes sobre las aspiraciones y las necesidades imperecederas de todo hombre. Por otro lado, demuestra que toda creencia, tanto hoy como ayer, plantea las mismas cuestiones: las del alma, del espíritu, de la inmortalidad, del más allá.

Conocer las *respuestas variadas o convergentes* que las diversas religiones dieron y siguen dando a estos interrogantes, te permitirá quizás, lector amigo, estimular tu reflexión, verificar o precisar tu creencia o tu increencia... Es lo que te deseo.

Me apoyo en una primera constatación: las religiones gozan de buena salud.

## 1. El «retorno de lo religioso»

Con esta frase es como, desde el final de los años 1970, los medios de comunicación social han bautizado algunos hechos significativos. De nuevo las grandes religiones hacen hablar de ellas. Se rejuvenecen o vuelven a sus fuentes. A veces entran ruidosamente en el mundo de la política. Dentro de cada nación y a escala internacional. Simultáneamente nacen y prosperan ciertos movimientos o grupos religiosos fuera de los caminos tradicionales. Su proliferación y su crecimiento inquietan a las Iglesias. El ocultismo, la astrología y otras formas de videncia y de parapsicología parecen volver a estar de moda, aunque lo cierto es que nunca habían desaparecido por completo.

Esta atracción por lo extraño, por lo supranormal, manifiesta al menos una preocupación por los grandes temas religiosos: el origen, el destino y el sentido de la existencia humana, el más allá y la realidad de lo invisible. Atestigua el rechazo, incluso inconsciente, a admitir el carácter absurdo del hombre y del mundo, la necesidad de encontrar un sentido a todo ello.

## a) Las grandes religiones siguen vivas

### • El número de sus adeptos no baja

Al contrario. En la medida en que es posible fiarse y comparar los datos que nos ofrecen, puede incluso decirse que la evolución numérica de las grandes religiones ha seguido, por lo menos, la evolución demográfica.

Así es como las estadísticas muestran que, entre 1946 y 1984, el número de cristianos en el mundo ha pasado de 670 a 1.056 millones. El de musulmanes casi se ha triplicado. Los judíos, a pesar del genocidio que sufrieron, han conocido un progreso de 4 millones desde después de la guerra. Los budistas, fuera de China, pasan de los 105 millones en 1946 a los 254 millones en 1979. Más difícil es apreciar el progreso de los animistas, hinduistas o confucianos, aunque el número de estos últimos ha aumentado en 10 millones entre 1979 y 1984.

El incremento es sensible, incluso en los países hostiles a las religiones. En la Estonia sovietizada, la tercera parte de la población sigue siendo católica, y la mitad de los funerales se celebran en la iglesia. A pesar de las persecuciones, en Lituania católica se bautizan la mitad de los niños. La situación es aún mejor para el islam en las repúblicas musulmanas de la URSS. Tan sólo la quinta parte de la población se declara allí atea. Y muchos no creyentes practican los ritos musulmanes [1].

En la China que se está abriendo, visitantes bien informados cuentan que actualmente hay allí tres veces más católicos que en 1949.

En Francia, los sondeos más recientes [2] muestran que el catolicismo sigue impregnando sustancialmente a la sociedad. Cuatro franceses de cada cinco se siguen diciendo católicos y el 97% han sido bautizados. Y en 1986, como en 1982, el 20% de esos católicos siguen practicando con bastante regularidad. Muchos trabajan activamente, aunque de forma distinta de como hace 20 años; en 1980 se contaban en Francia 220.000 catequistas, de los que el 87% eran laicos.

Incluso los que no practican o no creen ya de una manera dogmática siguen refiriéndose a los ritos esenciales. Por eso, según el mismo sondeo, el 87% de los franceses se siguen casando por la iglesia y el 72% desean un entierro religioso.

En Bélgica... «la disminución de la práctica religiosa no significa necesariamente que esas personas hayan roto todo lazo con la Iglesia católica. La proporción de la población belga que se define como católica es bastante elevada. Según una encuesta realizada por el *European Value Systems Study Group* (EVSSG) en marzo de 1981, el 72% se declaran católicos...

Las estadísticas oficiales de la Iglesia católica muestran que, en Bélgica, el 82,4% de los niños nacidos en 1980 fueron bautizados y que, aquel mismo año, el 82,9% de los funerales estuvieron acompañados de ceremonias católicas... (el número de matrimonios se situaba en el 76%).

... Podemos concluir entonces que la población belga es católica entre el 80 o el 85%, pero que del 55 al 60% son católicos no practicantes, ya que el número de practicantes ha caído a menos del 25%» [3].

Esta práctica no es más que un signo ambiguo de la adhesión a una religión. Puede igualmente manifestar una pertenencia social, la adhesión a una tradición y hasta una especie de superstición, y no sólo una prueba de fe. Es también relativa: si bien crece el número de matrimonios en la iglesia, también sube el número de parejas no casadas.

---

[1] Se calcula que, en el año 2000, el islam contará con 65 millones de creyentes, casi la cuarta parte de la población soviética.

[2] Sondeo SOFRES (La Vie - Le Monde - France inter), 1 octubre 1986.

[3] L. Voye, K. Dobbelaere, J. Rémy, J. Billiet, *La Belgique et ses dieux*. Eglises, mouvements religieux et laïques. CABAY, Recherches sociologiques, Louvain-La-Neuve 1985. Todos los textos aquí citados proceden de este libro, que citaremos con el título *La Belgique et ses dieux*.

- *Las religiones afirman su presencia en la modernidad misma*

Hace ya mucho tiempo que el catolicismo posee su prensa y su radio-Vaticanas. Actualmente se expresa regularmente en sus propias ondas, desde Nicaragua hasta Filipinas, desde Estados Unidos a Chile. Las bendiciones *urbi et orbi* del obispo de Roma llegan efectivamente por satélite a los cuatro rincones del universo. El papa es una de las grandes figuras de la televisión mundial.

El islam utiliza ya ahora los más modernos medios de comunicación. La voz del muezzín está registrada. Y se venden por millares de ejemplares los discos y cassettes del *Corán*. La peregrinación a La Meca se hace en avión.

El 850.º aniversario del nacimiento de Moisés Maimónides [4] fue una buena ocasión para que la UNESCO recordase, en numerosos coloquios, las convergencias entre el judaísmo, el islam y el cristianismo.

- *Las reuniones religiosas forman parte de los grandes acontecimientos en los medios de comunicación social*

Los sondeos y las estadísticas lo confirman [5]. A muchos de sus personajes los han hecho célebres la radio y la televisión. Adulados o infamados, el papa Juan Pablo II, la madre Teresa, el hermano Roger, dom Helder Cámara, monseñor Romero, Pablo VI, el Dalai-lama, Billy Graham o Jimmy Swaggart, el pastor irlandés Ian Paisley, Jomeini, el reverendo Moon son conocidos por el mundo entero.

Desplazan a las masas, y las personalidades oficiales van a saludarles, incluso en los países laicizados y hasta comunistas. Cuando fue a Francia por tercera vez [6], Juan Pablo II fue acogido por el presidente de la República, acompañado por el primer ministro y ovacionado por 300.000 personas. Pero la semana antes, Billy Graham había reunido a 15.000 espectadores todas las tardes en el Palais omnisport de París-Bercy. La Meca acoge a más de un millón de fieles en cada gran peregrinación. Todos los años, en la Ramlila [7] de Ramnagar, acuden 100.000 hindúes a participar del gran espectáculo del Ramayana [8]. Y, a pesar del importante despliegue de la policía, fueron otros 100.000 católicos los que acudieron en julio de 1986 a la peregrinación anual de Levoca en Eslovaquia oriental.

- *La edición de obras religiosas está en auge*

Se observa esto en Francia en lo que se refiere al cristianismo: se le consagra el 5% de los títulos que aparecen cada año.

Se publican diez millones de ejemplares, que van de la liturgia a la teología, pasando por los testimonios y las vidas de santos. Hay editoriales y colecciones especiales dedicadas a la espiritualidad...

Esta ola no es propia del cristianismo. El *Corán* y la *Biblia* tienen cada vez más traducciones y tiradas en todos los países. Las revistas y los libros de las sectas alcanzan proporciones considerables: 10 millones y medio de ejemplares en 53 lenguas para cada número de «Atalaya», el quincenal de los testigos de Jehová. Lo religioso forma parte de la cultura del lector contemporáneo.

*Esta explosión alcanza al espectáculo*, a la canción, al teatro y al cine. En Francia, después de los *Godspel* [9], el éxito del espectáculo de Robert Hossein, «Un hombre llamado Jesús» (1986), y el de los best-sellers cinematográficos «Teresa» y «Misión», ha sido innegable. Cantores como J. Williams, John

---

[4] Autor de *Guía de los extraviados*, nacido en Córdoba (1135-1204), judío, médico del sultán, filósofo que conciliaba la Biblia con Aristóteles.

[5] En Francia, el papa recibe el 79% de opiniones favorables.

[6] El 4 octubre 1986, en Lyon.

[7] Fiesta hinduista dedicada a Rama, reencarnación de Visnú; cerca de Benarés.

[8] En diciembre de 1985 se reunieron 250.000 fieles guiados por el dalai-lama en Bod-Gaya, en el Bihar, en donde Buda conoció el Despertar.

[9] Literalmente, «juego de Dios», es decir, representación escénica de carácter religioso.

Littleton o Mannick tienen su público, después de un padre Duval, deseosos todos ellos de transmitir un mensaje religioso a través de los ritmos modernos.

*Las religiones sobreviven* incluso en las sociedades que aparentemente las niegan.

En contra de las ideas recibidas a principios de siglo, el progreso de la ciencia y de la técnica no ha matado, ni siquiera debilitado, a las religiones. Es lo que demuestran ejemplos tan diferentes como los del Japón y la URSS, y hasta el de China.

Detrás de la máscara *japonesa* de los robots, del culto a la productividad, de las turbas gregarias y la americanización de las costumbres, subsiste una cultura popular profundamente arraigada en el folklore aldeano y en el pasado religioso. El shintoísmo, el budismo, no sólo están presentes en los templos y en las fiestas. Las divinidades ancestrales, los kami, impregnan un comportamiento profundo hecho de realismo, de tolerancia y de sensualidad dominada [10].

En la *Unión Soviética,* setenta años de comunismo ateo no han logrado destruir ni la Iglesia ortodoxa, ni el islam. Este último cuenta con más del 70% de creyentes en las repúblicas de Asia central. Más o menos perseguido, el catolicismo sigue vivo en los países bálticos, sobre todo en Lituania. Demasiado activos, los bautistas son muchas veces objeto de provocaciones y de encarcelamientos. Pero la URSS, como el occidente, se ve hoy sometida a la efervescencia, clandestina, de las sectas más diversas. Lo atestiguan periódicamente las breves noticias de arrestos de testigos de Jehová.

En *China,* en el Tibet, desde que se ha aligerado la represión, se ven resurgir cultos y ritos que se creían ya desaparecidos.

Todo parece indicar que, como declaraba el cardenal Poupart [11], «una sociedad de no-creyentes no puede prescindir de creer».

● *Nacen y se multiplican otras religiones*

Los que las observan desde fuera las llaman «sectas». Algunas, surgidas a finales del siglo XIX, se extienden rápidamente por Europa. Por ejemplo, los testigos de Jehová. Otras, más recientes, se extienden por todos los ambientes, desde los campesinos del tercer mundo hasta los intelectuales de los grandes países desarrollados. Sus publicaciones y sus *meetings* suscitan el interés, la controversia y las pasiones. Pensemos en el reverendo Moon y en la tempestad de protestas que provocó su inculpación [12].

Al mismo tiempo, las ramas del protestantismo norteamericano se ramifican hasta el infinito, invadiendo América latina y Africa. Tan sólo en Kenia –20 millones de habitantes– se cuentan 800 iglesias o sectas, «pequeñas comunidades vivas, calurosas, con jefes carismáticos, que mantienen relaciones privilegiadas con la autoridad».

Y las raíces del esoterismo y de la astrología producen nuevos brotes vigorosos de forma pseudocientífica. Está comprobado que el mercado francés del ocultismo cuenta con cuatro millones de consumidores. ¿Qué chica de pantalones tejanos no ha oído hablar de «cienciología», de «dianética» y de otras paparruchas por el estilo? Sopla el viento del oriente, pero también el de más allá del Atlántico. Y lo para-religioso goza de buena salud.

● *Lo religioso se mete en política*

*En los países democráticos,* los gobiernos tienen muy en cuenta al electorado religioso. En Francia, el mejor ejemplo fue en 1984 la capitulación de un presidente socialista ante los que él creía que eran partidarios de la escuela católica [13]. En los Estados Unidos, durante mucho tiempo, la comunidad judía se vio halagada por los candidatos a la presidencia. Desde 1980, el presidente debe en gran parte su elección y su mantenimiento a esa «mayoría mo-

---

[10] *Japanese Mirror, Heroes and Villains of Japanese Culture* - Ian Buruma.

[11] Presidente del Secretariado para los no creyentes.

[12] Por ejemplo, la de M. Jacques Soustelle.

[13] En realidad, los partidos de oposición de la derecha que utilizaban la ambigüedad de la «libertad de enseñanza».

ral» fundamentalista y evangelista que tiene como profetas al pastor Falwell y a Jimmy Swaggart [14]. Estas nuevas eminencias grises intentan imponerle sus visiones de una política según la religión. La existencia del gobierno israelí depende de los votos de los que se llaman justamente «partidos religiosos», ultras del judaísmo.

En cuanto a los países musulmanes laicos, como Marruecos, Túnez o Turquía, sus regímenes están sometidos también a las presiones a veces violentas de los extremistas religiosos.

Los mismos *Estados totalitarios* no pueden ignorar el peso de las masas y de las jerarquías religiosas. El general Jaruzelski sabe algo de esto al tener que negociar regularmente con el episcopado polaco. ¿No representa la Iglesia en Polonia una fuerza igual o superior al partido comunista? Lo mismo ocurre en la pequeña Nicaragua sandinista o en la Cuba de Fidel Castro. La severa República Democrática Alemana ha celebrado oficialmente el quinto centenario del nacimiento de Lutero. Pero el general Pinochet, por muy católico que pretenda ser, no ha tenido adversario más firme que el cardenal de Santiago.

*Algunos totalitarismos* son incluso claramente *religiosos*.

Tal es el caso del Irán de los ayatollahs o del Pakistán islamizado del general Zia. Estos regímenes han adoptado estructuras político-religiosas. La legislación tiene allí su fundamento en la ley islámica, la *sari'a*. Bajo formas diferentes, ha ocurrido lo mismo en el Sudán o en la Arabia saudita.

Pero esta conquista de lo político por lo religioso no es exclusiva del islam. Tienta también al judaísmo cuando pretende imponer el sabat, el talión y otras reglas mosaicas a todos los ciudadanos del Estado de Israel. Seduce a las sectas norteamericanas que, en algunos Estados, inspiran la legislación: crucifijo en las escuelas o prohibición de enseñar la evolución de las especies...

*La política internacional* tiende a convertirse en

---

[14] Cf. L'Etat du Monde (1981) 418; (1985) 554.

un campo cerrado de entrentamientos de carácter religioso.

¿No es significativo que el presidente Reagan haya designado a la URSS como el «gran Satanás», término que emplea también el ayatollah Jomeini contra los Estados Unidos? Esta contaminación religiosa del vocabulario va más allá de las palabras.

El que los organismos religiosos ejerzan el poder o lo «manipulen» es algo que no deja de influir en la estrategia de los Estados. El mesianismo religioso agrava las tensiones, fanatiza los conflictos. Está presente en la guerra Irak-Irán, en los enfrentamientos armados del Líbano y del Próximo Oriente. Verdaderas guerras de religión siguen desgarrando hoy a países viejos como Irlanda o a naciones más jóvenes como India, Sri Lanka... Los movimientos religiosos –católicos, musulmanes...– animan oposiciones internas, tanto en Nicaragua como en Afganistán. Las comunidades de base, la teología de la liberación, pero también la propaganda de ciertas sectas protestantes desempeñan un gran papel en los acontecimientos de América latina. La solidaridad islámica, difusa u organizada, de Irán con Afganistán y con las repúblicas musulmanas soviéticas convierten hoy al islam en una de las fuerzas importantes de la estrategia internacional a finales del siglo XX. Las políticas internas, pero también las exteriores de Egipto, del Sudán, de Pakistán y hasta de la URSS no dejan de estar influidas por la preocupación del «peligro» fundamentalista.

Finalmente, las declaraciones de las Iglesias, difundidas ampliamente por los medios de comunicación social, son seguidas con atención por los gobiernos y la opinión pública. Tanto en lo relativo a las armas atómicas como en lo que atañe a la propiedad de la tierra o a los derechos del hombre, tienen evidentes repercusiones en el comportamiento público. Lo hemos visto bien en los movimientos pacifistas occidentales o en la explosión de las revoluciones filipina o haitiana. El papado interviene con frecuencia, directa o indirectamente, en la política mundial. Directamente, cuando Juan Pablo II sirve de mediador entre Chile y Argentina a propósito del canal de Beagle; indirectamente, cuando sus visitas y discursos dan una especie de «luz verde» a «Solidaridad» o a Cory Aquino.

### b) Las causas de este despertar

Aunque no quede explicado por completo, este retorno sin razonar de lo religioso no deja de tener algunas razones.

- *La primera está sin duda en la crisis que afecta al mundo*

Es cierto que esta crisis no es meramente económica, pero el fracaso de una economía que había hecho esperar la abundancia y el progreso indefinido provoca un profundo malestar. El paro, el endeudamiento, la quiebra, el hambre, la sequía, las epidemias, las catástrofes con su cortejo de delincuencia y de terrorismo suscitan la decepción y la angustia. La ciencia económica que tenía que impedir el retorno de las crisis, la ciencia y la técnica que prometían seguridad, tienen sus límites. Después de Chernobyl, los inventos más maravillosos, como la energía nuclear, se muestran también como los más peligrosos. El próximo año 2000, en vez de ser la edad de oro, podría ser muy bien la de un nuevo terror.

Ahora, como hace mil años, se despiertan los antiguos milenarismos [15]. El hombre siente miedo. Confusamente. De los cataclismos naturales, de las poluciones generalizadas, de lo nuclear, de la tercera guerra mundial, del terrorismo o del Sida... Se refugia en la esperanza de una salvación, en el regreso próximo de un juez o de un salvador. La llegada de una nueva edad de oro. Y viene entonces la huida de este mundo, como en los años felices –renacientes– del monaquismo. Insatisfecha, la sed de seguridad acude a las seguridades de lo religioso.

- *El «fracaso de las ideologías» forma parte de la crisis*

Refuerza el atractivo por lo «religioso». El liberalismo no ha conseguido ni reducir las desigualdades entre países ricos y países pobres, ni mantener

---

[15] Aun cuando los «terrores» del año 1000 no fueron todo lo que nos han contado los historiadores del siglo XIX. Los milenarismos creen que está próximo el fin del mundo, su juicio, y para las sectas cristianas, el retorno y el reinado de Cristo.

el crecimiento y el empleo garantizados a occidente. En la carrera por el progreso y por la mejoría en el nivel de vida, era posible olvidarse de las aspiraciones espirituales. Las volvemos a encontrar cuando el horizonte se oscurece. También el marxismo concreto se siente desacreditado por el «gulag» y las penurias. Ni siquiera los proletarios y los ciudadanos del «socialismo real» creen en «los amaneceres que cantan». Al no esperar ya en las promesas de un paraíso en la tierra, se ponen a soñar con un reino que no es de este mundo. El fracaso de las soluciones colectivas incita a replegarse en el éxito individual, en la vida íntima. Allí vuelve uno a encontrarse con el calor de la religión, como asunto privado.

- *El exceso de racionalidad*
  *ha provocado un resurgir*
  *de lo irracional reprimido*

El hombre, y sobre todo muchos jóvenes, se sienten aprisionados por una existencia programada, etiquetada. Sufren el anonimato de una sociedad con unas relaciones demasiado funcionales. Faltan unas «relaciones auténticas», de «comunicación», de «calor humano». Entonces se apagan en un mundo que parece no ofrecer más proyecto que el de trabajar para producir más y consumir todavía más para absorber el superávit de producción, en un mundo en que un hombre de cada dos carece de lo necesario. A no ser que el paro sea la única solución... Salta a la vista lo absurdo de esta situación.

Entonces quieren una salida por arriba. Van en busca de un poco de calor y de fraternidad. Aspiran a dar un sentido al vacío de una actividad vana. La falta de significación de la sociedad moderna suscita una búsqueda del sentido de la vida. Las religiones y las sectas ofrecen una respuesta a esta búsqueda de sentido. Las religiones, y más aún sus formas orientales, renovadas o «sectarias», aparecen como puertos en donde poder respirar, expresarse, amarse, comprender.

- *La falta de certeza y de unidad*
  *desemboca igualmente*
  *en este despertar de lo «religioso»*

Cada vez más, el saber se va especializando, es decir, se va haciendo fragmentario y relativo. No hay nadie que sea capaz de dominar ni siquiera un sector estrecho de la ciencia moderna. Lo que se creía saber pasa tan pronto de moda como un vestido. Son numerosos los que «ya no pueden seguir». A medida que los sabios van comprendiendo mejor el universo, el hombre ordinario lo capta cada vez menos. No tiene explicación global. Las cosas no se enlazan entre sí. Ni siquiera puede comprender el funcionamiento de los aparatos que utiliza corrientemente. Cuando se estropean, no es capaz de desmontarlos y poderlos montar de nuevo como se hacía ayer con un despertador o con una plancha. Se siente impotente ante un mundo técnico cada vez más «sofisticado» que le rodea. La verdad explota y se escapa en una multitud de saberes dispersos. Hasta las grandes religiones reconocen que están «buscando».

Entonces, el hombre del siglo XX, desconcertado e impotente, busca una síntesis que le haga el mundo inteligible. Exige interpretaciones que sean algo distinto de meros signos o pictogramas. Aspira a una cultura que le permita situarse en un universo sin hitos naturales. Entre la fría racionalidad de los ordenadores y la lengua de madera de los politócratas. Redescubre la riqueza del lenguaje simbólico, desea la claridad aparente del sincretismo. Técnico o ecologista, se pone en camino hacia la «renovación» religiosa.

Se adivina de este modo la significación, pero también la ambigüedad y los límites de este retorno de lo religioso.

## 2. Su significación y sus límites

- *Un fenómeno cuestionado*

Cabe preguntarse si este «retorno» no será más una *protesta* que un acto de fe profunda y duradera. En gran parte fruto de una situación, ¿no estará ligado a su evolución? En ese caso, el fenómeno sería de orden sociológico más que propiamente religioso. ¿No será más que eso? La religión ¿tiene *solamente un origen social*?

Es verdad que se puede pensar con Gaston Berger que «el hombre debe acostumbrarse a vivir en un mundo en continua transformación y a ser feliz en un mundo semejante». Pero es largo el camino entre el «debe» y el «puede». El hombre, a pesar de su adaptabilidad, ¿está capacitado para seguir el ritmo acelerado de las nuevas evoluciones? El esfuerzo que se le pide entonces ¿no superará sus fuerzas? ¿No corre el peligro de desviarle hasta llegar a romper su equilibrio entre él y el mundo, entre lo que vive y lo que desea? Y ese desequilibrio presente ¿no se confundirá con su desdicha? ¿No será el «retorno» de lo religioso un remedio para ese malestar?

¿Se tratará tan sólo de la necesidad de una compensación en el mundo de la imaginación por los fracasos e incertidumbres de lo real? Entonces, ¿será tan sólo una *reacción psicológica*, personal o colectiva, frente a unas agresiones del ambiente? ¿No será la religión más que una ilusión que ayuda a vivir?

Estos interrogantes conducen al menos a un intento por clarificar algunas confusiones.

• *Sentimiento religioso o religión*

El sentimiento religioso no es ni la vida religiosa ni la creencia. En personas que no tienen ninguna vida religiosa aparente subsiste un vago sentimiento religioso y hasta una cierta creencia. Y al revés, algunos tienen una práctica que no corresponde más que muy poco a una vida religiosa o a una creencia profundas. En una religión tan estructurada como el catolicismo, hay una gran diferencia numérica entre los bautizados o «casados por la iglesia» y los que aceptan los artículos de fe y los dogmas esenciales de la Iglesia romana.

Lo primero es sin duda el *sentimiento religioso*. Es la necesidad afectiva de estar ligado a algo distinto de uno mismo. Es una aspiración confusa a estar en simpatía con el mundo. El afán por penetrar sus secretos. El deseo de comunicar con las fuerzas sensibles que se presiente que actúan en el universo. Una inclinación al misterio.

Prolongación de una afectividad sin objeto preciso, se satisface con vagas efusiones. Busca las sensaciones, las emociones que le dan la ilusión del amor universal. Panteísta de buen grado, no implica una creencia determinada. La adolescencia es su edad preferida. La edad romántica de las «armonías poéticas y religiosas».

Otra cosa es la *experiencia religiosa*. Quienes la han vivido la describen como un encuentro y una superación.

*Encuentro* con un Dios. Es decir, con un absoluto, con una energía, con una fuente de valores reconocidos, con un «ser más» visto como respuesta a una búsqueda sin formular –«No me buscarías si no me hubieses encontrado ya»–. Es a la vez otro y uno mismo. Presente y ausente. Inmanente y trascendente [16]: «Ese yo que hay en mí, más yo que yo mismo». La experiencia religiosa es *superación*. El que la ha poseído, tuvo la impresión de salir de sus límites. De entrar en otra realidad distinta de lo cotidiano. La describe de ordinario en términos de rapto, de luz, y hasta de éxtasis. Más sencillamente, el ser ha sentido que se escapaba de las dimensiones de su existencia espacial y temporal. Ha conocido «otro sitio» que no está sin embargo desvinculado del «aquí». Ha vivido un tiempo que no miden los relojes. A veces, por un corto instante, ha tenido el sentimiento de que su vida no se limitaba a la sucesión de sus actos. Tenía como una especie de base y una prolongación que esbozaba su orientación. Estaba como asociada a otras vidas. A la Vida.

Esta experiencia es el descubrimiento de otra manera de *leer lo real*. Para el que la ha vivido, el mundo se presenta como un «bosque de símbolos». Todo es signo o, mejor dicho, símbolo. Más allá del saber científico, hay un conocimiento profundo de que todas las cosas son más de lo que parecen, más que la totalidad de sus elementos. Tiene una significación.

---

[16] Es inmanente, es decir, interior al hombre. Y trascendente, es decir, por encima del hombre, inalcanzable por ser fundamentalmente «otro».

Ella no es solamente imagen de otro mundo. No lo evoca solamente por analogía. Está radicalmente ligada con él y lo manifiesta. Para el que ha tenido este encuentro, los acontecimientos son signos de un caminar con Dios.

Este encuentro, esta superación, este descubrimiento, ¿eran una ilusión? ¿Una objetivación de deseos quiméricos? ¿Palabras sin sustancia? ¿O verdades universales, eternas, comunicadas y redescubiertas al filo de los tiempos por unas generaciones de «visionarios», de «profetas» o de simples «creyentes»? ¿Quién puede decirlo con certeza? ¿No es ése el objeto mismo de las creencias, o de la fe?

- ● *Creencia y fe*

La creencia forma parte de la especificidad del hombre. Todo hombre tiene una creencia, aunque sea implícita o inconsciente. «Dime en qué crees, y te diré quién eres?». Decirse «no creyente» es solamente rechazar las creencias comunes, religiosas por ejemplo, en nombre de otra creencia inconfesada. Afirmar que no se puede afirmar nada con certeza es ya una afirmación.

Pero, más que de creencia, habría que hablar de *acto de creer*.

Creer es no saber. Es pensar que una cosa es verdadera sin estar cierto de ella. Si existieran pruebas indudables de la verdad, no se creería; estaría uno seguro de conocerla. Uno cree cuando no está seguro. En toda creencia hay siempre una parte de incertidumbre y de duda. Creer es apostar que una probabilidad es más verdadera que otra.

Cada uno tiene «su» creencia. Mejor dicho, sus creencias. Creer es un acto individual, y esas creencias no se refieren necesaria y únicamente a Dios, al espíritu, al más allá... Integran toda clase de explicaciones de fenómenos incomprensibles. No son forzosamente coherentes entre sí.

No todos estos numerosos «creyentes» pertenecen a una «religión». Pero existen también «creyentes» en una religión, aunque no siempre compartan realmente la fe profunda.

*La fe* es más que simple creencia. Como ella, puede comenzar por una especie de apuesta por la verdad. Pero esta verdad, más que escogida por el fiel, lo coge, lo escoge a él.

La fe es igualmente adhesión, fidelidad, compromiso. Para el fiel, existe una relación muy profunda entre él y el objeto de su fe. Se siente apegado a él por todo un pasado, y sobre todo por un futuro que exige la conformidad entre lo que cree y lo que vive.

La fe no es algo de su propiedad. La comparte con una comunidad de fieles, aunque para cada uno esa fe tenga una historia, un colorido, un acento personal. Hay personas que viven su fe fuera de una religión practicada. Y sin duda hay en una religión adeptos y hasta practicantes de los que resulta difícil afirmar que «tengan fe».

Una *religión* es la unión de unos creyentes vinculados entre sí por una institución más o menos organizada. Están ligados por una tradición, por unas creencias y por unos ritos comunes. Este vínculo los une así a un grupo humano cargado de una historia y de un proyecto, con el que comparten una doctrina más o menos codificada.

Para muchos, esta religión es el medio privilegiado de vincularlos a lo sagrado y a lo divino.

- ● *Religión, ideología y fe*

Confiésese o no, una religión tiene casi siempre mucho que ver con la ideología. Aunque sólo sea porque nace, se propaga y se desarrolla en una sociedad que vive de una cultura y de una ideología. O bien en donde se difunde otra que se opone a ella.

A menudo, la religión vive anexionada por la ideología dominante, que se sirve de ella para mantener su orden.

La religión transmite entonces, voluntaria o involuntariamente, las concepciones sociales, los valores morales, en los que se basa el sistema político. Se acaba por no saber ya si la religión se ha ideologizado o ha sido ella la que ha proporcionado al poder la ideología que necesitaba.

Así, el catolicismo y la ideología monárquica han estado implicados mucho tiempo en Francia.

Así, el islam proporciona hoy a Irán la ideología que necesita frente a las ideologías liberal y marxista, teóricamente rechazadas.

Finalmente, muchas veces la religión no puede menos de segregar una ideología. Intenta una explicación global del universo y de la sociedad. Constituye un sistema de representación del mundo, de los valores y de los comportamientos que se derivan de ella.

Tiende a modelar al hombre y a la sociedad a imagen del dios que anuncia y de las relaciones de ese dios con los hombres; por ejemplo, una sociedad monárquica y jerarquizada, que tiene como principio la obediencia.

Y al revés, tenemos tendencia a modelar a ese dios según nuestras ideas y nuestros intereses. Ese dios se convierte en la justificación suprema de nuestras concepciones filosóficas, sociales y políticas. Así, el mismo Jesús se fue convirtiendo, en cada ocasión o simultáneamente, en «rey», «trabajador» o «primer revolucionario»...

La fe, por su parte, supera y cuestiona todas las ideologías. No es un sistema de explicación total y totalitaria del mundo. No es tampoco una ideología sustitutoria. Es menos conocimiento que reconocimiento de una llamada a una vida perfecta. Una llamada a ser más y a amar mejor.

● *Un fenómeno limitado*

El renacimiento del sentimiento religioso y de las creencias no puede ocultar otros fenómenos igualmente importantes: la indiferencia, la huida, la disminución de la práctica y la infidelidad de los mismos fieles.

La *indiferencia religiosa* caracteriza a la actitud dominante de muchos de nuestros contemporáneos. Al lado de los que buscan un apoyo en la oración, en los ritos, en las sectas, son todavía más numerosos los que ignoran cada vez más la plegaria, la consagración religiosa de los grandes acontecimientos de la existencia, y no se plantean aparentemente ninguna cuestión sobre los orígenes y el más allá de la vida. Si este materialismo concreto no es ya una ideología, sí que es una manera de vivir para cientos de millones de seres humanos. El ateísmo que rechazaba la existencia de dios se ha convertido en inexistencia de la preocupación por dios. El hombre

«unidimensional» vive en un mundo horizontal del que ha sido eliminada la trascendencia.

Un nuevo «carpe diem», una vida absorta en lo cotidiano sin más porvenir que consumir el presente, constituye la máxima implícita de una gran masa de nuestros contemporáneos. Al mismo tiempo, los descubrimientos de la ciencia, y en particular del estudio de las religiones, han engendrado un escepticismo generalizado o bien un relativismo tolerante. No existe una verdad en sí. Solamente hipótesis, postulados igualmente inverificables e insatisfactorios, aunque operacionales.

● *La huida ha dejado vacías a muchas religiones*

Hay igualmente muchos que abandonan las comunidades de sus padres. La Iglesia católica ha conocido en los años 1970 salidas clamorosas. Hoy esas salidas se hacen con más discreción, «con la punta de los pies», pero siguen existiendo. Todas las religiones [17], empezando por el budismo, se ven afectadas por este fenómeno. Es verdad que el abandono de las prácticas no es forzosamente la pérdida de una fe. Aunque podemos preguntarnos si el hombre puede seguir siendo fiel durante mucho tiempo sin ritos. Pero el rechazo de tradiciones que se creen superadas, el deseo de escaparse de la violencia de las instituciones, la necesidad de liberarse de las formas colectivas de creer, el malestar que se siente ante ciertos grupos cerrados en sí mismos, el desacuerdo con ciertas tomas de posición de las autoridades religiosas, todo esto impulsa a muchos fuera de las grandes religiones establecidas.

Igualmente grave es la *disminución relativa* del número de adeptos de las grandes religiones. Desde comienzos de siglo, la progresión global del número de creyentes no sigue a la de la población. Esto es verdad especialmente en el budismo y en el hinduismo. Pero, aunque sólo sea en virtud del escaso crecimiento demográfico de occidente, el cristianismo seguramente no representará más que el 25% de

---

[17] Exceptuando al islam, como veremos en el c. 6.

la población mundial en el año 2000, en vez del 33% que representaba en 1900.

● *Los fieles no son ya lo que eran*

En efecto, podemos preguntarnos si «los que quedan» no lo hacen a veces más por costumbre o por necesidad de seguridad que por convicción. Hay un desnivel, a veces profundo, entre la pertenencia a una religión y los comportamientos que ella recomienda. Lo sabe muy bien el papa, cuyas encíclicas, especialmente la *Humanae vitae* [18], no han obtenido la aprobación de los fieles americanos o alemanes, ni su obediencia. A pesar de las declaraciones episcopales, siguen vigentes las mentalidades y las reacciones racistas o intolerantes en ambientes no despreciables del catolicismo francés. La gran asamblea interreligiosa de Asís, por la paz, no ha logrado frenar los conflictos de carácter religioso, como en Irlanda o en la India.

Pues bien, actualmente, como en tiempos de Racine, «la fe que no actúa, ¿es una fe sincera?». Parece ser que, cada vez más, la vida privada se empeña en escaparse de las reglas de las instituciones religiosas. Tanto si se trata del matrimonio, como de la contracepción o de la opinión sobre la pena de muerte, se piensa que esto es asunto de conciencia personal, no de leyes religiosas. La subjetividad, el intimismo, la libertad individual prevalecen sobre la sumisión a los antiguos «mandamientos». Cada uno se hace «su» religión. Una uniformización cultural, laica y modernista tiende a nivelar las diferencias religiosas [19]. A base de una vulgarización pseudo-psicológica y del hedonismo comercializado, esta cultura implícita sustituye a las tradiciones religiosas. Las paganiza sustituyéndolas por nuevos ídolos y nuevos ritos [20].

---

[18] Sobre la vida conyugal y la contracepción (1968). En 1986 se vio incluso cómo fue relevado de sus funciones un arzobispo americano (Mons. Hunthausen) por su excesiva tolerancia en estos terrenos.

[19] En Francia, ¿existen grandes diferencias en el modo concreto de vivir entre un joven argelino y un joven francés, que comulgan ambos en el «rock n'roll»?

[20] Ritos de la «ruta del sol», del ski, de las «boîtes». Idolos: el auto, el sexo, la eficacia...

Este comportamiento, que no es sólo el de los jóvenes, no impide por reacción el retorno minoritario a un moralismo y a una práctica fundamentalistas.

## 3. Sus ambigüedades

Así, pues, se da simultáneamente un resurgir del «sentimiento religioso», una permanencia de «experiencias religiosas», una proliferación de creencias y de supersticiones, y, a pesar de las apariencias, una disminución de las prácticas, un debilitamiento de las creencias, un desleimiento de la fe, una ignorancia y una falta de prestigio de las instituciones religiosas. Disminuye el número relativo de sus adeptos. Aunque subrayada por los medios de comunicación social, la eficacia de su autoridad se va debilitando.

Pero *el porvenir sigue siendo para ellas más prometedor* y *abierto* de lo que se pensaba generalmente tan sólo hace unos diez años. Es que por muchos rincones están surgiendo comunidades vivas en el corazón o al margen de las religiones antiguas. Vuelven a florecer ramas que se creían ya muertas. Se adaptan, rejuvenecen o se ponen en cuestión el lenguaje, los ritos, las formas, las estructuras mismas.

Finalmente, y sobre todo, sólo las religiones proponen soluciones a los grandes interrogantes del hombre. ¿Soy yo solamente un fruto del «azar y de la necesidad»? ¿Un agregado de células y de enzimas? ¿Se resume mi muerte en una disgregación corporal? ¿Adónde caminan el universo y la humanidad? ¿Cuál es el sentido de toda esta aventura?

Ni la biología, ni la fisiología, ni la psicología, ni la sociología o la historia han suprimido estas preguntas. Lo seguro es que el hombre del siglo XX se las sigue planteando, aunque en un lenguaje distinto del de otros tiempos. Visiblemente al margen de sus tareas y de su ocio, esas cuestiones siguen siendo constitutivas de su humanidad. Y las grandes religiones creen todavía que pueden aportar sus respuestas eternas.

¿Se dirá que, puesto que no hay respuestas absolutamente convincentes, esas cuestiones carecen de sentido? Esta respuesta no satisface a los 2.500 millones de creyentes del mundo.

Esbozaremos a continuación las grandes líneas de sus respuestas.

☆

Empezaremos por el *animismo*, ya que es a la vez la religión más antigua de la humanidad –algo así como el arquetipo de las religiones– y la que sigue estando más o menos presente en nuestras creencias actuales, incluso las más elaboradas.

Constituye el primer lazo del hombre con lo invisible.

Seguiremos con la presentación de las religiones llamadas *místicas:* el *hinduismo* y el *budismo.*

En efecto, la primera se relaciona históricamente con el animismo por su antigüedad y sus orígenes.

Son religiones basadas en la *experiencia* de un sabio y en el descubrimiento del *misterio*, es decir, del sentido oculto de la existencia. No tienen entonces ni un verdadero fundador, ni una enseñanza, ni siquiera a veces una institución con un clero y una iglesia. Ignoran también el sentido de la historia y del pecado. Se basan esencialmente en una llamada a experimentar las ilusiones del yo y del mundo para disolverse en el orden universal.

Luego, dejando este mundo oriental tan difícil de comprender para un occidental, hablaremos de las religiones que nos resultan más familiares:

– El *judaísmo*, luego el *cristianismo* y el *islam,* que nacieron de él. Se las llama religiones *monoteístas* o *proféticas.*

Monoteístas, porque proclaman la fe en un Dios único. Proféticas, porque fueron reveladas por un fundador que transmitía el mensaje de ese Dios, en cuyo nombre hablaba.

Esta palabra de Dios debe ser vivida y realizada en una historia. Es guardada y transmitida por un clero en una institución que la codifica como doctrina.

Proclama unos mandamientos y unas prohibiciones, respecto a los cuales el hombre que los desobedece se convierte en pecador.

Finalmente, terminaremos con una breve ojeada sobre las *sectas*, manifestaciones ambiguas del sentimiento religioso en nuestros días.

# 1
# El animismo

Los vivos son gobernados por los muertos (Auguste Comte).

## 1. Una religión

### a) Del paganismo al animismo

Hubo una época, no muy lejana, en la que se llamaba «paganismo» a los cultos que se consideraban *primitivos* y que los exploradores y misioneros descubrieron en América, en Asia y sobre todo en Africa. Al no pertenecer a ninguna de las grandes religiones conocidas, las creencias de esos pueblos les parecieron una especie de *fetichismo*, una idolatría, forjada de supersticiones y de hechicerías.

Bajo su pluma, el término de *paganismo* tenía, si no el sentido de ateísmo o de irreligión, al menos el de una religión rudimental y por tanto de una religión falsa. Sin embargo, esto no era del todo exacto, si nos acordamos de que «paganus» significa aldeano: el paganismo es la religión de un mundo rural cercano a la naturaleza.

Más tarde, los sociólogos, los etnólogos, los antropólogos [1], y a veces los mismos misioneros comprendieron que estos cultos primitivos merecían ser bautizados: *religiones tradicionales*. Después de haber hablado de totemismo [2], de manismo [3], de politeísmo [4], prefirieron el término de animismo. En efecto, este término designa lo que constituye lo esencial de estas religiones: *la creencia en los espíritus*, en las «almas», que viven y animan todo cuanto existe. ¿No es esta convicción el fundamento de toda religión?

### b) Los elementos de toda religión

Gracias a estas ciencias humanas, reconocemos hoy al menos tres evidencias:

---

[1] La antropología cultural, la etnología y la psicología social estudian al hombre en sociedad con sus fenómenos colectivos, sus costumbres, ritos, religiones... Su padre fue Emile Durkheim (1858-1917), autor de *Las formas elementales de la vida religiosa*. Akal, Madrid 1982.

[2] Totemismo: veneración de un animal, considerado como el antepasado del grupo.

[3] Manismo: creencia en una fuerza misteriosa, el «mana», que en ciertas sociedades polinesias es la causa de los acontecimientos.

[4] Politeísmo: creencia en la existencia de varias divinidades.

En su diversidad, estas creencias constituyen ciertamente una religión.

Sus elementos originales las relacionan con las grandes religiones conocidas. Si son primitivas, lo son en el sentido de que son «primeras».

Aunque muy arcaicas, siguen vivas y actuales.

- *El animismo es ciertamente una religión*

Tiene sus certidumbres esenciales. Ser animista es creer en la existencia y en la *realidad de un mundo invisible*. El hombre no se limita a su cuerpo. La tierra, los astros, los animales, los mismos vegetales pertenecen a un cierto orden del mundo que vincula entre sí todos los elementos del cosmos. Su vida, digna de respeto, no se detiene en su muerte. Todo procede de un dios supremo.

Aunque lejano, aparentemente inaferrable y diverso, ese dios es objeto de *un culto*. Los ritos –abluciones, entredichos, ofrendas, ceremonias, iniciaciones– afirman la dependencia del hombre respecto a lo sobrenatural, pero también su pertenencia y su participación en su vida profunda. Son religiosos: religan a los hombres con dios. En bambara, la expresión *lasiri* significa tanto vínculo como religión. Podría incluso decirse que, para un animista, *todo es rito*. Mejor dicho, los pueblos animistas son «en realidad de los más religiosos de la tierra». En efecto, para ellos, como veremos, la religión no está separada de la vida personal y social; todo es religioso.

El animismo posee su *organización*. Si no hay iglesia aparente, es que suelen confundirse las funciones religiosas y las civiles. El poder del rey o del jefe es de origen religioso. El anciano, el adivino, el médico, el chamán, el hechicero son una especie de sacerdotes: intermedios entre el grupo y la divinidad. Pero tienen igualmente una función social, y las estructuras del grupo, sus relaciones, su jerarquía remiten a los esquemas religiosos.

- *El animismo contiene los principios religiosos esenciales*

Por detrás de los cultos considerados como paganos, por estar aparentemente destinados a la tierra, los astros, el agua, los árboles o los animales, hay unos esquemas profundos inherentes al espíritu religioso.

– Sea cual fuere el nombre que se le da, el *alma* está presente tanto en la religión de los achantis [5], como en la de los saras [6] o en la de los bambaras [7]. El soplo, la luz, el pájaro son sus signos más frecuentes, como lo serán en el cristianismo. ¿No significa la palabra espíritu precisamente «soplo»? ¿Y no se presenta al Espíritu Santo bajo la forma de un «gran viento», de una «lengua de fuego», de una «paloma»? Y cuando los suazi de Africa del Sur dicen que el hombre se compone de carne y de soplo, ¿no hacen pensar en el combate del apóstol Pablo entre la carne y el espíritu?

– Esta alma forma parte de un sistema *dualista* que tiene sin duda su origen en la percepción que se hace el hombre primitivo, pero no sólo él, del mundo y de sí mismo: el cielo y la tierra, el hombre y la mujer, lo de arriba y lo de abajo, la luz y la oscuridad... Este dualismo se lo ha sugerido igualmente el desdoblamiento que se experimenta durante el sueño. ¿No será el sueño el viaje de un doble a través del espacio y del tiempo? Así, pues, esta alma, el doble, puede abandonar el cuerpo en ese largo sueño que es la muerte, y vivir independientemente de él. Puebla el mundo de los espíritus.

Bajo diversas formas, este dualismo incluye la noción de *pureza e impureza*. Así, para los bambaras, los pies son impuros, mientras que el ojo en otros africanos es la sede del alma luminosa. Casi en todas las culturas, la mujer, durante sus reglas, es impura. Entre los yorubas [8], ella no puede durante ese tiempo preparar la comida. Para los saras, son los malos espíritus los que han penetrado por su vagina. A menudo, ellas son hechiceras, ya que el mal está intrínsecamente ligado a su sexo [9].

---

[5] Pueblo de agricultores y cazadores de la antigua Costa de Oro.

[6] Etnia del Chad, para la que el espíritu, al morir, se va hacia el oeste.

[7] Pueblo de la región del Níger, presente en varios países africanos. Para él, el hombre posee dos principios espirituales: el «ni» y el «dya», el alma y el doble.

[8] Población del oeste de Nigeria.

[9] Es lo que ocurre entre los lunda.

En consecuencia, ¿qué religión no tiene sus ritos de purificación: abluciones, bautismo? Los entredichos, los tabúes relativos a los alimentos, especialmente a las carnes, a los comportamientos, marcan la frontera entre *lo profano y lo sagrado.*

De mucha fuerza en el animismo, en donde la violación de esos tabúes es castigada a veces con la muerte, no están nunca ausentes en las grandes religiones tradicionales. Pensamos en el alimento *kaser* de los judíos, en la prohibición de la carne de cerdo entre los musulmanes, en la abstinencia de carnes los viernes en el catolicismo [10], y hasta en la negativa de algunos católicos a recibir la hostia en la mano.

*Lo sagrado* es lo que está reservado a dios. Está relacionado con el poder y la majestad divinas. Por eso es un terreno aparte: un lugar, una parcela de terreno, un órgano o una parte del cuerpo, un objeto. Tal era, por otra parte, el sentido en latín de la palabra *sacrum.* Todavía designa el hueso de la cavidad donde están las vísceras que se ofrecían a los dioses, precisamente en «sacrificio».

Estas cosas «sustraídas del uso corriente» participan del misterio que rodea a la divinidad. Son reverenciadas lo mismo que ella. Suscitan a la vez temor y fascinación. No se acerca uno a ellas, no se atreve a mirarlas. Así, el pueblo judío estaba al pie de la montaña que subió Moisés, después de que Yahvé le ordenó: «Que no traspasen los límites fijados» (Ex 19, 12). Y el mismo Moisés, ante la zarza ardiendo del Horeb recibió el mandato de «no acercarse..., quitarse las sandalias..., porque el lugar donde estaba era una tierra santa» (cf. Ex 3, 5).

En todos los animismos existen esos objetos sagrados: la montaña, la cueva, la fuente, el árbol, la planta o el animal. Su poder es tan grande que se ejerce a distancia. Por eso conviene no acercarse a ellos. Además, hay en cierto modo una incompatibilidad entre el mundo profano, que es el de la existencia normal de cada día, y el mundo sagrado, el del poder divino. Entre ellos no hay contacto. Para todo lo que es sagrado hay que tener otras actitu-des, otros gestos, otro lenguaje; o es preciso acudir a un intermediario, un ser que esté también aparte, aislado, que sea «santo», sacerdote o mago.

Por todas estas razones, todo lo que es sagrado suscita un entredicho. Y resulta *sacrílego* tocarlo. Esta falta entraña a la vez castigos individuales y colectivos por parte de la divinidad y sanciones por parte de la comunidad. El rayo, la destrucción del ganado o de las cosechas, la falta de caza, la esterilidad, las enfermedades son los castigos enviados por los dioses o los antepasados. Varias humillaciones, y sobre todo la exclusión temporal y hasta definitiva del «sacrílego» son las penas que habitualmente se imponen por el grupo.

Los *ritos de ofrenda y de sacrificio* manifiestan el reconocimiento de la dependencia del hombre respecto a su creador. Constituyen también a menudo una expiación.

*La primera función es de gratitud.* Estos ritos consisten de ordinario en la *oblación* de las primicias de la cosecha: mijo, algodón; o en el momento de la siembra, para hacer que la semilla sea fecunda. También hay sacrificios de animales: polluelos entre los lobis, un carnero o unas aves entre los bambaras. Cada dios o cada antepasado tiene sus preferencias: entre los dogón, los tomates; entre los de Benin, los caracoles... Estos sacrificios son de acción de gracias y de petición de favores.

*Segunda función: la reparación.* Otros ritos tienen la finalidad de *calmar al dios ofendido.* En este aplacamiento tiene un gran papel la *sangre;* es que, como en los dogón, ella es la sede de la fuerza vital, el principio espiritual entre los achantis. Satisface a los antepasados; es consumida por Faro, el dios de los bambaras; libera al espíritu animador del mundo...

Los animistas han conocido a veces los sacrificios humanos. En el pasado, los bambaras sacrificaban, en los casos graves, a un albino. Lo mismo ocurría, por ejemplo, en Benin, cuando la muerte del rey. La víctima servía igualmente como chivo expiatorio, que recapitulaba las faltas que había que expiar.

Bajo una forma depurada, el sacrificio de Cristo, «cordero de Dios», ¿no es acaso para los cristianos

---

[10] Todavía en tiempos de Luis XV, el caballero de La Barre fue azotado por haber comido carne en viernes.

reparación «por los pecados del mundo»? [11]. Redención: saldo de una deuda: la falta original de la primera pareja, es decir, la violación del primer entredicho divino [12]. Esta sangre de los sacrificios, humanos o animales, está representada a veces simbólicamente. Entre los hombres prehistóricos, se encontraba bajo la forma del color ocre o rojo. El rojo, que es el color del Espíritu Santo. Pero el mejor símbolo de la sangre es el vino, que une el fuego rojizo con el aspecto líquido. ¿Es una coincidencia que el vino sea asimilado por los fieles cristianos con la sangre de Cristo?

Pero el sacrificio puede ser también una obligación que se impone; un acto que «cuesta» para devolver a Dios lo que se le ha quitado, el tabú violado, robado. Es la reparación de un desorden. El ayuno, practicado en todas partes, es la autopunición más frecuente; pero existen otras clases de privaciones voluntarias. Restauran en cierto modo lo sagrado. Precediendo a las iniciaciones, estas abstenciones que acompañan a los ritos del cambio toman la forma de ayuno, de abstinencia sexual, de silencio, de retiro, de sufrimientos buscados. Manifiestan que el *ascetismo* está en el corazón de toda vida religiosa, animista o no.

*El sacrificio tiene, finalmente, una tercera función. Regenera la fuerza vital,* disminuida a veces por la enfermedad, la violación de un tabú, o dispersada por la muerte. En estas ocasiones es necesario restituirla, ordinariamente derramando la sangre de una víctima. Así hacen los dogón, entre los que la palabra «sacrificio» significa radicalmente: hacer revivir. Lo mismo ocurre entre los sussus y los malinké de las costas de Guinea, en donde los fieles se reparten la carne del sacrificio, comulgando así de la energía vivificante de la víctima, un cerdo o un toro.

*La dualidad es también la oposición entre el bien y el mal,* entre la recompensa y el castigo: es decir, *una ética.*

Es verdad que, en la mayor parte de los animistas, son las infracciones a los entredichos las que constituyen eso que en occidente se conoce con el nombre de *pecado.* Aunque, en Africa, el mal es «hacer lo que dios no permite», no se conoce de veras esta noción de pecado. La falta consiste esencialmente en la no-observancia de un rito, en la desobediencia a un entredicho. Es menos individual que social. Infringir las prohibiciones ancestrales es efectivamente atentar contra el orden de la sociedad y del mundo. Comer, por ejemplo, la carne de tal animal es ofender a los antepasados. Con ello queda perturbado todo el sistema de vida tradicional.

El pecado es más inmaterial en las religiones clásicas. Es la transgresión del orden querido por dios: un rechazo del amor de Dios. Pero en la práctica, muchos creyentes se refieren a una ley objetiva fijada por las iglesias. ¿No fue en otoño de 1985 cuando el presidente del CRIF [13] recordaba que «el judaísmo tradicional y ortodoxo pone el respeto a los 613 mitzwot al frente de las obligaciones, y considera que es el cumplimiento de estos mandamientos lo que permite al hombre judío unirse de alguna manera con Dios, elevarse espiritualmente»? [14].

Como los animistas, ¿no son numerosos los judíos, los cristianos, los musulmanes, para quienes una desobediencia a las obligaciones rituales es más grave que una falta al «amor de Dios y del prójimo»? ¿No son muchos los que temen del cielo el castigo de una justicia inmanente: una enfermedad, un fracaso, un accidente...? ¿No son muchos los que esperan un paraíso menos ecológico que el de los dogón [15], pero al fin y al cabo un paraíso? ¿No son muchos los que temen un castigo infernal?

Como vemos, si el animismo no es sin duda el único origen de todas las religiones, sí que contiene los elementos fundamentales del fenómeno religioso: creencia en un mundo invisible y en la existen-

---

[11] Con una doble diferencia: es un hombre-dios el que se ofrece voluntariamente en sacrificio.

[12] «Pero del árbol del conocimiento del bien y del mal, no comerás» (Gn 3, 1).

[13] Consejo representativo de las instituciones judías de Francia.

[14] Le Monde (15-9-1985).

[15] Una especie de jardín donde el alma vive bajo el fresco de los árboles.

cia del alma; distinción dualista entre lo puro y lo impuro, lo sagrado y lo profano; práctica del sacrificio y de una ética de la obediencia a unas prescripciones.

## c) Una religión muy viva

El animismo sigue viviendo.

En primer lugar, porque sigue siendo la *religión de una gran parte de Africa*, donde cuenta con unos 130 millones de adeptos. Pero no se limita a Africa. Las mentalidades animistas impregnan al menos a 60 millones de asiáticos. Y hay cultos cercanos al animismo muy activos en América del Sur, por ejemplo en Brasil, en las Antillas y en el Caribe. Esto significa que puede calcularse en *200 millones* el número de animistas.

El animismo tiene especial vigencia *en el mundo rural*, sobre todo cuando está poco afectado por la emigración a las ciudades. Pero incluso en los grandes centros urbanos, los suburbios de las megápolis del tercer mundo ven cómo subsiste o renace, debido a una necesidad de identidad.

No es posible sobre todo calcular el número de africanos «evolucionados», que se han hecho cristianos, musulmanes o indiferentes, y que conservan una mentalidad «fetichista». Diversos hechos manifiestan de vez en cuando que muchos «convertidos» modernos siguen practicando un culto animista. Sucede incluso que la occidentalización y su racionalismo producen una reacción de vuelta a los ritos ancestrales, a veces con la aparición de sectas o de actuaciones mágicas.

No sería difícil observar vestigios de «paganismo» entre los africanos islamizados o cristianizados. Se han producido verdaderos sincretismos con la fundación de iglesias nuevas, de las que el kimbanguismo es el mejor ejemplo.

Finalmente, las independencias nacionales, la moda de la etnología, han suscitado, con la búsqueda de la «autenticidad», *una recuperación de las religiones tradicionales*. El «retorno» del animismo es a la vez una manifestación y un resorte de la africanización. No es posible prever su porvenir. Pero el ·animismo no está muerto. Los injertos occidenta-

les, islámicos y cristianos, no han matado el viejo árbol «pagano». Ellos mismos se ven y se verán transformados a veces por él.

## d) El animismo en el corazón de las religiones

Ya hemos atisbado y volveremos a percibir la *permanencia de los signos*, de los símbolos y de los mitos, desde la noche de los tiempos hasta las religiones contemporáneas. He aquí tan sólo *algunos ejemplos*.

Es muchas veces a partir del agua o del barro como dios crea al mundo y al hombre, tanto entre los dogón como en el Génesis. El diluvio cubre el mundo de los kirdi, lo mismo que la tierra de Yahvé. Entre los mitsogo del Gabón, la primera pareja es expulsada del centro de la tierra en donde se levanta el árbol de la vida, como ocurrió con Adán y Eva en el jardín de Edén.

Los ritos de iniciación, de pasaje, con sus pruebas, sus incisiones, sus ayunos, subsisten en los diversos bautismos y confirmaciones o barmitzwa. La circuncisión, generalmente practicada en la zona sudanesa, entre los bambaras, sigue siendo una práctica esencial en el judaísmo y en el islam. Aun cristianizados, los basuto van a «la escuela de la pubertad», para ser allí «iniciados» en las tradiciones. Hasta la fecha de las grandes fiestas judías, cristianas, islámicas, coincide muchas veces, más o menos, como en las religiones primitivas, con los cambios de estación, los solsticios, los equinoccios o los cambios de luna. El cambio es siempre una causa de angustia, que los ritos religiosos tienen la misión de conjurar.

El animismo, como las religiones primitivas, anuncia todas las creencias religiosas, siendo su imagen poética.

Sólo difiere de ellas por la representación concreta, más cercana a la naturaleza, que ofrece del alma, de dios, del más allá. Es verdad que el dios «cazador» de los damara [16] no es el «puro espíritu»

---

[16] Población de Africa del Sur.

de nuestros catecismos; el alma no es un pájaro, sino un principio de vida personal; el más allá no es ese jardín o ese abismo de fuego al que se llega por un puente o una barca, sino la «salvación».

- ● *El animismo no ha muerto*

En Saint-Christophe-le-Jajolet (Francia), celebran a san Cristóbal el 28 de julio, día en que se entra en la constelación del Perro y en que, en la antigüedad griega y romana, se mataba a los perros. Era también el día de Anubis, dios-perro. Pues bien, nuestro Cristóbal, antes de ser portador de Cristo, era representado con una cabeza de perro...

En un mundo laicizado como el nuestro, cuando el Concorde presidencial se estropea, o cuando el cohete Ariana (la que permitió salir del laberinto) falla en el momento de partir, se dice que «la expedición ha sufrido un mal de ojo».

En Bretaña, como entre los ashanti, la costumbre exige que no se recojan por la tarde las basuras.

Si, para los bassa, la presencia de una rata en el patio es presagio de una muerte, en Francia hay personas que creen que pasar por debajo de una escalera puede acarrear mala suerte o «llenar la cabeza de arañas» (jaqueca)...

La interpretación de los sueños, como entre los kirdi, o de cualquier otro presagio, constituye en occidente una industria impresionantemente rentable. Y se dice que, como en tiempos de Catalina de Médicis, muchos hombres políticos consultan a una «echadora de cartas» o a algún vidente antes de tomar una decisión.

«El 43% de los franceses y el 56% de los patronos y cuadros acuden en 1985 a médicos no científicamente reconocidos».

Como decía Georges Duhamel, «el papú sale a la superficie...». ¿Es que había bajado alguna vez?

Sin embargo, por detrás de las imágenes, la verdad es siempre la misma: un dios creador y un hombre ligado en cuerpo y alma a ese dios; la muerte, un paso a otro modo de vivir.

¿Es posible expresar estas verdades de una manera que no sea en imágenes, en mitos? Estas coincidencias fundamentales ¿atestiguan la universalidad de la lógica y de la imaginación humanas en lo que tienen de esencial? ¿Son los frutos similares de la meditación de los sabios a través del mundo y del tiempo?

¿Son el vestigio, el recuerdo ancestral y confuso de un conocimiento primitivo común? ¿El del hombre, «ángel caído que se acuerda del cielo»?

¿Son partículas de una «revelación» parcial, que se han ido entregando progresivamente a los hombres, según su estado en un lugar y en una época determinadas?

Es verdad que el animismo no es una religión revelada. Si conoce las apariciones de los sueños, ignora la visión de un dios que entrega un mensaje y una ley. Y los primeros etnólogos, como Tylor (1832-1917), vieron en el animismo la creencia elemental en los espíritus –*anima*– que animaban al hombre y, por analogía, a todos los seres. De ahí el término de animismo. La fe en dios no habría llegado más que mucho más tarde, y el animismo estaría privado de ella. Sería, en cierto modo, una religión que se ha detenido en una etapa arcaica de su desarrollo. Pero ¿no es ésta una interpretación demasiado occidental-centrista?

## 2. El Dios de los animistas

Pero el animismo no es una religión sin dios.

### a) *Aparente idolatría*

Los exploradores y los misioneros, al ver el culto que se rendía a ciertos animales, al elefante de los pigmeos o al buey sagrado de los habitantes del Nilo, e incluso a ciertas piedras, como entre los kotoko [17], o a ciertos árboles a los que se hacían ofrendas, como lo practican los kikuyu de Kenia, pudieron creer que los africanos adoraban a esas cosas. Vieron en todo ello un inaceptable o ridículo *fetichismo*. Encontraron absurda esta práctica su-

---

[17] Población del Togo.

perada para ellos. Todo lo más, intentaron encontrarle explicaciones científicas, como el *totemismo* [18].

De hecho, lo que venera el «salvaje» no es el animal, ni la piedra, ni la planta, sino «el principio vital que les es común». El animal, la piedra, la planta, *no son ídolos*, imágenes identificadas con la divinidad. Están habitados por una fuerza que, desde siempre, es también la que el hombre experimenta en sí mismo.

El culto aparentemente idólatra va más allá de las apariencias. Revela una creencia más profunda: el animal es un pariente del hombre. Como él, posee un alma y un doble. Cada hombre tiene de este modo un *alter ego* animal. Los dogón dicen: «El animal es el gemelo del hombre». Por tanto, no es el dios. Los árboles también tienen alma y las rocas están vivas. De ahí el culto que se les rinde. No va dirigido a ellos, sino a la vida, al orden de las cosas. Mejor dicho, a un «dios impersonal, sin historia, inmanente y difuso en la multitud de las cosas» [19].

### b) Y politeísmo engañoso

Más ambiguo es el culto a las *divinidades de las aguas, de la tierra* y de los elementos. Parece ser que los dogón, los bambaras, los lobi, los ibos y otros pueblos consideran el fuego, el aire, la lluvia, el viento y sobre todo la tierra como dioses. Los invocan, les llevan ofrendas para evitar su cólera y conseguir su favor.

Sea de ello lo que fuere, estas divinidades secundarias son más bien personificaciones de las fuerzas naturales que verdaderos dioses. Forman parte de la explicación mítica del mundo. No son más que los agentes, los servidores de otro dios todopoderoso. Están emparentados con los héroes mitológicos, con sus luchas, sus desposorios. El trueno, figurado por un carnero, la tierra, el agua representada por una vasija de cobre, el huracán o la viruela corres-

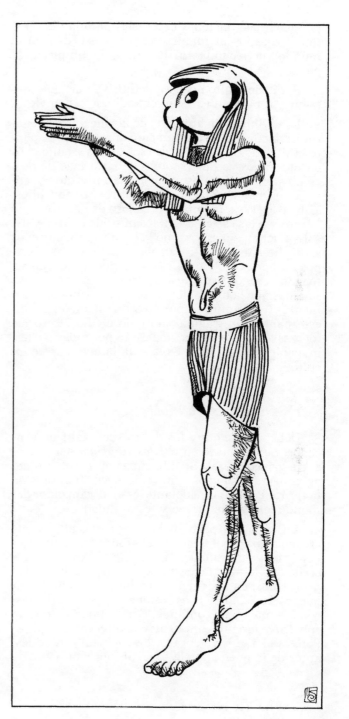

---

[18] Crítica hecha por E. Durkheim, en *Las formas elementales de la vida religiosa*, c. V.

[19] E. Durkheim, *o. c.*

ponden a las funciones necesarias para la vida. Están dedicados al mantenimiento del orden en el mundo: la fecundidad, la salud, la limpieza, la paz...

Rendirles culto no es en definitiva más que contribuir al buen funcionamiento de ese orden vital.

La divinización aparente de las fuerzas de la naturaleza constituye ciertamente una especie de panteón variado. El número de esos dioses secundarios o domésticos va de cinco o seis hasta más de doscientos. Los mitos cósmicos les han prestado aventuras humanas. Machos y hembras, tienen hijos. —Entre los sara, la luna es el esposo de la estrella de la tarde, y las estrellas son los hijos de la luna y del sol—. Luchan entre sí, como la luna y el sol entre los kirdi. Reinan sobre unos subordinados, más o menos numerosos. Pero no es cierto que los animistas tengan verdaderamente fe en estas leyendas, que no son más que la figuración de un mundo único, totalmente vivo y animado por un espíritu universal. En este panteísmo original, no todo es dios. Pero las fuerzas ambiguas de la vida están por todas partes, invisibles y presentes. Es la vida la que merece un culto.

### c) La creencia en Dios

Del combate entre los dioses suele salir un vencedor. Se convierte en *el Dios supremo*. Así ocurre entre los bambaras. Su dios superior, Faro, dios del agua nacido del caos primordial, venció al dios de la tierra, Pemba. En adelante, es él, organizador del mundo, el que mantiene su estabilidad.

Así, la mayor parte de las veces, más allá de sus creencias particulares, las religiones animistas tienen fe en *un dios único*. Aunque no se exprese en un credo explícito, esta fe sigue estando presente en los proverbios, en los cuentos, en las invocaciones, en las prácticas... Ese Dios resume a todos los demás, con los que no se confunde. Generalmente no se le construye ningún templo ni se le ofrecen sacrificios. Pero es él a quien se ora en los momentos difíciles, antes de la guerra, de la caza, al morir un jefe...

- *Ese Dios supremo es misterioso, incognoscible*

Incluso permaneció muchas veces desconocido para los etnólogos, debido precisamente a la ausencia de estatuas y de culto visible. Así era Io en Nueva Zelanda, ignorado igualmente por la gran masa de los maoríes.

Un proverbio bobo (Alto Volta) dice: «Nadie ha subido hasta Dios para escucharle»; y los baulés de Costa de Marfil se burlan del incrédulo: «El que duerme de espaldas no ve a Dios, y tú, que miras hacia el suelo, pretendes verlo».

Se le sitúa a veces «arriba», en una montaña, como el monte Kenia; pero, ordinariamente, en el cielo, por ejemplo en Ubangui [20], y sobre todo más allá de la luna y de las estrellas, detrás del cielo. Así se lo imaginan los pueblos del Camerún o de Africa del Sur.

Esta lejanía que lo hace invisible es, por otra parte, la causa de que se dirijan preferentemente a los dioses intermedios, sus delegados más accesibles. El Dios supremo es un último recurso [21].

- *El es, generalmente, el Dios creador*

Es Amma de los dogón, Faro de los bambaras, Nyamé de los achantis, Mawu para los ewé, Olorun entre los yorubas, Chuku entre los ibos, Mulugún para los kikuyu, Io en Polinesia.

Los relatos de creación difieren según las etnias, pero el dios creador tiene casi siempre los mismos caracteres. Preexiste a toda creación. Es la esencia suprema de todo cuanto existe. Ha hecho el cielo y la tierra. Pero de él proceden también los otros dioses, el bien y el mal. Fuente de la ley moral, es también un dios justiciero, dueño del futuro, de sus recompensas y de sus castigos. Todopoderoso, lo ve todo; es eterno e infinito.

---

[20] Prestan juramento con esta fórmula: «El cielo me ve».

[21] A veces habita bajo tierra, entre los muertos. Pero entonces no es más que un dios secundario, frente al dios del cielo.

• *Es fuente de toda vida*

Todo viene de él. Todo vuelve a él. Para los dogón y los bambaras, está en el origen del alma que vuelve a él después de la muerte. Todo es don de Dios. Entre los bambaras, su signo es el tomate, color de la sangre, principio de vida, «manifestación del dya» dado a la mujer para que se convierta en su hijo en el acto sexual. Pero la fuerza vital, la energía presente en todos los seres, cuya sangre es solamente su vehículo, es el dios mismo. Aunque es menos invocado que los antepasados –a no ser quizás entre los dogón–, es a él a quien se le dan gracias por todo lo que sucede. En el norte de Togo, la sabiduría popular así lo recuerda: «Si encuentras una cosa, grita: ¡Dios me la ha dado!».

• *Finalmente, es infinitamente bueno*

En efecto, está siempre presente en la vida de los hombres. «No duerme» [22]. Es el que vela y protege a los hombres, si «caminan al mismo paso que él» [23]. Lo mismo que cada hombre tiene un padre, la humanidad fue creada por el padre de todos los padres. Así es el dios del cielo de los bantúes, un padre primordial. Y no es raro que ese dios sea llamado «Padre».

Sin embargo, el animismo está compartido entre la afirmación de la trascendencia de Dios y su inmanencia. Dios es el infinitamente lejano y también a veces el muy próximo. Aquel a quien nadie se le puede acercar. Y aquel a quien todos tienen que acercarse...

Pero esta actitud ¿es distinta de la de las otras religiones?

Cuando el papa Juan Pablo II, en Togo, reconocía: «Estas religiones os dan ya el sentido de la existencia de Dios, inclinándoos al respeto hacia él, a un respeto temeroso, pero generalmente no al amor», resumía sin duda lo esencial de la fe animista en dios. Pero ese dios no carece muchas veces de benevolencia en favor de los humanos.

---

[22] Proverbio bantú.
[23] En una bendición del Camerún.

## 3. Los espíritus y los antepasados

La verdad es que lo que más impresiona en el animismo no es tanto la existencia de un dios supremo como la presencia permanente y universal de una fuerza vital en todo cuanto existe. Como hemos visto, es esta creencia en los espíritus que animan a la naturaleza lo que ha dado su nombre al animismo [24].

Comprende de hecho diversas nociones: espíritu, mana, alma, principio vital. Es difícil distinguirlas. Por un lado, porque son confusas en aquellos mismos que las viven. Por otro, porque varían de una etnia a otra, de Australia a Africa o a la Polinesia, y según las épocas. Finalmente, porque el occidental que las observa desde fuera las falsea al aplicarles sus propias convicciones. Por ejemplo, cuando habla de «espíritu».

### a) *El espíritu*

Está por todas partes. Puede asociarse igualmente con una roca o con un animal, con una fuente o con un árbol. Pero es independiente de ellos. Puede también abstraerse de todo y llevar en el espacio su propia vida. Actúa sobre todo lo que se le acerca, tanto si se refugia en un búfalo como en un baobab. Esta acción del espíritu puede ser benéfica o nefasta. –Se habla de buenos y de malos espíritus–. Es una fuerza activa y eficaz con funciones determinadas: fecundar y hacer llover, provocar una enfermedad o una tempestad...

Pero los espíritus esenciales son los de los difuntos. Diferentes según hayan sido víctimas de muerte violenta o de enfermedades, según se hayan dormido tranquilamente, según se hayan respetado o no los ritos funerarios. Rondando alrededor de sus antiguas moradas, son entonces almas desencarnadas esperando la reencarnación.

### b) *El mana*

Parece estar ligado al espíritu, del que es una

---

[24] Esta palabra fue creada por Tylor.

especie de emanación, de poder. Pero no está apegado a un espíritu particular. Es una fuerza sobrenatural, espiritual, pero impersonal, difundida por todo el universo. Podría decirse que hay «mana» en el mundo, actúa a distancia, y todo el mundo está expuesto a sus efectos. El mago es la persona capaz de domesticarlo. Actúa a la vez sobre él y gracias a él. La fuerza del mana, canalizada, se ejerce entonces por medio del amuleto, de la fórmula, del gesto que lo han captado.

### c)  El alma

El alma no es un espíritu. Vive en un cuerpo como prisionera de él, como el pájaro en la jaula. A veces logra escaparse momentáneamente. Pero sólo se evade definitivamente del cuerpo en la muerte, volviendo entonces a unirse con los antepasados o con dios, o bien reencarnándose en el mismo cuerpo —en la locura— o en el de un recién nacido.

Solidaria del cuerpo, el alma no se confunde con él, sino que se diferencia de él por completo. Tiene algo de corporal, lo mismo que el cuerpo tiene algo de espiritual. Por eso, el que hiere al cuerpo, hiere al alma. Y al revés. Generalmente, el alma no suele abandonar el cuerpo sin cambiar ella misma. Se renueva. Llegada del país de las almas —el cielo—, vuelve a él a encontrarse con sus hermanas.

A los animistas les cuesta trabajo imaginarse el alma: a la vez espiritual, invisible y sin embargo carnal. –¿Tiene el occidental una imagen más precisa de ella?– Le atribuyen solamente una residencia particular: el cráneo en el oeste del Camerún, pero más de ordinario las vísceras, el corazón, el hígado, los riñones, la sangre, la placenta. Muchas veces es doble, y hasta triple, como entre los yorubas. Entre los kikuyu, un alma es en cierto modo la del antepasado, lo otro, el alma colectiva. Los achantis llegan a distinguir un alma por cada día de la semana.

Más profundamente, el alma estaría constituida de dos energías: una virtud vital, dinámica, y una fuerza fúnebre y estática. Los modernos psicólogos hablarían sin duda de una pulsión de vida y de una pulsión de muerte, cuyo equilibrio es indispensable en una existencia normal.

Este dualismo, presente en el alma, lo está también en los espíritus y en el mana. Pero de hecho hay *más ambigüedad que dualidad*. El alma es doble. En algunos pueblos del Congo, una es comparada con la luz y otra con la sombra. Para los del Ubangui, la una, sensual, empuja al ser hacia adelante; la otra, fría, refrena a la primera... Estas fuerzas antagónicas están menos separadas que unidas en una misma alma. La noción de equilibrio prevalece sobre la de oposición.

Radicalmente, es en el propio hombre donde *coexisten dos seres*.

El tótem, que relaciona en parentesco al hombre con un animal más o menos mítico, las numerosas leyendas africanas sobre las metamorfosis de hombres en bestias, atestiguan, entre otros motivos, esta cohabitación en el hombre de un ser espiritual y de otro animal. Una tribu de Africa del Sur habla expresamente con los mismos términos del apóstol Pablo de la «carne» y del «soplo». ¿Angel o bestia? El hombre no es ni lo uno ni lo otro, sino las dos cosas.

El alma de las religiones animistas es ciertamente parte de lo sagrado presente en cada uno y en todos. Es la chispa divina que vive en el corazón del hombre.

Se encuentra esta unidad profunda y original en la presencia permanente de los antepasados en el centro de la vida social y religiosa de cada día. Para las sociedades animistas, se da una oposición entre muertos y vivos. Los antepasados están siempre misteriosamente presentes en medio de los hombres. El canaca dice: «yo-él», ya que su yo personal es inseparable del yo social de los antepasados que lo acompañan.

### d)  Los primeros antepasados

Son los héroes fundadores. Reviven en los mitos que se les han consagrado y que se transmiten de generación en generación. Algunos han sido *animales*, carnero o tortuga. Por otro lado, muchas veces el gran antepasado, al morir, se transformó en serpiente; y otros se manifiestan también bajo una forma animal [25].

Estos antepasados fueron siempre *extraordinarios* por su fisiología, su tamaño o sus proezas, y sobre todo por lo que dieron a su pueblo. Así, Mukuleké proporcionó el mijo a los cameruneses del norte. Nommo dio los ocho granos a los ocho antepasados dogón. Otro robó el fuego e instaló la primera forja... A veces, iguales a los dioses, su muerte los convirtió en divinidades protectoras. O bien se convirtieron en genios, y hasta en animales a los que se venera, como el carnero o la serpiente entre los dogón y otras poblaciones africanas [26].

Los antepasados se prolongan *en las sociedades actuales*. Los reyes, los jefes, son sus herederos. O mejor dicho, el verdadero jefe es el antepasado. Vive en las prescripciones, los entredichos y las costumbres que ha dejado. Se manifiesta por las bendiciones y las maldiciones que recompensan o castigan la fidelidad a sus mandamientos. La descendencia de este primer antepasado sigue siendo el sacerdote, el patriarca, o un genio.

### e) Todo antepasado sigue vivo

A veces se ve a su «fantasma» atravesando la aldea y gritando. Se le puede encontrar junto a su tumba y conversar con él. Le gustan ciertos lugares, un árbol, una roca, una fuente, convirtiéndose en su espíritu...

Asocian a los antepasados a la vida y a los trabajos de la familia y de la aldea. Entre los bambaras, antes de la siembra, se apela a los antepasados representados en una bola de mijo crudo. Cuando llega la cosecha, se les ofrecen las primicias. Se les ofrecen sacrificios antes de salir a cazar.

El antepasado se reencarna en un niño. Esto es, al menos, lo que dicen los bambaras, entre quienes

el recién nacido recibe su nombre. El es, en sentido latino, el *genius*, el que engendra, y al mismo tiempo el genio, el que protege, una especie de ángel de la guarda [27].

### f) Es objeto de culto

No sólo en el momento de los ritos funerarios, sino después de su partida definitiva. Se le construye un pequeño altar en la casa «ancestral», llena de utensilios domésticos. Es allí donde el patriarca ofrece sacrificios y primicias. Es él el que asegura la fecundidad de las mujeres. Entre los achantis, es su asiento ennegrecido con humo el que se deposita en la casa materna. Entre los bambaras, se le representa en el pilar que sostiene la casa. Al menos una vez al año, se celebra una gran ceremonia en torno a su tumba, mientras que en otros lugares, antes de cada comida, se derraman por él algunos trozos de comida o se limpian los platos para que recoja él los restos.

Porque del antepasado se espera la protección, la fecundidad, el éxito en la caza, la buena cosecha, la curación de las enfermedades... Se habla con él, se le consulta, se le invoca o se le increpa. Sigue formando parte de la casa, como un doble de los vivientes, como un íntimo.

Esta vida con los antepasados, con los difuntos, revela toda una concepción global de la vida, de la muerte, y del tiempo.

## 4. El tiempo, la vida, la muerte

El tiempo así vivido no es la duración cronológica de occidente, con un pasado, un presente y un futuro, bien separados a pesar de su continuidad.

---

[25] Entre los dogón se piensa que, al mismo tiempo que el niño, nace el animal ancestral y el de la especie opuesta... Por otra parte, no se debe matar al animal pariente, o aplacar su espíritu con ritos funerarios...

[26] Para los dogón, «el animal es gemelo del hombre»; para otros, es su *alter ego*.

---

[27] Después de la muerte, el genio ¿no se convertía en «los manes»?

## a) Un tiempo cíclico

Es como un eterno presente en donde el pasado sigue vivo y el futuro está ya ahí. Es el *tiempo del mito*, que no es una leyenda pasada, sino una historia revivida en los acontecimientos individuales y colectivos de la sociedad. Todo ser vive en un tiempo y en un espacio ilimitados y sin discontinuidad, en donde todo puede coexistir.

Es el tiempo de lo imaginario. Una imaginación alimentada de un pasado igualmente fabuloso y de un futuro que no es un mundo distinto. ¿No es el animismo la certeza de que lo invisible, tan real como lo visible, impregna todos los seres y todos los acontecimientos? Pues bien, lo invisible ¿no está más acá y más allá de toda duración?

El tiempo de los animistas, y más particularmente el de los africanos, no es el occidental. En vez de ser lineal y progresivo, es cíclico. A imagen de todo lo que es femenino: la mujer, la tierra, la luna, el agua, se reproduce sin cesar. Las estaciones, las lunaciones, la menstruación, las riadas y la bajada del agua, el flujo y el reflujo: lo mismo ocurre con el ritmo del tiempo. El tiempo es femenino. Es vida oscura y perpetua renovación [28]. Al menos es así como lo perciben y lo viven los animistas.

Para ellos, la fuerza vital que anima el universo no conoce ni el comienzo ni el término de nuestras energías naturales. Mortal o inmortal, todo ser está impregnado de esta fuerza, el nyama de los dogón. Perdura por tanto hasta en la muerte. Nada se pierde. Todo se transmite y se transforma.

## b) Todo es vida

Y la vida está en todas partes. En efecto, el flujo vital recorre todo cuanto existe, desde el hombre hasta la piedra.

Esta fuerza tiene nombres diversos: Evur entre los fang, Kelé entre los lobi, Nyama entre los dogón, Megbé entre los pigmeos, Elima en el Congo. Reside en diversos órganos: el corazón, el bazo, el hígado, el cráneo [29]. Circula en la sangre. Persiste en las uñas y en los cabellos cortados.

Pero está igualmente presente en los animales, los vegetales y hasta en los elementos. Los *animales* también poseen un nyama. Por otra parte, ¿no son ellos muchas veces la manifestación de un antepasado? Hay pocas poblaciones que no crean estar emparentadas con algún animal. Entre los peuhls, la vaca, creada al mismo tiempo que el hombre y la mujer, representa a la naturaleza. Está relacionada con la mujer y con el hogar [30]. No hay fronteras entre el hombre y el animal. A veces, los reyes se reencarnan en un animal, como el jefe de Rodesia en un león. También los hombres pueden transformarse en animales, por ejemplo en una pantera, una tortuga, una serpiente, un gavilán.

Para muchas etnias, las *plantas*, y sobre todo los árboles, tienen un alma [31]. Si se les corta, hay que aplacar al espíritu que moraba en ellos u ofrecerle otro refugio. Hay algunos vegetales privilegiados. Así, el tomate entre los bambaras: como posee dos almas, puede producir un niño [32]. Otros están emparentados con un clan, cuyo antepasado nació de esa planta o de ese fruto. La vida vegetal es tan activa que puede curar y revivificar. Los magos utilizan polvos, savias, drogas, pociones, cenizas de plantas. Entre los kenyah de Borneo, el sumo sacerdote marca la frente del neófito con cenizas de bambú para que su vida sea «recta, pura y sólida» [33]. Su tatuaje es en forma de ramas y de flores...

También los *minerales* participan de la vida. Para los biru, ciertas piedras atestiguan la alianza entre los antepasados-genios y los hombres. Entre los kirdi, hay rocas que viven. ¿No siguen estando ca-

---

[28] En occidente es masculino, vuelto hacia el exterior, el progreso, la conquista.

[29] Mozart escribía a su hermana: «Tú eres mi hígado, mi estómago...».

[30] Pensemos en el poema de Víctor Hugo, *La vache*.

[31] «Objetos inanimados, ¿tenéis entonces un alma...», decía Lamartine. El poeta, como el animista, siente un parentesco profundo con todos los seres, aparentemente sin alma.

[32] Color de sangre, tiene sus propiedades vitales. Comido por la mujer, la fecunda y le hace engendrar.

[33] Son las cualidades del bambú. ¿No recuerda esto el miércoles de ceniza cristiano, aunque con otra significación?

lientes durante la noche? A veces se las ve pasear en la oscuridad. Para numerosos pueblos, por ejemplo los lobi, los ibos, el culto dirigido a la tierra se inscribe en la creencia de que ella es su primer antepasado. No son nunca sus propietarios. Ellos le pertenecen... El cobre, el oro, son a veces sagrados, siempre vivos; sólo se les puede extraer mediante ciertos ritos destinados a domesticarlos.

Una vez más, la *analogía* es una de las creencias capitales del animismo. El trueno es la voz del elefante-rey de los pigmeos. El oro es el excremento de un gato subterráneo y misterioso. Untada de pimienta, una piedra lamida hace la función de juez.

### c)  La muerte: otra forma de vida

Lo primero es la perennidad de la vida. La muerte no es más que su cara invisible, como el negativo de una fotografía. Entre los canacas, no hay una palabra que signifique «morir» [34]. La muerte no es una aniquilación. La verdadera nada es la exclusión de la vida social, que es lo que indica el término «seri» en Polinesia: maldición del hombre exorcizado o echado fuera de la comunidad.

La muerte es la disociación de los elementos vitales. Pero, aunque disociados, no desaparecen. Al morir, una de las almas recobra su libertad. Si una de ellas llega hasta dios o se aleja a algún jardín o isla septentrional, la otra sigue rondando por los parajes de su existencia terrena –el sitio que se le ha reservado o el altar que se le ha edificado–, o bien se reencarna en una mujer para nacer de nuevo.

Sean cuales fueren los ritos funerarios y las creencias que en ellos se manifiestan, la muerte no es más que un momento del caminar del hombre. La muerte no es espantosa, como ocurre en occidente. Es algo normal, natural. Y los muertos no son rechazados ni fuera de las aldeas ni fuera de la memoria de los vivos. No dejan a la comunidad. Tanto si se les teme como si se les venera, los sienten presentes. A veces se les entierra en casa; otras veces, se guarda allí la urna en donde se cree que están encerrados. Se deja comida en sus tumbas, se les hacen ofrendas, se les ve en sueños... «Están en casa. Están entre la gente. Los muertos no están muertos» [35]. Forman parte de la sociedad de los muertos y de la comunidad de los vivos.

Esta continuidad, esta permanencia de la vida, una vida ambigua, pero siempre amada, se manifiesta en la importancia que se le da a la fiesta y al ritmo.

### d)  La fiesta

Marca todos los grandes momentos de la existencia: el nacimiento, el matrimonio, la muerte, la siembra, la cosecha... Dura muchas veces días y días [36]. No es individual, sino *colectiva*, ya que el individuo no existe más que por la sociedad de los antepasados y de los vivos.

No es profana, sino siempre *religiosa*, ya que toda la vida está impregnada de la existencia de los espíritus y del ser supremo. Manifiesta la *comunión vital* entre el hombre, el animal y el cosmos. Por eso se celebra a la vez la fertilidad de los huertos y la virilidad de los jóvenes iniciados. Reproduce un mito y lo actualiza, celebrando el pasado fundador y asegurando su eficacia para el futuro. Entre los aruntas, en la fiesta destinada a obtener la lluvia, los ancianos se cubren con un plumón, imagen de las nubes, los jóvenes agitan rítmicamente unas ramas evocando el viento y la tempestad, los hombres riegan con su sangre al churunga que es su antepasado.

### e)  La danza

En cada etnia y para cada grupo de la aldea, ella tiene unos ritos particulares: emplazamiento, cortejo, ropaje, accesorios diversos, máscaras o ta-

---

[34] «Pei» y «mé» quiere decir, a la vez: estar enfermo, avanzar y morir.

[35] B. Dop, poeta senegalés.

[36] Veintidós días para la gran fiesta de los dogón, el *Sigui*, que tiene lugar cada sesenta años.

tuajes, desarrollo, pasos, gestos, música... Es un elemento esencial de las fiestas. No tiene nada que ver con el folklore para los turistas. En ella todo es *simbólico*. Todo expresa, mediante el cuerpo, un sentimiento religioso intraducible en palabras. Mima el mito, expresa las creencias de la comunidad, invoca a los espíritus, celebra y llama a dios.

Pero sobre todo es *comunión* de los participantes entre sí, con los asistentes y, en el más allá, con los antepasados, con la naturaleza, con el cosmos. En su paroxismo, pretende y a veces alcanza un verdadero éxtasis –salida de sí mismo–, que es fusión de todo el ser con el espíritu mismo del mundo y de dios. La ingestión de plantas alucinantes –aunque sólo sea de tabaco– ayuda a alcanzar el trance sagrado [37].

### f) El ritmo

Pero el ritmo es su elemento capital. Es la esencia misma de la vida. Si el principio vital tiene su asiento en la sangre y en el corazón, la vida está en el latido del corazón y en la pulsación de la sangre. Este ritmo es el de la naturaleza, el de las lunaciones, el de las menstruaciones femeninas, el del retorno del día y de la noche, el de las estaciones, el de la sequía y la lluvia.

Todo lo que vive es ritmo. Supera al ser humano que le pertenece. El hombre participa de este ritmo cósmico. Debe ajustar a él su existencia personal, sus jornadas, sus trabajos y la vida de la aldea. Una de las funciones de la fiesta y de la danza es la de encontrar ese ritmo fundamental para adaptarse a él.

El ideal animista es vivir un ritmo en *armonía* con el ritmo vital del cosmos. De ahí, sin duda, la apariencia de eso que un etnólogo [38] llamaba «una civilización lenta». Es fácil apreciar la oposición

con la mentalidad occidental moderna, para la que «el tiempo es oro», lo cual le conduce a esa violación del tiempo que es la violencia. Con sabiduría, un baulé decía: «Tú, blanco, siempre estás contando. Tu corazón no está tranquilo». Las almas, los animistas, no corren.

## 5. Los mitos de creación

En el comienzo del tiempo está la creación.

¿Por qué existe algo más bien que nada? ¿Por qué el cielo? ¿Por qué la tierra? ¿Por qué el hombre? Y sobre todo, ¿por qué yo? Estas cuestiones elementales y fundamentales son las de los niños y las de los filósofos, esos hombres que conservan el asombro pueril y la ingenuidad de las preguntas vanas y capitales.

Preexisten a las de los científicos. Lo cual no quiere decir que los sabios hayan respondido a ellas de una manera más satisfactoria que los «primitivos». Ellos buscan más bien cómo se ha formado la tierra, cómo ha surgido la vida, cómo nacieron los primates y el hombre. *Los descubrimientos de las ciencias no anulan los mitos de las religiones.*

### a) ¿Qué es el mito?

En contra de muchos prejuicios, el mito no es ilógico, a-lógico o pre-lógico. Procede de los mismos principios lógicos que las ciencias: la analogía, la oposición, la correlación... El mito no es una ciencia, porque destaca sin duda la analogía e ignora la cuantificación. Pero no es anticientífico. No contradice a la ciencia. No plantea las cuestiones de la misma manera, interesándose por los porqués más que por los cómos, y sobre todo por el «para qué». No está por un lado la razón y por otro el mito, que no sería más que imaginación, cuentos maravillosos y superstición. Es uno de los fundamentos de la razón humana. Una razón que engloba la intuición y que supera lo razonable y el razonamiento. El mito no es tampoco un antropomorfismo confuso o una forma primitiva de la religión. Constituye ciertamente uno de los *fundamentos absolutos de toda religión*.

---

[37] El tabaco entre los crow de América y los chamanes de Siberia, la cerveza entre los dogón, el peyotl en América latina, hasta el punto de que ciertos sioux católicos disidentes lo toman como hostia* (cf. Léxico del *Cristianismo*).
[38] J. Meunier.

¿Qué es el mito?

Se necesitaría otro libro para intentar decirlo. Sucintamente podemos todo lo más proponer algunos jalones. Acabamos de decir lo que no es: un pensamiento embrionario o una leyenda poética. Veamos algunas de las *múltiples funciones* que cumple.

Es exacto decir que tiene un papel de explicación, especialmente sobre los orígenes de todo cuanto existe. Mejor dicho, es justificación de la organización de una sociedad, de sus creencias, pero también de sus poderes, de sus prácticas. Además, asegura la transmisión de una experiencia ancestral y la enseñanza de una sabiduría adquirida por un pueblo a lo largo de su historia.

Más profundamente, organiza las estructuras de un pensamiento, permitiendo que sus categorías mentales comprendan la realidad y su significado. Esta es sin duda la función última y radical del mito: la *interpretación* de lo real y de lo vivido.

Podría por tanto definirse como una manera de explicar simbólicamente, bajo la forma de un mensaje codificado, los orígenes y el sentido del mundo y de la sociedad, las tendencias y las tensiones del hombre. El mito es la sociedad explicándose a sí misma y justificándose. Es también una sociedad que instaura el orden que la hace vivir en armonía con la medida del mundo.

Su lenguaje imaginado y metafórico le confiere una extraordinaria riqueza. El mito es polisémico [39]. Se le puede entender –y no leer– de cien maneras, ninguna de las cuales agota por sí sola la verdad [40]. De este modo está en consonancia con la pluridimensionalidad infinita del universo. Es una respuesta a la búsqueda del sentido: significación y dirección.

b) *Mitos ejemplares*

El mundo imaginario de estas leyendas está sacado de lo cotidiano de cada región.

[39] Posee varios sentidos, varios niveles de lectura posible.
[40] El libro fija, la tradición oral es abierta.

Los animales que aparecen en ellas son los cocodrilos, los escorpiones, las hormigas, el chacal, la serpiente, el macho cabrío, el búfalo, la tortuga, el águila. Los granos son los de la acacia, los del fonio (gramínea). Las plantas son las que se cultivan: el mijo, la palma, el tomate, el ñame, el arroz, el maíz. Y son los instrumentos usuales los que sirven para traducir la creación del mundo: la calabaza que tiene como tapadera el cielo, la espuerta de barro derramada entre los dogón, el remo de la piragua...

• *Sus rasgos comunes*

A través de la complejidad exuberante, variada y más o menos elaborada de estas representaciones, se descubren algunos rasgos comunes.

El primero es que si, en el origen, está el vacío –una bellota hueca entre los bambaras–, el movimiento universal o el fuego entre los kirdi, hay también un *dios creador:* Bao en Caledonia, Sedna para los esquimales...

El es, sobre todo, como Faro, el que pone *orden* en el caos de los elementos. Organiza el mundo. Esto significa que separa las sustancias, los principios, según números simbólicos: el día y la noche, la tierra y el agua, las estaciones, etc. La humanidad nace con el final de la confusión.

*La creación se hace por etapas:* primero la vida, el movimiento, los puntos cardinales, el fuego, las estrellas, el sol, la luna, la tierra, la hierba, los animales acuáticos, los granos..., y finalmente el hombre. A veces hay, como entre los dogón, creaciones sucesivas. Lo humano está inscrito en una evolución.

*La creación es a menudo el resultado de una lucha.* Entre los hotentotes, es una guerra entre los dioses y los héroes. En Gabón, la guerra es general entre el príncipe solar, rey de los dioses, y las otras divinidades. Entre los bambaras, Faro, el espíritu creador, tiene que combatir contra Pemba... Y es el dios vencedor el que reparte el mundo. Lo humano es una victoria del espíritu poniéndose de acuerdo con el orden del cosmos.

*El hombre llega el último.* Según los pueblos, nace del agua o es modelado por Dios a partir del barro, del polvo, de la leche, o hasta de la sangre. A veces, roba el fuego o lo descubre, inventando la primera forja. Porque, a través de sus antepasados, los hombres están relacionados con los dioses; o bien dios mismo fecundó a la primera mujer... Lo humano existe en continuidad con los antepasados.

*A menudo, el hombre sobreviene después de un cataclismo:* un huracán gigantesco, una guerra o sobre todo un diluvio, como para los kirdi. Este drama es muchas veces la consecuencia de la ruptura de una prohibición.

Así, los antepasados dogón, por haber comido del grano prohibido del fonio, fueron expulsados del cielo. La misma desgracia le sucedió al que robó el fuego, o a la primera mujer de Pemba, Musso Koroni, la celosa. O también la primera pareja [41] se dejó seducir por un dios y por una hija de las aguas, siendo entonces expulsada del centro de la tierra, en donde crecía el árbol de la vida. El incesto constituye frecuentemente la prohibición suprema. Su violación introdujo la muerte entre los hombres [42]... El hombre es a la vez un ser condicionado y libre.

Pero, *tanto como criatura de dios, el hombre es obra de sus obras.* Lo que le constituye como hombre son las técnicas aportadas por los genios o los antepasados. El hombre es el que sabe cultivar, pescar, tejer, hacer cacharros, forjar el metal. Pero todas estas tareas –su cultura– no se oponen a la naturaleza. Le permiten insertarse en ella.

Estos elementos son los que dan a los mitos su sentido profundo.

### c) El sentido del mito

Al oír estos relatos míticos, los primeros misioneros sólo vieron en ellos fábulas ridículas. Es que los tomaban, como se dice, en primer grado. Pero lo esencial de esos relatos no es tanto su poesía como el sentido que le dan al mundo y a la aventura humana. La creación por un dios explica al hombre e instaura en él su *doble pertenencia* al mundo material y al del espíritu. Es a la vez contingente y destinado a la libertad.

Las etapas de esta creación, la lucha y la ordenación de las cosas le enseñan la conquista necesaria de su *autonomía*. Está situado en un orden cuyas leyes debe respetar, en una sociedad en la que reina un poder al que tiene que obedecer. Pero la lucha mítica transforma la violencia natural en cultura. Domestica esa violencia por medio de los ritos.

El destierro fuera del cielo o de la tierra, todos los mitos de éxodo le revelan que es un *viajero*. La tierra es su campamento. No debe instalarse en ella.

El mito finalmente da cuenta de lo que constituye al hombre: sus instrumentos, sus granos, sus ritos. El es *artesano* en una sociedad determinada, por y para ella. El mito es el pasaporte de su identidad social. Pero el hombre es igualmente *religioso*, es decir, situado también en la naturaleza y en el cosmos. Vinculado a los hombres de su tiempo, a los antepasados, a sus herederos. Vinculado a los espíritus que animan el mundo. Los trabajos y los números, los elementos y los animales, los vivos y los muertos: todo está ligado entre sí.

La función fundamental del mito es hacer que el hombre exista en el aquí de lo cotidiano, con sus reglas, y fuera de lo cotidiano en el espíritu y el cosmos. El hombre es un ser multidimensional.

## 6. Cultos y ritos

El culto y el rito constituyen una de estas dimensiones, aquella por la que el hombre expresa su filiación respecto a los antepasados y a los dioses. ¿A quién van dirigidos? ¿En qué momentos privilegiados? ¿Cómo? ¿Y por medio de quién? Es lo que vamos a ver rápidamente.

---

[41] Es la doctrina de los buiti, en el centro del Gabón.

[42] Entre los bambaras, es Pemba-balanza, vencido, el que anuncia a los hombres que, en adelante, tendrán que morir.

## a) Del culto a los elementos al culto de Dios

Parece ser que uno de los primeros cultos se dirigió y se sigue dirigiendo a la *tierra*. Lo atestiguan las ceremonias de instalación, de siembra y de cosecha, o de reparación después de un asesinato, los altares, las piedras levantadas en la naturaleza.

De hecho, no es la tierra lo que se adora. A través de ella, se adora al espíritu que la habita y al antepasado del género humano al que ella dio origen. Los hombres, vivos o muertos, le pertenecen. Los antepasados protegen a la familia o al pueblo del que son fundadores. Se les rinde culto en el hogar y en los grandes acontecimientos de la aldea: la siembra, la cosecha, la caza, las epidemias, las disputas.

Lo mismo ocurre con los otros elementos: el fuego, el aire, el agua, venerados entre los bambaras o los dogón. Se trata de parientes a los que hay que saludar, respetar y mantener como tales.

Si el *sol*, la luna y las estrellas son igualmente divinidades para los kirdi, los suazi, los bosquimanos, los sara, es porque también ellos son considerados como «vivos». Las variaciones regulares de sus movimientos o de su forma hacen que gobiernen los acontecimientos y todo lo que aporta la vida: la lluvia o la caza. Las piedras, los ríos, los árboles son signos de los elementos, y venerados como tales.

Estos lugares son visitados frecuentemente por los *genios*. Unos, benévolos, protegen las habitaciones, las cosechas y a las mujeres encintas. Se les hacen ofrendas. Los otros, maléficos, causan enfermedades, roban la comida, embarazan a las mujeres. Se huye de ellos; se exorciza a los poseídos por ellos.

Su culto coincide con el que se dirige a los numerosos *dioses secundarios*, dioses agrarios o domésticos, protectores de las aldeas, de los campos y de los hombres. Se dirigen a ellos, más accesibles que el dios supremo. A éste se le reserva una morada sagrada y se le invoca con frecuencia; pero se le reza poco.

Sean cuales fueren los dioses, su culto es ambivalente, lo mismo que aquellos a los que se dirige. Se trata de alejar maleficios y de obtener beneficios.

## b) Un culto tranquilizante

Por eso los tiempos rituales corresponden a los *grandes cambios* de la existencia individual y colectiva: nacimiento, pubertad, iniciación, matrimonio, muerte; la llegada de la noche, el cambio de estación y de año. Los ritos intentan suavizar las transformaciones temidas. Tranquilizan. Procuran la seguridad de que el mañana se parecerá al ayer. El cambio se convierte entonces en un paso necesario, inserto en el ritmo de la vida universal.

La *iniciación* tiene la finalidad de ofrecer al joven púber el conocimiento del bien y del mal que le falta. Le hace entrar en la vida adulta. Es uno de los grandes pasos de la existencia.

Separados, los chicos y las chicas mueren a la infancia para renacer como verdaderos hombres y mujeres. Precedida muchas veces de una especie de «retiro», la ceremonia de iniciación comprende diversas pruebas, frecuentemente muy duras. La circuncisión de los niños, la excisión de las niñas, frecuentes, confirman la identidad sexual a la que acceden los jóvenes. Y esta metamorfosis, como después del bautismo cristiano, está marcada por la entrega de un nombre nuevo. Es un segundo nacimiento.

Todas las tardes, al caer la noche, mientras que el sueño corre el riesgo de llevarse el alma, se invoca al creador: «Que dios me guarde de noche», dicen los keniatas. «Que yo y mi espíritu vivamos y descansemos en paz esta noche, dios mío».

La *muerte* da lugar a los ritos más importantes. ¿No es ella el gran cambio, la gran desconocida?

Los funerales son a menudo largos y repetidos. Suelen durar varios días y recapitulan la casi totalidad de los ritos: oraciones, cánticos, danzas, confección de máscaras, simulacros de combate, ofrendas, sacrificios. No se trata solamente de manifestar así la continuidad de la vida del difunto, la creencia en la supervivencia de su alma. El duelo es colectivo.

Todas las ceremonias intentan *reconfortar al grupo*, debilitado por la desaparición de uno de sus miembros. La comunión social que allí se expresa manifiesta su vitalidad. Recarga de algún modo su energía.

Este aspecto colectivo, o mejor dicho comunitario, no es propio del duelo. El rito es esencialmente colectivo. –Y no sólo en el animismo–. Hay ciertamente cultos familiares, pero las grandes fiestas, alegres o tristes, conciernen a toda la aldea.

### c) Todo es rito

*En la fuente de los ritos:* la creencia de que el hombre puede hablar con las divinidades, ser escuchado por ellas, doblegar su acción según sus temores y sus deseos. El rito es un intercambio entre el hombre y los espíritus que animan la naturaleza. Está en armonía con la vida del mundo. Mide su ritmo. Su repetición reproduce y realiza el retorno perpetuo de todas las cosas.

Por eso, *toda la vida es rito*. Si hay ceremonias que marcan los momentos privilegiados, hay también otras que acompañan a los gestos cotidianos. Figuran en todos los trabajos. Hay un rito para sembrar, otro para cosechar, un rito para tejer y otro para forjar, un rito para salir a pescar y otro para salir o para volver de caza... Impregnan todas las etapas del día y de la existencia: para saludar a la mañana y para acoger la noche, para comer y para beber.

Algunos ritos son *domésticos*. Van dirigidos a los antepasados de la familia. Tienen lugar en la casa, a veces en una pieza especial en donde se ha levantado un altar. Pero los más importantes son *comunitarios*. Celebran al dios supremo, a los genios o al antepasado de la aldea, bien en sus tierras, o bien en un lugar consagrado, la tumba del antepasado, un árbol o una orilla sagrada.

Muchos exigen la edificación de un *altar,* familiar o colectivo, que está hecho de barro, de madera o de piedras cónicas, adornado de cerámica y de objetos diversos. Los dedicados a los muertos sirven para deponer ofrendas y hacer sacrificios.

### d) Integración, purificación, ofrenda...

Los ritos pueden clasificarse en tres grandes categorías: de integración, de purificación y de ofrenda.

La *integración* es a la vez afirmación de identidad e introducción en la comunidad. Tales son la circuncisión y la excisión. Hay mitos que las justifican: un dios practicó la primera excisión uniéndose a la mujer [43], o bien esas mutilaciones fueron la venganza de la primera mujer [44]. De hecho, tienen como origen la intuición profunda de que todo ser es ambivalente. El rito religioso pretende suprimir una de las potencialidades del ser. En el hombre, el prepucio es un vestigio de feminidad, lo mismo que el clítoris es en la mujer un resto de masculinidad. Cortar uno y sajar el otro es separar los sexos, confirmar a cada uno en su identidad definitiva, abolir la amenaza de retorno del otro.

Estas prácticas sexuales forman parte muchas veces de las ceremonias de *iniciación,* que varían entre una población y otra. Pero todas tienen una finalidad común: marcar el paso de la infancia a la edad adulta, es decir, el nacimiento de un nuevo ser social.

Su desarrollo comprende generalmente: una especie de retiro más o menos largo, con un ayuno, diversas pruebas a veces dolorosas –mordeduras de hormigas, latigazos...–, danzas, baños, alimentos especiales destinados a «cambiar el corazón de niño en corazón de adulto». Estas acciones puntúan la enseñanza de los mitos, de las costumbres, de las obligaciones y de las prohibiciones sexuales, sociales, morales y religiosas. La pintura del cuerpo –muchas veces en blanco, para recordar la pertenencia a los muertos–, los vestidos y los adornos especiales señalan el fin de la iniciación.

La *purificación* está presente en muchos comportamientos. Es primeramente una especie de *confesión.* Practicada en ciertos ritos de iniciación, va seguida entonces de castigos expiatorios. Sin embargo, la confesión de las faltas, muy extendida, basta para hacerlas desaparecer. Otras veces [45], es el chamán, como un psiquiatra, el que recoge la «confesión de los pecados».

---

[43] Entre los dogón.
[44] Entre los bambaras.
[45] Entre los buriatas de Siberia.

Muchas veces, se celebra con *baños* rituales en un río. Entre los maoríes, la aspersión con agua quita los pecados a los guerreros que van a combatir, y las inmersiones los purifican al volver [46]. La *abstinencia* de alimento, principalmente de carne, de relaciones sexuales, cumple también esta función: borrar las impurezas de ciertas situaciones (menstruación) y de ciertos actos...

La *ofrenda* es sin duda, en todas partes, el rito más frecuentemente practicado. Es el don o el abandono a la divinidad de lo que le corresponde. El reconocimiento de una deuda. Más sutilmente, el rescate, mediante este diezmo voluntario, de la mayor parte de la caza, de la pesca o de la cosecha. Así, antes de entrar en la aldea, algunos tiran una parte de los víveres que traen. Los gaboneses devuelven al río generoso las entrañas del primer pez que han pescado. Casi siempre se le ofrecen a dios las primicias. En otros lugares, se presenta a dios maíz, se quema un poco de copal o de tabaco en el incensario.

El *sacrificio* es la ofrenda suprema de lo que corresponde a dios. Renuncia parcial, pero absoluta. Es ofrenda definitiva, pero también unión con la divinidad en ciertos momentos importantes: un duelo, una guerra, una enfermedad.

Es destrucción, consumación de la ofrenda, que es ordinariamente un alimento, por ejemplo un caldo, vino de palma, y sobre todo un animal: una gallina, una cabra, un perro, un cerdo... Después de haber sido reservada, consagrada, la víctima es inmolada, quemada o comida. Su sangre se derrama sobre el altar. Signo de vida dada y recibida. Revitalización. Participación en la vida de los antepasados. Se espera de ello un beneficio duradero.

La sangre, como la saliva, los líquidos vitales, tienen un lugar importante en numerosos ritos. Las madres africanas escupen sobre los senos y la vulva de sus hijas, para hacerlas fecundas. Jesús aplica barro formado con su saliva a los ojos del ciego, para devolverle la vista (cf. Jn 9, 6).

Los sacrificios humanos son raros, más bien excepcionales. Son generalmente de los prisioneros de guerra; este tipo de sacrificio parece estar relacionado con la guerra.

El *banquete de comunión*, más raro y solemne, tiene que ver al mismo tiempo con la ofrenda, con el sacrificio religioso y con el contrato social. El mejor ejemplo lo tenemos en ciertos bantúes que devoraban al difunto la noche de sus funerales. Pero sin llegar a esta incorporación concreta con los muertos, los banquetes con que terminan frecuentemente las exequias significan la unión entre los vivos y su armonía con los difuntos.

### e) *La máscara*

Ya hemos visto la función religiosa capital de la danza. En Africa, pero igualmente en Oceanía y en América, la máscara está asociada a la danza. Está presente en la mayor parte de los cortejos ceremoniales y de las danzas sagradas. Generalmente de madera, las máscaras representan sobre todo animales estilizados: panteras, antílopes, monos, bueyes, pájaros; más raramente personajes.

Este *aspecto animal* se explica por el parentesco cósmico que vincula con una fuerza de la naturaleza, con un animal o con un antepasado. Hay una continuidad y una permanencia del uno con el otro. «El animal, dicen los dogón, es el gemelo del hombre», «su hermano mayor», su *alter ego*. Faro, dios del agua de los bambaras, es también el huracán que trae la lluvia, el vapor, la gacela. La «Gran Máscara» de los dogón, en forma de serpiente, representa al primer antepasado. Y no son éstas unas imágenes banales. Revelan a los antepasados sagrados. Su significación se explica durante las iniciaciones. Son los intermediarios entre los vivos y los muertos, entre el hombre y los dioses. Pero, al ser lo que designan, poseen también su *poder*. Las máscaras están cargadas de un principio religioso y social. Contienen a las divinidades y la ley ancestral. El pasado y el futuro de la comunidad que protegen y mantienen. Por eso están prohibidas a los no iniciados. Cuando se manifiestan, conjuran la mala suerte, traen la paz, regulan la vida de la aldea y sus litigios. Entre los bambaras, la máscara del Kom

---

[46] Se reza así: «Libera, con el agua, los pecados que pueden ser liberados».

tiene incluso el poder de castigar al traidor con sus garras envenenadas.

Las máscaras se confeccionan los días que preceden a las fiestas, y después se alojan en refugios especiales, colocadas sobre altares. Luego se reúnen en un prado sagrado antes de entrar en la aldea. Las distingue *una jerarquía*: desde la gran máscara sagrada servida por unos cincuenta sirvientes, hasta la máscara más ordinaria que sólo tiene cinco. Esta importancia les viene de la fama del linaje que representan y por tanto del poder que se les presta.

El *tótem*, que tiene ciertos parecidos con la máscara, es una verdadera institución, un «sistema». Es una especie animal, vegetal o mineral, que da su *nombre* al clan, ya que es su antepasado original. El nombre totémico se transmite ordinariamente por línea materna. Representa como una especie de blasón; figura en el cuerpo mismo de los miembros del clan, aunque sea tan sólo bajo la forma del peinado, y de los objetos sagrados. El tótem se basa en la creencia de que el hombre es simultáneamente él mismo y el animal o la planta totémica de su clan. Lleva su nombre, como marca de su identidad real. Su carácter sagrado se deriva de este antepasado mítico. Además, el animal o la planta totémica están prohibidas, excepto en los banquetes místicos.

Por medio de su tótem, el hombre se vincula a la naturaleza y ocupa en ella un lugar determinado.

## f) Los hombres del culto

Aunque todo ser humano es sagrado al mismo tiempo que profano, hay hombres especialmente dedicados al culto.

— En primer lugar, los *sacerdotes*. En la lógica del papel que representan los antepasados, todo patriarca es sacerdote del culto doméstico. Dirige las oraciones. El sacerdote, que puede ser una sacerdotisa, es también el que recibe las ofrendas de los fieles y sacrifica las víctimas. Se alimenta de ellas. En Dahomey se dice que «el dios es el que le alimenta». El apóstol Pablo reclamaba para todo predicador su «salario», mientras que el libro del Levítico indica que «la víctima pertenecerá al sacerdote». Transmite a menudo la palabra de dios, de quien es

la «boca». Escogido desde muy joven por su memoria, su doble vida, su «posesión» o su rango social, a veces hereditario, el futuro sacerdote sigue varios años de formación al lado de un anciano. Sometido a la castidad y a la abstinencia, aprende el servicio a la divinidad, los ritos, los entredichos, la adivinación. Su instrucción termina con una especie de examen ante el pueblo. Se convierte entonces en «el favorito del dios» y en el «depositario del conocimiento sagrado».

— El *hechicero*, más conocido que el sacerdote, dispone de un poder o, mejor dicho, de una función ambigua. Es aquel a quien la comunidad hace responsable de las calamidades que la afligen y el encargado de aplacarlas. El mal viene a través de él. Y él es el que puede apartarlo. Una especie de chivo expiatorio y de médico. Dedicado a los espíritus, capta las fuerzas maléficas y las orienta o las aparta. Puede por eso provocar una enfermedad y curarla, prolongar la vida y matar. Es al mismo tiempo buscado y temido.

— El *chamán* [47] es una especie de adivino, propio de los esquimales, de los indios norteamericanos, de los siberianos y de los tibetanos. Dotado de un alma superior, está en comunicación con los espíritus. Sus facultades sobrehumanas le permiten cambiar de aspecto, desplazarse por el espacio, ver lo invisible. Ese poder le viene de su «alma fuerte», pero también de la alianza que ha establecido con un espíritu tutelar. Su vestido y sobre todo su tocado, su tambor, la oscuridad, le permiten acceder a su genio protector. Entonces puede adivinar y curar las enfermedades... Pero su función esencial es la de cuidar las almas, mejor dicho, la de restituir un alma sana al hombre extraviado, y hasta de conducir las almas de los muertos a su destino. El chamán es el psiquiatra sagrado del animismo.

— El *adivino* es a menudo hereditario. Muchas veces se reconoce su don gracias a su comportamiento extravagante y a ciertas pruebas no menos extrañas. Está caracterizado por su aptitud para descifrar los signos de los dioses más que por su

---

[47] Cf. M. Eliade, *El chamanismo*. FCE, Madrid 1976; F. Laplantine, *L'ethnopsychiatrie*. Ed. Univers, 103.

poder personal. La creencia en la adivinación tiene su fuente en la convicción de que los astros, los sueños, los movimientos de los animales y de las cosas queridas por los dioses, revelan sus intenciones. Todo es «voz de los dioses». El adivino es el que los comprende y hasta los provoca. No es ni un charlatán ni un profeta, sino un creyente-vidente. Mediante procedimientos propios, interpreta la respuesta que se da a través de una varilla, de un líquido, de las tabas, de las chispas de fuego, de los números, de los sueños, de las vísceras de los animales sacrificados (una gallina, un ratón...). Suele ser igualmente curador, prescribiendo remedios mágicos e indicando el comportamiento a seguir...

### g)  La palabra

Su palabra es eficaz como la de dios. Sirve para interpretar los signos y los sueños; responde a las cuestiones de los que le consultan. Posee el poder de curar. Puede también maldecir. Y las palabras engendran lo que dicen: lluvia o sequía, prosperidad o desventura...

De esta manera, la palabra, el verbo, cumplen una *función esencial* en la religión, porque proceden de la divinidad. Entre los dogón, un antepasado recibió la palabra y, por medio de una hormiga, se la enseñó a los hombres. Conocer su secreto es participar del poder divino. Esas palabras no son las de cada día. Muchas veces son incomprensibles para los oyentes, y hasta para el que las pronuncia. Precisamente en eso se conoce la posesión del hechicero por un dios o un espíritu.

Esa fuerza de la palabra procede de que está profundamente ligada a lo que representa. Por eso, el nombre de Dios, incognoscible, es también impronunciable. Si él lo revela, su conocimiento hace del hombre como un dios. La repetición de ese nombre permite llegar a la unión divina [48]. Nombrar es suscitar lo que se nombra.

El nombre de los animales y de los hombres forma parte de su identidad común. Marca al individuo. Y cambiar de nombre, como se hace en ciertas iniciaciones, es hacer que nazca un hombre nuevo. El ritmo poético, el canto, son inseparables del poder de las palabras. La tradición oral, transmisión de las palabras y de los mitos vitales, es coexistencial al animismo. La oreja es el orificio por donde entra la fuerza del principio espiritual encarnado en la palabra. Por eso representa un papel importante en muchos ritos.

Para el animismo, la palabra no es una abstracción. No es el instrumento de una reflexión. Es *poética*, es decir, creadora. Es religiosa, es decir, un vínculo entre lo visible y lo invisible, entre el pasado mítico y el presente. Dios es palabra. Y es la palabra lo que hace al hombre. O sea, lo crea, lo caracteriza y lo humaniza al mismo tiempo.

El *gesto*, ligado a la palabra, posee también una virtud. Las actitudes, los movimientos de las manos, de los brazos, de la cabeza, acompañan a los ritos.

Elevación de los brazos, genuflexión, aplausos: todo esto sirve para puntuar las ceremonias. No son tanto expresión de unos sentimientos como símbolos de una eficacia que contribuyen a producir.

### Letanía a Io, el dios polinesio

¡Io, el grande!
¡Io, el eterno!
¡Io, el inmutable!
¡Io, la fuente de todos los conocimientos sagrados y secretos!
¡Io, el autor de todas las cosas! ¡Io, el inengendrado!
¡Io, el del rostro oculto!
¡Io, la fuente de la vida!
¡Io, el más elevado de los doce cielos!
¡Io, que escuchas las causas justas!
¡Io, que detienes el mal!

### Oración del Dahomey

Dios mío, señor de todo, te rendimos homenaje.
Escucha nuestras plegarias y sé benévolo.

---

[48] Se conoce este mismo fenómeno en la India, por ejemplo còn la repetición de «Om».

Rindo homenaje al cielo, a todos los espíritus que allí moran.

Rindo homenaje a los muertos y a los espíritus de los muertos que me ven y que no me ven...

Rindo homenaje a los espíritus de estos lugares.

Rindo homenaje a vosotros, los hombres, y al Espíritu que os acompaña a cada uno de vosotros....

### Oración de la tarde en Tahití

¡Salvadme, salvadme! Es el atardecer de los dioses.
¡Velad junto a mí, Dios mío! ¡Junto a mí, Señor mío!
Guardadme de los encantamientos, de la muerte repentina, de la mala conducta, de maldecir y de ser maldecido, de los manejos secretos y de las disputas por límites de tierras.
¡Que la paz reine de lejos a nuestro alrededor, Dios mío!
¡Guardadme del guerrero furioso, que se complace en sembrar el terror y que tiene siempre erizados los cabellos!
¡Que yo y mi espíritu vivamos y descansemos en paz, esta noche, Dios mío!

### Proverbios del Congo

El joven en pie no ve lo que el ciego sentado.
Mientras la cabeza está ahí, no es la rodilla la que lleva el sombrero.

## 7. Una ética social

En una religión semejante, en donde todo es rito, parece como si la ética se resumiera en las prohibiciones.

### a) Los tabúes

El *bien* está en el respeto a los tabúes. Para una mujer yoruba, por ejemplo, abstenerse de comer carne mientras su marido está de caza. Es bueno cumplir con los ritos prescritos, participar del culto a los antepasados.

El *mal* consiste en su transgresión. Así, la misma mujer yoruba comete una falta si prepara las comidas o tiene relaciones sexuales durante sus reglas [49]. En unos sitios, comer carne de cerdo; en otros, comer carne de chimpancé, es un pecado. Las cosas además son diferentes para el hombre y para la mujer.

La falta guarda relación con el conocimiento de los entredichos. La prueba de ello es que, antes de ser iniciado, el niño no comete ni buenas ni malas acciones. No tiene la madurez necesaria para el discernimiento. Pero sobre todo está en la ignorancia de las reglas morales que son precisamente uno de los objetos de la iniciación.

### b) Lo puro y lo impuro

Lo esencial de estas reglas se basa en la noción de puro e impuro, de profano y de sagrado. Esto, separado de los hombres comunes, es intocable. Sólo es posible acercarse a él purificándose por medio de lavados, de abluciones, de lustraciones, de privaciones, de ayunos.

Porque, en su origen, la primera falta fue una impureza. Entre los dogón, la tierra se hizo impura el día en que el chacal, hijo de la mujer, penetró en su sexo. Entre los bambaras, la muerte entró en el hombre y la impureza en la tierra por la desfloración de una virgen y la envidia de Musso Koroni [50]. Primeros incestos: falta primordial contra el tabú esencial.

Eso es lo que, en lenguaje cristiano, podríamos llamar «pecado original». Pero el animismo no conoce esta noción de pecado. Es verdad que lo prohibido, como para los baulés, viene de dios. «Lo que él no permite, no se puede hacer». Es ciertamente transgresión de su ley. Sin embargo, esta ley se manifiesta a través de un montón de ritos, de prohibiciones y de prescripciones. El «pecado» no es más

---

[49] Por esta razón se instituyó la poligamia.

[50] Musso Koroni es el doble de la mujer de Pemba, dios de la tierra.

que la no-observancia de las reglas rituales, de las prohibiciones y de los tabúes.

Y como estas reglas mantienen la vida del grupo, su infracción constituye una agresión contra la comunidad.

### c) El pecado contra los antepasados

Toda acción buena aprovecha al bienestar del grupo. Toda acción mala le acarrea daños. Exige una reparación marcada por ofrendas, sacrificios y ritos en presencia de la comunidad. La reconciliación queda sellada por un banquete en el que se comparte la comida y la bebida.

Más que contra la divinidad, el «pecado» se comete contra el linaje. Ofende ante todo y sobre todo a los antepasados. En efecto, son ellos los que establecieron las reglas de vida del grupo. Son sus fundadores, algo así como los intermediarios entre dios y los que viven.

Obedecerles es a la vez satisfacerles, asegurarse contra su cólera y someterse prudentemente a las leyes mismas de toda vida. Desobedecerles es incurrir en su cólera y atentar contra el orden del mundo que sus prescripciones conservan. La virtud está en la sumisión a las tradiciones, aunque sea penoso y doloroso. La grandeza del fiel está, por otra parte, en saber y poder disciplinarse, abstenerse, sacrificarse y sufrir para respetar la voluntad de los antepasados y de los dioses. Esta disciplina une a la comunidad y asegura su vida.

El primero de los deberes, el que los resume todos, es seguir el ejemplo de los antepasados. Y observar por tanto los ritos que ellos instituyeron. La moralidad es la conformidad con esas instituciones y esas costumbres. La ética se confunde con el conformismo social.

## 8. Una sociedad religiosa

Es que la sociedad animista y especialmente la africana no es sólo la asociación de los vivos. Se extiende al mundo de los muertos.

### a) Una sociedad de vivos y de muertos

Su presencia entre los vivos se arraiga en la creencia en la realidad de lo sobrenatural. Lo que caracteriza al animismo es quizás esta falta de distinción entre lo natural y lo sobrenatural. No son más que las caras diferentes de la unidad y del orden del mundo. Por eso la sociedad animista es profundamente religiosa, y su religión es profundamente social. Toda la existencia es religión y comunidad.

Desde su nacimiento hasta su muerte, la familia amplia, la tribu, el clan rodean al individuo. El grupo es el que le da su nombre, el que lo inicia en las costumbres y ceremonias, el que determina su alimentación, el que le fija sus tareas, el que le acompaña a la caza o al campo, el que organiza y celebra las fiestas y los funerales. La muerte misma es comunitaria, ya que debilita al grupo entero. Todo el mundo participa de los ritos funerarios y de la exuberancia del duelo. Gozos y tristezas: todo es colectivo.

Los gestos cotidianos, las comidas, la siembra, la cosecha, constituyen otros tantos actos religiosos, y no meras acciones prácticas y necesarias. Como hemos visto, los antepasados están estrechamente ligados a ellas, actuando misteriosamente. Empezando por el animal original, el tótem, ellos presiden todos los grandes momentos de la vida. Son ellos los que protegen el clan, le castigan o restablecen su salud.

Es la comunidad la que le da al africano su confianza, su alegría, su solidaridad, su hospitalidad. Esta solidaridad que ejercen a veces ciertas sociedades de iniciados más o menos secretas, que todavía se siente hoy entre los miembros que partieron a la ciudad o al extranjero y los que se quedaron en la aldea. Es una solidaridad vital. El individuo no es nada sin la comunidad. El peor castigo es ser excluido de ella. El aislamiento equivale a la muerte.

### b) La jerarquía es religiosa

Aunque primitiva, toda sociedad se muestra jerarquizada. La religión, por sus mitos, legitima y reproduce esta jerarquía social. Para los animistas, los antepasados son su cabeza, por orden de antigüedad. Este mismo orden se aplica a la aldea, cuyo antepasado designó al rey o al jefe. Como un semidiós, dirige las actividades de su pueblo, sirve de intermediario con las potencias que regulan las estaciones y las cosechas. No se le puede desobedecer sin perturbar el orden mismo de las cosas, la salud y la prosperidad del grupo.

En cada familia, es *la ancianidad la que impone* las relaciones. La autoridad suprema radica en el patriarca. Vienen luego los ancianos, los mayores, los hombres maduros y los niños según su edad. Las mujeres, muchas veces aparte, tienen su propia estructura. El hermano menor debe reverencia al mayor. El hijo no puede discutir con sus padres. Al respetar a quien le precede, cada uno respeta el orden natural. Es su manera de participar en el mantenimiento de la sociedad que asegura su existencia.

### c) El poder compartido

En el animismo, la prioridad que se concede a la comunidad no transforma la jerarquía en dominación. El rey, el jefe, son los servidores de ese orden necesario a la comunidad. Por eso el poder no se le debe confiar al que lo ambiciona. Un ambicioso no puede servir al grupo.

Las decisiones no provienen del capricho del jefe. Tienen que ser conformes con las tradiciones, encarnar la costumbre. Son el resultado del consentimiento con la tradición. El jefe se contenta con presidir, con dar la palabra a los ancianos. Ni siquiera debe indicar su preferencia. De este modo, el poder viene del saber de los sabios, inspirados por la experiencia, y de los antepasados que les confieren su autoridad.

El orden social y el orden religioso son la misma cosa.

El animismo es una religión viva que abarca toda la vida.

## Lecturas

### a) Generalidades

L. Lévy-Bruhl, *El alma primitiva*. Ediciones 62, Barcelona 1974.

E. Durkheim, *Las formas elementales de la vida religiosa*. Akal, Madrid 1982.

G. van der Leeuw, *Fenomenología de la religión*. FCE, México 1964.

S. Freud, *Tótem y tabú*. Alianza, Madrid 1980.

P. Schebesta, *Le sens religieux des primitifs*. Mame, Tours 1969.

P. Radin, *La religion primitive*. Gallimard, Paris 1941.

B. Malinowski, *Trois essais sur la vie sociale des primitifs*. Payot, Paris 1980.

B. Malinowski, *La sexualité et sa répression dans les sociétés primitives*. Payot, Paris.

E. Evans-Pritchard, *Las teorías de la religión primitiva*. Siglo XXI, Madrid 1979.

M. Eliade, *El chamanismo*. FCE, México-Buenos Aires 1976.

G. Lévi-Strauss, *El totemismo en la actualidad*. FCE, México-Buenos Aires 1965.

H. Webster, *Le tabou*. Payot, Paris 1952.

R. H. Lowie, *Las religiones primitivas*. Alianza, Madrid 1976.

V. Hernández Catalá, *Expresión de lo divino en las religiones no cristianas*. Ed. Católica, Madrid 1972.

J. Martín Velasco, *Introducción a la fenomenología de la religión*. Cristiandad, Madrid 1978.

G. Widengren, *Fenomenología de la religión*. Cristiandad, Madrid 1976.

A. de Waal, *Introducción a la antropología religiosa*. Verbo Divino, Estella 1975.

J. M. Blázquez Martínez, *Imagen y mito. Estudios sobre religiones mediterráneas e ibéricas*. Cristiandad, Madrid 1977.

### b) En Africa

D. Paulme, *Les civilisations africaines* (Que sais-je?). PUF, Paris.

G. Balandier, *Afrique ambigüe*. Plon, Paris 1957.

H. Deschamps, *Les religions de l'Afrique noire* (Que sais-je?) PUF, Paris.

D. Zahan, *Religion, spiritualité et pensée africaine*, 1980.

E. Damman, *Les religions de l'Afrique*. Payot, Paris 1978.

M. Griaule, *Masques dogons*. Institut d'ethnologie, Paris 1963.

M. Griaule, *Die «d'eau»*. Fayard, Paris 1948.

G. Parrinder, *La religion en Afrique occidentale*. Payot, Paris.

H. Nicod, *La vie mysterieuse en Afrique noire*. Payot, Paris 1948.

R. P. Tempels, *La philosophie bantoue*. Présence africaine, 1969.

C. Monteil, *La divination chez les noirs d'A.O.F.* (agotado).

Garnier-Fralon, *Le fétichisme en Afrique noire*. Payot, Paris.

L. V. Thomas, *La mort africaine*. Payot, Paris 1982.

G. Beaudoin, *Les dogons du Mali*. Armand Colin, Paris 1984.

G. Dieterlen, *Essai sur la religion bambara*. PUF, Paris 1951.

A. M. Vergiat, *Les rites secrets des primitifs de l'Oubangui*. Harmattan 1982.

V. Mulago, *Simbolismo africano y sacramentalismo cristiano*. Ed. Católica, Madrid 1979.

J. García Perezbances, *La religión luba*. Oviedo 1975.

M. Cros Sandoval, *La religión afrocubana*. Playor, Madrid 1975.

## c) En Asia

R. P. Cadière, *Croyances et pratiques religieuses des Annamites*. BEFEO, t. XVIII.

J. Rouch, *La religion et la magie Songhay*. PUF, Paris 1960.

Tucci-Heissig, *Les religions du Tibet et de la Mongolie*. Payot, Paris 1973.

## d) En Oceanía

T. Henry, *Tahiti aux temps anciens*. Société océaniste, 1951.

S. Delmas, *La religion des Marquisiens*, 1927 (agotado).

M. Mead, *Moeurs et sexualité en Océanie*. Plon, Paris 1969.

M. Eliade, *Religions australiennes*. Payot, Paris 1970.

H. Nevermann, *Les religions du Pacifique et de l'Australie*. Payot, Paris 1972.

M. Panoff, *La terre et l'organisation sociale en Polynésie*. Payot, Paris 1970.

## e) En América

M. H. Tapie, *Chez les Peaux-Rouges*, 1926 (agotado).

J. Soustelle, *Les idées religieuses des Lacandons*. La terre et la vie, 1935 (agotado).

R. Bastide, *Les Amériques noires*. Payot, Paris 1973.

A. Lahourcade, *La creación del hombre en las grandes religiones de la América precolombina*. Cultura Hispánica, Madrid 1970.

S. Canals Frau, *Las civilizaciones prehispánicas de América*. Ed. Sudamericana, Buenos Aires 1955.

R. Carrión, *La religión en el antiguo Perú*. Lima 1959.

H. E. Gerol, *Dioses, ritos y fiestas* (en el imperio de los incas). Lima 1962.

G. Vaillant, *La civilización azteca*. FCE, México [3]1960.

S. Morley, *La civlización maya*. FCE, México [4]1961.

# 2

# El hinduismo

El eterno es uno, pero tiene muchos nombres (*Rigveda*, divisa de Ramakrisna)

onviene observar en primer lugar que este término de «hinduismo» es con el que los occidentales han bautizado a una religión asimilada geográficamente con el lugar en donde se practica: la India.

Los que la viven no la llaman precisamente de este modo. Para ellos es la Sanatana dharma, la «ley eterna».

Veamos pues dónde y cómo nació esta «ley eterna», qué es lo que enseña y lo que exige, y finalmente cuál es su actualidad.

## a) La India

Fue en la meseta del Decán, y a partir del valle del Indo y de las llanuras del Ganges, donde surgió la religión védica que se convertiría en el brahmanismo. Esta meseta, poblada por los drávidas, fue invadida por los arios, llegados del sur de Rusia a través de los valles. Pero también estuvo poblada sin duda por los emigrantes llegados de Malasia y de Malaca por mar, o salidos de Babilonia y de Irán.

Allí, en algún lugar entre los confines de Irán y del noroeste del Sind, nació una religión confusa en donde se mezclaban los cultos autóctonos y los dioses y concepciones llegados de Irán. De todos estos materiales, el hinduismo ha hecho un conjunto de creencias original.

## b) La época

No se le puede dar por tanto al hinduismo una fecha de nacimiento. Como los grandes ríos de la India, se arrastra y cambia de curso, y es muy difícil señalarle una fuente única y precisa. Es una religión de la continuidad en el cambio.

Apenas es posible indicar algunas orientaciones; las más seguras nos las ofrecen las fechas de aparición de los textos sagrados. La tradición más antigua se remonta probablemente a los años 2000-1500 antes de nuestra era. Se dibuja con claridad hacia el 1500. Por tanto, el hinduismo tiene una edad al menos de 3.500 años. Las nociones esenciales se afianzan entre los siglos X y V a. C., con la redacción del Rigveda y de las grandes Upanisads*. Pero los «Puranas» dedicados a los grandes dioses

---

* Las palabras acompañadas de un asterisco se explican en el léxico al final de cada capítulo.

de la India se fueron redactando entre los primeros siglos de nuestra era y el siglo XII.

### c) La religión primitiva

En aquellos tiempos tan antiguos, como en todas partes, los hombres se dirigían a las fuerzas que influían en su vida: fuerzas hostiles o benévolas que había que aplacar y hacer favorables.

El hinduismo se eleva *sobre un fondo arcaico de cultos primitivos*, ligados al ambiente, es decir, a la naturaleza y a sus elementos.

– La *naturaleza*: es la montaña convertida en la diosa Parvati; es el río –y todo el mundo conoce la importancia del sagrado Ganges–, pero también el océano, y los vados (tirthas), que son con frecuencia metas de peregrinación.

Es el bosque y el culto a los árboles. La higuera, en especial, simboliza a la Trinidad divina (Trimurti\*), con sus raíces (Brahma\*), su tronco, imagen de Siva\*, y sus ramas, representación de Visnú. Cerca de Pondichery se veneran aún dos higueras de sexo distinto, unidas entre sí, mientras que, muy cerca, una estela representa dos serpientes enlazadas como las del caduceo de Mercurio.

– Los *elementos*: ante todo el cielo, el sol, Surya, verdadero dios por su calor y su luz. También el fuego, divinizado bajo el nombre de Agni. Se le hacen ofrendas y él consume los sacrificios. Y la luna, Candra, cuyo ciclo determina la época de los sacrificios, y que se traga a Rahu, el demonio-eclipse. Rudra, genio de las tempestades, que destruye el ganado, se convertirá en Siva, protector. Vayu es el dios del viento, como Varuna es el soberano de las aguas. El agua es también la lluvia benéfica que produce Indra, portador del rayo (vajra) que hace reventar las nubes. Más profundamente, el elemento esencial es el tiempo que se desarrolla desde el nacimiento hasta la muerte, personificado en Kala. Tanto en el caso de Indra como en el de Kala, observamos ya la ambivalencia de los dioses, simultáneamente portadores de beneficios y de destrucción. El hinduismo une los contrarios.

– Finalmente, el *ambiente*: el trabajo de los hombres y la sociedad de una época. De ahí la presencia en los relatos míticos de los animales salvajes o domésticos y de sus guardianes. Se venera al buey y sobre todo a la vaca, pero también a la serpiente. La vaca pacífica y generosa encarna lo que Gandhi llamará la ahimsa (la no-violencia). La serpiente, a la que se presentan ofrendas, en la representación de la creación, sirve de lecho a Visnú. El pez es la forma que toma Visnú salvador. Pero entre los animales sagrados hay otros muchos más o menos divinizados: Hanuman, el jefe del ejército de los monos, el águila Garuda, el zorro, el tigre, el macho cabrío que es inmolado por sofocación, la tortuga o el jabalí en el que se encarna Visnú.

En este mundo agrícola juega un papel importante el pastor, como Krisna\*, una especie de Hércules, el de los mil trabajos. Otras veces es boyero o conductor del carro de Arjuna, uno de los cinco hermanos de la familia de los Pandavas, en el Mahabharata\*. Pero está también el cazador Gra y el bandido, ladrón de rebaños.

Los productos agrícolas sirven de ofrenda, como el arroz, la cebada, la grita (manteca), el soma (licor de una planta prensada), el sura (alcohol)..., mientras que ciertas plantas están consagradas a los dioses: la tulasi a Visnú, el bilva a Siva, mientras que del loto surge el Brahman\* creador.

### • Y la sexualidad

El trabajo agrícola está representado por el arado que abre la tierra y la fertiliza, lo mismo que hace el sexo masculino con la mujer. El lenguaje mismo expresa este simbolismo: la raíz «lak» (pene) aparece en «langula» (arado) y en «linga» (falo). El sexo, más que una particularidad anatómica, es una división radical de la persona humana: «Dios los hizo hombre y mujer». Es ésta una noción fundamental del hinduismo.

Por todas partes se encuentran en la India piedras levantadas, linga, signos de la virilidad de Siva, dios lunar, pero masculino, que todos los meses fecunda las aguas y las plantas. A menudo, en los campos, en las casas, se levanta el linga en el centro de un círculo que representa la vulva, la «yoni», la matriz.

Hay doce lugares santos en los que se levantan doce formas de Siva, doce lingas primordiales.

Pero hay otros muchos símbolos sexuales, como el toro blanco ante los santuarios, el arco y las flechas de Kama y los bajorrelieves eróticos de Khajuraho y Konarah.

Este culto domina en el tantrismo, que une a Siva y a Parvati, la «montañera», su esposa. Lo mismo que las divinidades, el ser humano es ambivalente: a la vez potencia femenina y principio masculino. Mucho antes de Jung, el hinduismo había descubierto y revelado la presencia de lo femenino en el hombre.

Los ejercicios tántricos, de los que luego hablaremos, tienen la finalidad de realizar la unidad del ser y su liberación mediante la conjunción de los dos: la shakti y el atman.

Como se ve, una religión es ante todo una manera para el hombre de comprender el mundo en que vive, una forma de captarlo y de situarse en él. Y *el hinduismo primitivo es a la vez la visión de una realidad cósmica, un culto politeísta y una manera de vivir en sociedad.*

• *Hacia una religión elaborada*

La elaboración de la religión –o el «yoga»* (sinónimo de «yugo»: que une)– que recoge estas creencias primitivas es la transformación de estas fuerzas naturales en símbolos. El terreno que da origen al hinduismo es el animismo profundo que no acaba nunca de metamorfosear los árboles, el sol, la lluvia, la tempestad, el pastor o el ladrón de bueyes, en héroes, en dioses y diosas.

Pero esta elaboración no acaba nunca. Por eso el hinduismo es una religión efervescente en donde los cultos primitivos subsisten dentro de las creencias actuales y en donde los antiguos mitos impregnan la vida cotidiana y la psicología de los hindúes contemporáneos. La piedad arcaica aflora en las devociones actuales que, como hace tres mil años, adornan los ídolos de guirnaldas de flores. Las supersticiones salidas del animismo persisten en medio de la creencia más pura. Y la religión popular coexiste con la filosofía más sabia.

Esta coexistencia es también la de la literatura que produce el hinduismo.

# 1. Los textos

Estos textos son sumamente *variados*, tanto por su origen como por su contenido y su estilo.

Fueron transmitidos con fidelidad, recitados oralmente antes de ser transcritos y copiados. Y, a pesar de sus dimensiones, estos escritos no constituyen más que unos vestigios de una enseñanza y de una tradición mucho más vasta, que sobrevive en los cuentos y poemas de los «recitadores» actuales.

Están redactados en el antiguo lenguaje que hablaban los hindúes del siglo XV a. C. Esta lengua, rica y compleja, cercana al griego, es el *sánscrito*\*, un sánscrito arcaico que dejó de hablarse hacia el 300 antes de nuestra era. Fue evolucionando entre los textos más antiguos y los más recientes a lo largo de más de 20 siglos, pasando del arcaísmo al sánscrito épico, y luego clásico. Por consiguiente, hoy es una lengua religiosa, un lenguaje sagrado.

*a) Un contenido y un estilo*

La *variedad de contenido* de las diversas colecciones corresponde a sus diversas funciones en la religión. Lo esencial está consagrado al *culto*: fórmulas litúrgicas para los sacrificios de los primeros Vedas, himnos dirigidos a las divinidades, prescripciones para las ceremonias, etc. Otra parte está constituida por los *comentarios* y explicaciones de estos ritos, por ejemplo en el Yajurveda, y sobre todo los Brahmanas. Desemboca en otros dos tipos de textos fundamentales: *tratados* de derecho civil y penal sacados de los mandamientos sacerdotales, y *exposiciones filosóficas* que elaboran las creencias y los elementos de una doctrina. Los primeros, fijados sin duda a comienzos de nuestra era, forman una colección jurídica, verdadera «enseñanza sobre la ley», que reglamenta la vida en sociedad, por ejemplo el sistema de las castas. Son esencialmente los *sutras*. Los segundos, presentes también por otra parte en los sutras, ofrecen, a partir de la historia mitológica de los dioses y de las revelaciones (sruti*) hechas a los hombres, una visión del hombre y de su devenir, una filosofía y una sabiduría de exaltación de unos valores éticos, y hasta una profunda mística religiosa. Tal es el contenido de las *Upanisads*, a las que se ha podido llamar «puerta de entrada del hinduismo».

Están finalmente los *textos épicos* que, a través de los relatos de aventuras de las familias reales y de los héroes, ilustran a la vez los grandes mitos y los preceptos de la vida social y moral. En ellos se manifiestan los dioses, como Krisna, y nos ofrecen su enseñanza. Estos monumentos tan variados de la literatura hindú, continuamente repetidos, son los más conocidos, incluso en el occidente de finales del siglo XX. Son el *Mahabharata* y el *Ramayana*.

El *estilo*, como es lógico, se adapta a cada uno de estos géneros. Poético, rítmico, musical en las estrofas del Rigveda litúrgico, se hace prosaico, sentencioso o heroico para enunciar aforismos o para celebrar las proezas de Rama.

### b) Los libros sagrados védicos

Las *colecciones más antiguas*, que son también las más importantes, forman lo que se llama la *sruti* (revelación). En efecto, reúnen los conocimientos revelados por los dioses a los sabios de los primeros tiempos, los risis* o «videntes». Estas cuatro colecciones, o samhita*, llevan todas el nombre de «veda», es decir: saber.

— *El más antiguo es el Rigveda.* Data probablemente de los siglos XV al X de nuestra era. Su nombre significa: veda de las estrofas. En efecto, está compuesto de 1.028 himnos recogidos y conservados por las familias sacerdotales. Estos cantos de alabanza a los dioses, estas plegarias que acompañan a los sacrificios, estos versículos e invocaciones, se siguen pronunciando hoy en las ceremonias de matrimonio o en los funerales.

— *El segundo es el Yajurveda*, o sea, el veda de las fórmulas. Es una especie de ritual litúrgico. Contiene a la vez las fórmulas que recitar durante los sacrificios y el comentario en prosa de esas fórmulas.

— *El Samaveda* es una recopilación de las principales estrofas del Rigveda y del Yajurveda, pero acompañadas de notaciones musicales para adaptarlas al canto. El término significa: veda de los cantos.

— El *cuarto veda es el Atarvaveda.* Mucho más reciente que los tres anteriores, no goza de la misma consideración. En efecto, no es más que una antología de fórmulas de encantamiento y de exorcismo, a veces más cerca de la magia que de la religión primitiva. Se siente en él la influencia de una nueva casta, la de los brahmanes, muy lejos de la enseñanza del Rigveda. Está lejos de tener la autoridad y la fama de éste, ya que el Rigveda es el texto religioso más antiguo de la historia de la humanidad, revelado, según la tradición, por el mismo Brahma.

Otros dos libros completan esta revelación primera. Son los *Brahmanas* y las *Upanisads*. También ellos son más bien glosas y especulaciones filosóficas sobre los tres vedas esenciales. Brahmana significa «interpretaciones sobre el Brahman»; las Upanisads son «aproximaciones», unas veces en prosa y otras en verso.

Los primeros se escribieron entre el 1000 y el 500 a. C.; los últimos, en el amanecer de los tiempos modernos. A partir de un ritual que utilizaba el fuego [1], emprenden una meditación sobre el más allá y sus secretos. A través de leyendas y alegorías, muestran cómo, por el dominio de la mente y del cuerpo, puede el hombre trascenderse y pasar más allá de la muerte y de las transmigraciones.

— La *smriti**, siguiendo a los «Brahmanas», constituye la *tradición* del hinduismo. Es a la vez religiosa y civil, moral y jurídica. En efecto, para el hinduismo, el orden es la noción primera y general. El deber de cada uno, religioso, moral, cívico, consiste en respetar el orden social, reflejo a su vez de la ley cósmica. Por eso, los sutras consagrados al derecho civil y religioso establecen listas de obligaciones y de reglas a partir de la explicación de los ritos.

El conjunto de estos textos lleva el nombre de Dharma-sastra, o sea: «enseñanza sobre la ley» [2].

---

[1] Por ejemplo, con Agni, dios del fuego; con Indra, señor del rayo.

[2] Véase «dharma».

Pero son mucho más ricos de lo que podría sugerir esta denominación. Son también un relato de la creación, una exposición cosmogónica, una descripción de la sociedad india, un catálogo explicativo de los ritos, un tratado doctrinal sobre el alma y su destino; finalmente, un código civil. *El hinduismo es una religión social.*

El texto más conocido de este conjunto es el *código de Manu*, que data sin duda de comienzos de la era cristiana. Manu es un sabio, salido de Brahma, a quien el ser supremo enseña los ritos y las leyes necesarias para el mantenimiento del orden social. Manu mismo se lo transmitió a otros sabios, fijando así una especie de código ideal de costumbres, que eran las de la época en que vivía. Pero las costumbres locales siguen siendo la regla prioritaria; desobedecerla es romper el equilibrio de la sociedad y prepararse una sanción en el más allá. La tradición (smriti) nació de la revelación (sruti).

### c) Las epopeyas

La sociedad, bajo su forma a la vez histórica y mitológica, sigue estando presente en dos textos épicos que son sin duda los más conocidos: el *Mahabharata* y el *Ramayana*. Empezadas varios siglos antes de nuestra era, estas leyendas cuentan la historia maravillosa de las familias reales, cuyos héroes divinizados ofrecen una imagen del ideal religioso hindú.

— El *Mahabharata* es el relato de la gran guerra entre los hijos de Bharata: una guerra de sucesión entre los cinco hermanos Pandavas y sus primos. Batallas, desapariciones, combates épicos son la ocasión de descubrir el ideal hinduista de la sociedad y sus representaciones de dios y de la salvación. La epopeya es una iniciación religiosa.

El episodio más significativo y más célebre en este sentido es la *Bhagavadgita* o «Canto del bienaventurado». Antes de la gran batalla final, se recoge el diálogo, en verso, entre Arjuna, uno de los cinco hermanos, y Krisna, el conductor de su carro. Krisna revela a su compañero el sentido profundo de su combate. No es tanto la victoria sobre un adversario como la búsqueda del bien supremo, el intento de fusión con el todo único y absoluto. Más que la acción, sólo puede conducir a ello el desapego. Lo que hay que defender es el dharma*, el orden justo del mundo. Y cada uno tiene que hacerlo según la casta a la que pertenece: por las armas si es guerrero, por la no-violencia si es brahmán. Esta enseñanza adquiere un valor especial por el hecho de que el cochero Krisna acaba revelando que él es el ser omnipotente, objeto de la búsqueda espiritual de Arjuna.

De este modo, los cien mil cuartetos del Mahabharata, continuamente repetidos y comentados, constituyen una especie de Biblia o de Corán hinduista, fundamento particular de la devoción a Krisna.

— *La aventura de Rama, el Ramayana**, otro poema épico mucho más corto, está igualmente dedicado a Krisna. En efecto, el encantador príncipe Rama es una encarnación de Visnú. El terrible demonio Ravana, después de conquistar el mundo entero, amenaza con destruir el «dharma»; Rama, hijo del rey de Ayudya (en el norte de la India), emprende la reconquista de la isla de Lanka (Ceilán). Lo logra después de muchas peripecias y gracias a la alianza con Hanuman, jefe de un ejército de monos. Es coronado entonces rey de Ayudya, en donde restablece el reinado del orden divino.

Además, el Ramayana es una maravillosa historia de amor entre Rama y la bella y fiel princesa Sita. Ella le sigue al bosque adonde lo ha desterrado una reina malvada, pero Ravana la rapta astutamente y sólo después de duros combates y de una larga búsqueda logra Rama matar a Ravana y liberar a su esposa.

El Ramayana, puesto en verso en el siglo XVII por el poeta Tulsi-Das, es conocido por todos los hindúes, desde las orillas del Ganges hasta el norte de la India. Todos los años se representan los Ramlila en numerosas aldeas. La representación más célebre tiene lugar en Ramnagar, frente a Benarés. Es que Rama se ha convertido en un verdadero dios. Fue su nombre el que pronunció Gandhi al morir. Representa el amor a todas las criaturas, hasta las más humildes, las de las castas impuras, la manifestación del orden y de la benevolencia universal de Dios. Ravana, el mal, permite la intervención de la gracia divina, dada a los que tienen fe. Sita es la imagen del alma fiel a Dios.

De este modo, las grandes epopeyas son, según la lectura que se hace de ellas, una revelación de los rostros de la divinidad hindú.

### d) Los puranas

Los *puranas** son textos más recientes, escritos probablemente a partir del siglo IV de nuestra era hasta el siglo XII o XIII.

Por tanto, vienen detrás de los vedas, del Mahabharata y del Ramayana, de los que son comentarios. El término significa sin embargo «Antigüedades». Es que cuentan prolijamente la historia de las genealogías y de las dinastías reales, mezclada con los relatos de los mitos más antiguos.

Encontramos en ellos a la vez todas las leyendas sobre Kala, Varuna, Indra y demás dioses y diosas, y una mole de enseñanzas sobre los ritos, las fiestas y las peregrinaciones. Son una «suma» en 18 poemas (los puranas mayores) y 1.500.000 versos.

Textos básicos de las grandes sectas que nacen por aquella época, se les ha clasificado en tres grandes partes: visnuítas (Bhagavata-purana, dedicados a Visnú), sivaítas (Devi-Bhagavata-purana) y brahmaítas.

A través de todos estos textos, se va dibujando la doctrina hinduista.

## 2. La doctrina

Si los libros y las ceremonias se despojan de sus héroes legendarios, de sus proezas y de sus aventuras galantes, de sus demonios y de sus máscaras, ¿qué queda del hinduismo? ¿Qué creencias?

### a) ¿Fe o sabiduría?

Esas creencias resultan difíciles de captar, sobre todo porque se mueven en una perpetua evolución de sectas que renacen sin cesar. ¿Hay algo en común entre el ritualismo arcaico y popular y la religión exigente y casi monástica de un Vivekananda? Hay mucha diferencia entre las concepciones politeístas de los vedas y la devoción al dios único de un Ramakrisna, entre la piedad familiar de los peregrinos de Benarés y la ascesis del sadhu* que camina de aldea en aldea. Y los devotos de Visnú en uno de sus avatares no se parecen en nada a los sivaítas que adoran al dios de la danza, y mucho menos a los seguidores de la terrible Kali*... Frente a tantas oposiciones doctrinales, llega uno a preguntarse si hay una misma fe que vincule a los 600 millones de hinduistas.

Seguramente no, en el sentido en que esa fe pudiera expresarse en un credo común, fijado una vez por todas por una iglesia o un concilio. El hinduismo *no tiene dogmas* que definan lo que el fiel tiene que creer. No es la adhesión a la palabra de un fundador que revele el nombre y la ley de Dios; menos aún es adhesión a una persona. Los «risis» que recibieron el conocimiento de Dios transmitido por los vedas* se han quedado anónimos.

El judío tiene fe en Yahvé y en su palabra; el cristiano, en Jesucristo, hijo de Dios; el musulmán, en Alá que habló a Mahoma. Los hindúes, por su parte, veneran a diferentes dioses según la región y hasta la aldea a la que pertenece una familia. Se dice que el hinduismo se caracteriza por la tolerancia. De hecho, ésta es la aceptación de una *multitud de caminos* por conocer y alcanzar, *menos la fe en una divinidad que la aceptación del orden universal y cíclico que rige el mundo y la sociedad.*

¿Puede llamarse fe a esta convicción?

¿No es más bien una especie de sabiduría que impregna a la sociedad y al alma indias? El hinduismo no es quizás otra cosa más que esa profunda huella que, a través de los mitos y de las tradiciones, marca la organización social y la psicología indias. Es una *manera de vivir* las leyendas y las epopeyas. *Una religión social más que una fe religiosa.*

Y esta religión que impregna las mentalidades y los comportamientos se basa en la creencia profunda en la multiplicidad de lo real. El universo existe, a la vez diverso y uno, en sus aparentes contradicciones. A través de sus cambios, lo mantiene un orden idéntico, que se trata ante todo de no perturbar jamás. Cada cosa y cada ser está en su sitio: tal es la sabiduría hindú. ¿Es esto una fe?

Todo lo más, cabe la posibilidad de deducir de los textos y de las prácticas algunos principios esenciales.

### b) El brahman

El brahman no es quizás prioritario. No es él el que gobierna el alma y la vida hindú. No es primero más que en una lógica occidental en busca de un origen y de una identidad. Sin embargo, el término está presente en los vedas.

Designaba entonces el poder, la energía eficaz de los encantamientos rituales, los mantras, y sobre todo los sacrificios. A veces se confunde con el mantra fundamental «OM» que suscita lo real.

Más tarde, los Brahmanas y las Upanisads identificaron esta energía con la *fuerza creadora* que mantiene el universo. Finalmente, para Sankara [3] en el siglo VIII, el brahman es lo único que existe, la esencia misma de la realidad y de los fenómenos. Es el gran «eso» *(tat)*, la totalidad, lo absoluto impersonal e indefinible que trasciende el universo. El alma neutra del mundo. No ya los dioses, sino la esencia de los dioses.

Es el «uno universal», del que el «atman» es la manifestación individual. Es también con las Upanisads como se afirma esta noción del «brahman» presente en cada uno. Hay identidad entre el uno individual, el «atman», y el uno universal, el «brahman» absoluto. Cada uno no es más que un aspecto del gran «tat». Tal es la gran verdad liberadora: «Tú eres eso» *(tat twan asi»)*. O sea: «Tú no eres más que ese todo».

Y el destino de cada «atman» consiste en llegar al gran todo mediante el conocimiento o por los ejercicios del yoga. Realizando esta identidad es como el hombre puede conseguir entrar en el terreno del «brahman», el «brahma-loka».

Es también en las Upanisads donde aparece, a propósito de este viaje del «atman», la teoría del «samsara».

### c) El samsara

Es lo que llamamos comúnmente la *transmigración de las almas* y que sería mejor llamar metempsícosis o metensomatosis [4].

La palabra viene de Sam si: fluir con. El samsara es esa corriente perpetua y cíclica que arrastra al atman, al alma individual, a través de las reencarnaciones sucesivas. Está simbolizado en una rueda siempre en movimiento, o también en la sucesión de las olas de un río incesante.

El atman, el alma eterna, está desterrada en el cuerpo. Como un ave migratoria, el «hamsa», va volando de cuerpo en cuerpo, sin fin, durante toda la duración de un ciclo cósmico, antes de fundirse en el «brahman». Pero embarazada por el peso de sus malas acciones, va bajando en la escala de los seres, renaciendo en el cuerpo de un hombre de categoría inferior, y hasta de un animal o una planta. O bien, aligerada por sus buenas acciones, se va elevando hasta alcanzar el brahman.

En las creencias populares más tardías se establece todo un código de reencarnaciones: del hombre al vegetal, pasando por el mono, el pájaro y el insecto, 86 millones de veces...

Más allá de estas especulaciones demasiado minuciosas, el samsara contiene dos concepciones comunes a todas las religiones sobre la muerte y el más allá. La muerte no es definitiva. Pero, mientras que, en los animistas, los espíritus sobreviven entre los vivos, y mientras que, para los cristianos, el mismo cuerpo de los santos resucitará al final de los tiempos, para el hindú el alma va transmigrando de cuerpo en cuerpo hasta su disolución en el brahman. Pero no conoce ni la salvación cristiana, ni el paraíso de Alá. Espera la liberación. Ser liberado es escaparse del sufrimiento de las reencarnaciones. Se llega a ello por la observancia de ritos y sobre

---

[3] Sankara (788-838): «gurú» nacido en Kerala, fundador de monasterios. Para él, fuera del brahman todo es ilusión.

[4] Transmutación de un cuerpo en otro.

todo por el conocimiento de esta identidad entre ella y lo absoluto.

Esta doctrina de la transmigración de las almas tiene el mérito de explicar la unidad y la diversidad de los seres. Mejor dicho, la explica y la justifica por los méritos humanos. Quizás por eso la encontramos entre los egipcios, los griegos, el pitagorismo y los galos, reapareciendo periódicamente en el espiritismo.

Pero lo que distingue al samsara hinduista de las otras formas de metempsícosis es que se basa en la creencia fundamental en el karman.

### d) El karman

En efecto, es este peso de las acciones humanas lo que arrastra al alma en el ciclo de los renacimientos perpetuos.

En sánscrito, esta palabra significa «acto», «obra». Más concretamente, el karman* es la fuerza «invisible», «inaudita», que emana de todos los actos humanos. Esta energía es la que hace al «atman», al alma, prisionera de un cuerpo y le obliga a reencarnarse. En occidente se suele decir: «Nuestros actos nos siguen». El karman hinduista es este «seguimiento», esta *resultante invisible y operante de nuestros actos*. Algo así como el balance de nuestros actos: de nuestras buenas y malas acciones. –Como el que pesan los ángeles guardianes del alma musulmana–. Así dice la ley del karman: «Somos lo que hemos hecho, seremos lo que hagamos o haremos». ¡Maravillosa sabiduría convertida en fe!

Y algunos textos posteriores, como el Sivasidanta [5], establecen toda una minuciosa contabilidad de la acumulación del karman: activo, pasivo y saldo... Así, las intuiciones filosóficas se degradan en ritualismo farisaico.

Para evitar la pesadez del karman, el ideal sería *no obrar*. Este camino ha tentado siempre a numerosos hinduistas. Se refugian en el inmovilismo de la no-acción. Trabajar, vestirse, alimentarse, desplazarse lo menos posible: ésa sería la utopía. Estar despegado de todo. Vivir como si no existiéramos: esto respetaría a la vez el orden del mundo y aliviaría el karman. De ahí procede quizás esa impresión de fatalismo y de inercia que pueden ofrecer las masas indias frente al activismo febril y conquistador de occidente.

Otros piensan escaparse del karman mediante la devoción o los sacrificios a su divinidad: Visnú, Siva, Krisna... Es la bhakti [6], que realiza la identidad con el «eso».

Otros finalmente esperan llegar a ello por los caminos del yoga, desatando todos los vínculos con el mundo.

Sean cuales fueren las prácticas que engendra, el karman influye muy profundamente en la mentalidad hindú. Es que, en su fundamento, él es la explicación del destino humano. Una explicación justa, puesto que hay así armonía entre la forma corporal, la situación social y las facultades del alma. Ser desgraciado no es una maldición o una falta, sino el resultado de los deméritos de una existencia anterior y la posibilidad de obtener una existencia mejor.

Así, la ley del karman no es tan fatalista como parece. Por un lado, porque el karman depende también de los esfuerzos del hombre. La ley es que nuestros actos y hasta nuestras intenciones escriben nuestra vida futura. Y nunca cambiaremos esta ley. Pero podemos actuar sobre nuestras intenciones y sobre cada uno de nuestros actos, y por tanto sobre nuestro porvenir. Por otro lado, porque esta ley es una esperanza. En efecto, es una certeza de que el objetivo de la existencia, a pesar de los renacimientos, es la liberación. Los hindúes la llaman «moksa»: la fusión definitiva del «yo» y del «Todo».

El karman realiza también la unión del determinismo y de la libertad. Su ley condiciona y libera al mismo tiempo. Y el hinduista se siente simultáneamente construido y constructor.

Este sentimiento profundo se inscribe en la gran ley que dirige el universo: el dharma.

---

[5] Conjunto de las doctrinas sivaítas, constituido en tamul en el siglo XIII.

[6] Véase *infra*, p. 52, 66.

## e) El dharma

Es otra palabra sánscrita, cuya raíz «dhr» quiere decir: sostener, mantener. Corresponde al latín «fr», «fir», de donde viene «firmus»: estable.

El dharma* es la ley que mantiene el orden del mundo. Esta noción es tan esencial que, como hemos visto, sirve para designar al hinduismo: Sanatana dharma, la ley eterna.

Esta palabra tiene una historia. En la literatura védica antigua, el dharma, neutro, es la actividad múltiple por la que los dioses conservan el orden universal a través de destrucciones y reconstrucciones sucesivas. Para los brahmanes es también el orden particular que rige a cada uno según su casta, y hasta el orden inscrito en él. El budismo insistirá en esta ley interior y la convertirá en la ley fundamental de renuncia al mundo.

En el hinduismo tradicional, el dharma constituye la *realidad esencial del cosmos, de la sociedad y del hombre*. Es el orden que reina entre los dioses, atribuyendo a cada uno su propia función e intervención. El de la guerra no es menos importante que el de la paz. Y el ladrón de ganado tiene su función, lo mismo que el guardián del rebaño. En el cielo hindú, cada uno tiene su parte y todos la tienen por entero.

En la naturaleza, el dharma es el ciclo de los astros y de las estaciones, que regula la llegada de la cosecha y el brote de las plantas. Es el orden que regula la jerarquía de las castas. Y el orden moral por el que cada hombre actúa según su deber, es decir, respetando las leyes de los dioses, de la naturaleza y de la sociedad. El dharma es el funcionamiento armonioso de un universo en equilibrio.

Pero hay fuerzas adversas que amenazan este equilibrio. Forman el «a-dharma»: todo lo que se opone al orden, el mal. En la sociedad, es la violencia dominadora de las castas superiores que abusan de su situación. En cada hombre, es la tendencia perversa a buscar la ganancia y el éxito. Para el hinduista, en efecto, al dharma personal, aspiración a cumplir «el deber de su casta y de su estado», se oponen el «artha» y el «kama». El «artha» podría traducirse por la sed de ganancia, mientras que el «kama» es el apetito de los placeres. El respeto al dharma, por consiguiente, es el esfuerzo por aniquilar en uno mismo la ambición y la concupiscencia.

Se llega a ello gracias al culto.

El orden ritual, en efecto, representa y mantiene el orden cósmico, social y moral. De ahí la importancia de los «dharma-sastra», como el código de Manu. Esta «enseñanza sobre la ley» es una lista de obligaciones sociales y éticas que se derivan de los ritos. Siguiendo escrupulosamente los ritos y las reglas que están ligadas con ellos, es como el fiel participa del orden cósmico y prepara su propia liberación.

La vida espiritual y la vida social son inseparables. El hombre no es jamás un individuo aislado. Forma parte del orden universal. Su finalidad no es ni el éxito en este mundo ni la salvación en el otro, sino su disolución en el todo.

Eso es el dharma, exigencia de ocupar cada uno su lugar debido en el orden de las cosas, con el objetivo de la liberación. Sin embargo, hay un medio más inmediato para llegar a esta liberación (moksa): la bhakti.

## f) La bhakti

Es una forma de devoción que supera la rutina ritual. Esta palabra, en sánscrito, significa compartir, participar. Está cargada de afectividad y de misticismo. En contra de los ritos tradicionales, ligados a la casta y a la familia, la bhakti* es una *relación personal entre el fiel y su dios*.

Por tanto, va en contra del hinduismo ritual, para unirse a la corriente mística judía, cristiana e islámica. El Krisna de la bhakti puede decir como Yahvé: «¿Qué me importa la multitud de vuestros sacrificios?... Lavaos, purificaos..., buscad la justicia» (Is 1, 11.17), o como Jesús: «¡Ay de vosotros los que, aun ofreciendo el diezmo, descuidáis la justicia, la misericordia, la fe...» (Mt 23, 23...). Lo esencial es acercarse a dios, a su gracia: esa justicia que no es la de los hombres, sino amor.

El origen de la bhakti se encuentra en ciertos himnos del Veda, pero sobre todo en la Bhagavadgita y más aún en la Bhagavata-purana.

Es fruto de la enseñanza de Ramanuja [7], un sadhu visnuíta, de la predicación de Kabir [8] o, más cerca de nosotros, de Ramakrisna [9].

La bhakti, en efecto, se basa en la concepción de dios que aparece en la Bhagavadgita. Dios, Bhaga, es la «buena parte» que él comparte con el devoto, «bhagavant», que le ofrece el amor de su corazón. La bhakti es ese intercambio recíproco de amor: ofrenda y bendición.

La bhakti está hecha de dos actitudes: la «prapatti» y el «seva». La prapatti es algo así como lo que el musulmán o Fénelon llamarían el abandono apasionado a la voluntad del Señor, que «sabe mejor que yo lo que necesito». El seva es el servicio ardiente al Señor a quien uno se ofrece por entero. El «bhakta», el santo, acepta renunciar a todo para recibirlo todo de su dios. Por la bhakti, el bhakta casi se identifica con su Señor, haciéndose como él amor de Dios y de sus hermanos.

Como toda devoción, la bhakti ha originado desviaciones excéntricas: minuciosa clasificación de los estados del alma, votos curiosos, castración, etc.

Pero también ha producido poemas místicos: el Nalayiram [10], el Ramayana que evocan el Cantar de los Cantares, el «Ojo del corazón» [11], las efusiones de san Juan de la Cruz o el «puro amor» de madame Guyon en el siglo XVII.

Esta profunda espiritualidad, personal y llena de fervor amoroso, es también un rostro del hinduismo.

Esencialmente múltiple, este rostro se manifiesta sobre todo visualmente en la tropa infinitamente numerosa y variada de las divinidades hinduistas.

---

[7] Ramanuja: maestro espiritual del sur de la India (1017-1137). Para él, adepto de Visnú, Dios, el absoluto, no es un «ello» neutro, sino un dios de bondad.

[8] Kabir: sabio y poeta hindú de Benarés (1440-1518), para quien Dios trasciende todo lo que pueden decir de él las religiones.

[9] Sacerdote y gurú de Bengala (1834-1886).

[10] Colección de poemas escritos entre los siglos V y IX por unos poetas llamados Alvars.

[11] De Ibn Mansur-Hallaj, gran místico musulmán crucificado en Bagdad en 922.

Tan numerosa, tan compleja y tan colorida que corre el riesgo de ocultar el sentido de Dios.

## 3. Los dioses

Hablar de los dioses del hinduismo es sumamente difícil y equívoco. Esta dificultad se debe al menos a tres razones.

La primera es que la palabra «dios» significa, para todo monoteísta, el «creador de todas las cosas», al que se adora como «todopoderoso».

Pues bien, en el hinduismo no sólo no hay un dios necesariamente creador, sino que la creación misma es un concepto oscuro, si no inexistente. En la cosmogonía hindú, lo que existe desde siempre es el orden de las cosas, el principio que lo anima. Ese orden es eterno y comienza siempre de nuevo.

### a) Mitología y cosmogonía

Al comienzo es la «prakriti»* –la pre-acción–, sustancia cósmica que, al desarrollarse, suscita el universo. Se despliega, regresa, renace, disminuye para revivir indefinidamente.

Cada una de estas evoluciones hacia la disolución constituye una «era cósmica», una «kalpa» de 4.290 millones de años, una jornada de Brahman...

A su vez, las «kalpas» se subdividen en mil grandes etapas, formadas cada una de cuatro «edades» o «yugas», que reproducen la evolución: edad de oro o «perfecta», la más antigua y la más larga, la edad de plata, la edad de bronce, la edad de hierro. Esta es la edad en que vivimos, la más corta, pero la peor, la «kali-yuga». Es que el «dharma» se degrada, produce guerras, hambres, catástrofes y todos los males que la humanidad conoce desde el año 3.102 de nuestra era.

Para volver al comienzo de todo, son los tres elementos de la «prakriti» (lo luminoso, lo impuro y lo tenebroso) los que dieron origen a los cinco elementos primordiales: el éter, el aire, el fuego, el agua, la tierra. Ellos constituyeron el universo o «huevo de Brahman» que flota sobre las aguas. De este huevo nace Brahman, que engendra la creación y el hombre.

Al final de los tiempos, es decir, al final de un día de Brahman, el mundo se disuelve y vuelve a aparecer un nuevo huevo: Brahmanda.

En esta cosmogonía védica primitiva *no hay más dios que Brahman, fuerza neutra y principio universal*. Simple fuerza abstracta de todos los fenómenos. Por tanto, es difícil hablar de un Dios.

Segunda razón: ese Brahman ambiguo es también una fórmula, una palabra. Designa a Dios y al mismo tiempo le hace nacer. Lo primero es el rito, y en el rito las palabras, los mantras. Los *mantras** son una especie de melopeas. Transforman al que los pronuncia. Pero su sonoridad actúa en los dioses, ya que da órdenes a las cosas y a las fuerzas que representan a los dioses. Por tanto, lo que es capital es conocer esas sílabas, esos gestos. Este hinduismo védico es por tanto una *ciencia, «vidya»:* un saber y un poder.

No son los dioses los que han creado el mundo. Es el culto el que crea a los dioses. Los dioses son porque se les evoca. *Es la palabra de los hombres la que hace a los dioses.* Los dioses son porque se les nombra. Su existencia y su poder nacen del culto que se les rinde.

Nombrándolos, pensando en ellos, vistiéndolos, alimentándolos es como el hindú da vida a sus dioses. No es tanto su criatura como su creador. Por medio de los ritos y de las palabras.

Tercera dificultad, finalmente, para nombrar a esos dioses: *son infinitamente numerosos.* Cambian de nombre según las épocas, las regiones, las funciones, las encarnaciones, las formas que toman. Así, el Savitar, el sol que despierta, es también Usa, la aurora; Surya, el sol brillante del día; Pusan, el verano; igualmente es Mitra, dios de la fe en los juramentos, y Aryaman, divinidad de la amistad. Resulta tan difícil moverse por este panteón como por los nombres rusos de una novela.

Los dioses son múltiples, porque uno solo no podría mantener el orden del mundo. Todo es necesario para la conservación de ese orden. El rayo no es menos útil que el agua, y la serpiente que el buey, la luna que el sol. Siva es también el destructor Hara y el procreador representado por el linga*.

De una manera más sutil, esta diversidad de denominaciones traduce los diferentes niveles de lo real y las formas esenciales de la divinidad. Visnú, por ejemplo, emparentado por otra parte con Agni, el fuego, se presenta bajo cinco aspectos. La forma suprema, *para,* es invisible e inaccesible. Su personificación, o literalmente su «despliegue», lleva el nombre de «viyuha». Se encarna para intervenir en el mundo haciéndose un avatar. Vive, invisible, en el corazón: antaryamin. Finalmente, se hace visible en las estatuas, sus reflejos: arcana.

Resulta fácil comprender que, en sus orígenes, el hinduismo es politeísta.

### b) El politeísmo

En la época védica, un risi aseguraba que había «treinta y tres millones de dioses». Como hemos visto, son los herederos de los elementos y de las fuerzas naturales divinizadas.

A menudo ambivalentes, se dividen en dioses terrenos, dioses atmosféricos y dioses celestiales. También se les clasifica según sus funciones, es decir, según las clases sociales indias de las que son reflejo: dioses soberanos, dioses guerreros, dioses trabajadores, ganaderos o artesanos.

Pero desde antiguo destacan algunas grandes divinidades prioritarias: Dyaus Pitar (el Cielo-Padre), Varuna (el que mantiene el orden universal), Mitra (que preside los contratos), Indra (el rayo), Vayu (el viento), Parjanya (el huracán)... Viene luego toda una serie de dioses secundarios: Pusan, Brihaspati, Tvastar y los tres Ribhus.

Como en la mitología griega o romana, todas estas divinidades tienen aventuras guerreras o amorosas. Indra, con o sin sus aliados principescos, mata a un dragón, conquista el sol, se emborracha con Soma, libera a las auroras, destrona a su padre Varuna. Visnú se casa con Laksmi, guía un navío, mata demonios y gigantes, derrota a ejércitos enteros...

Todavía hoy, este panteón gigantesco está representado en la fachada de los templos en un amasijo de cuerpos enlazados o danzantes, de animales y de demonios. Se manifiesta en los innumerables santuarios del campo indio y en las múltiples fiestas populares con sus maniquíes, sus elefantes y sus fuegos de Bengala. Cada casta, cada familia, cada región tiene su dios, su culto, sus fiestas.

Sin embargo, entre los 33 dioses primitivos destaca *una especie de trinidad:* la trimurti* a la que se reducen todos los aspectos de lo divino. Se puede buscar su origen en los tres grandes estados de la sociedad y, más aún, en la concepción cósmica de la creación, conservación y destrucción. Refleja sobre todo la imagen que el hindú se forja de Dios. Lo mismo que el mundo primordial –*pradhana:* lo predado– es unión de tres elementos, los «gunas», también dios tiene tres formas: el ser, la conciencia, la beatitud. Esta tríada, que es la de Júpiter-Minerva-Apolo, o la de Osiris-Isis-Horus, ¿no traduce el sentimiento interior, profundo y universal que es el hombre: cuerpo, espíritu y alma?

En el hinduismo, la trimurti clásica, o sea, la de la literatura y la de las teologías, comprende tres personajes más bien que tres personas: Brahma, Visnú y Siva [12].

### c) *Brahma*

Antes de ser el creador del mundo, Brahma es *una creación de los teólogos.* Para ellos es una personalización del «brahman» neutro absoluto. Han personificado lo que no era más que principio y fórmula sagrada. Brahma se convierte entonces en el «creador», el «señor de las criaturas», el ordenador del mundo, el «único más allá de los dioses». Primer personaje de la Trimurti, representa al ser por excelencia en el que todo existe. La existencia del mundo no es más que un día de su vida, entre otros millones. Este dios teológico sigue siendo una especulación intelectual que no supone prácticamente ni culto ni santuario popular.

Lo que se venera realmente es el poder de Brahma, su «sakti» personificada bajo la forma de *Sarasvati, su esposa.* Sarasvati, antigua diosa-arroyo, es la Minerva del panteón hindú. Es ella la que protege el saber, la elocuencia, y sobre todo las artes; es la inventora del sánscrito. La acompaña el pavo real. Su planta es la albahaca.

Pero más generalmente, la primera –o la tercera– persona de la Trimurti es una diosa. La Diosa. La llaman *Maha-Devi,* la «*Gran Diosa*».

Es más difícil de definir aún que Brahma. Maha-Devi, en efecto, es, por una parte, la fusión de las divinidades ambivalentes salidas de Siva y de Visnú; y por otra parte, la madre de todas las divinidades femeninas de la aldea. Así, pues, Maha-Devi es también Durga, la inaccesible salvaje que cabalga sobre un león Laksmi, ricamente vestida sobre su loto abierto, diosa de la belleza, de la salud y de la fortuna, y también la negra Kali, cubierta de sangre, con su collar de calaveras, madre de las guerras y de las calamidades.

Esta «gran diosa» concentra en sí todos los aspectos de lo femenino. Es la virgen, la amante, la esposa fiel y la madre. Hija, dueña y esposa de los dioses, representa su poder, ese poder que intenta exaltar y captar el yoga.

### d) *Visnú*

Venerado en toda la India al igual que esas diosas, Visnú es el segundo personaje de la Trimurti. Pero resulta tan difícil de captar como Brahma. En efecto, por un lado es el descendiente de un dios védico muy antiguo que ha ido evolucionando. Por otra parte, sus numerosos avatares representan a veces verdaderos dioses.

El nombre mismo de Visnú se deriva de la raíz «vis», penetrar. Es que, en su origen, Visnú és un *dios solar:* el rayo de sol que penetra y hace vivir. Según una leyenda, era el enano Varuna que, transformado en gigante, recorrió en tres pasos –uno de ellos invisible– los tres mundos: el cielo, la atmósfera, la tierra. Se comprende el simbolismo solar de estos recorridos. Visnú es así el dios del espacio, como Siva es el del tiempo. El espacio total, ya que el dios está en todas partes a la vez, omnipresente,

---

[12] Siva, cf. p. 56.

inmanente. Recorriendo y llenando todo el espacio, él es Sin-Límite. Los signos que se le atribuyen a Visnú atestiguan este mito solar que lo convierte también en un dios guerrero como Indra. Son el arco y las flechas –como Apolo–, el disco, el águila Garuda sobre la cual se le representa, unas veces sentado y otras de pie.

Pero otros atributos, la caracola, el loto, revelan que Visnú tiene también aspectos lunares y acuáticos. La mitología lo representa durmiendo sobre la serpiente «infinita» Seska, la de mil cabezas, flotando sobre las aguas cósmicas. De su ombligo nace un loto de donde surge Brahma, creando un mundo nuevo...

El sentido de este mito es que Visnú, dios benévolo, es responsable del universo. El «medita el mundo», lo preserva, lo mantiene en equilibrio. Es el Gran Todo que, desde dentro, sostiene todo cuanto existe.

Esta es la razón de ser de sus manifestaciones. Guardián dormido del «dharma», delega sus poderes protectores a los «avatares» en que se encarna. Así, periódicamente, desciende bajo formas diversas e interviene para aniquilar a los «asuras» maléficos y restaurar el orden del mundo.

En el Mahabharata llega a intervenir hasta en *10 avatares**. Su número fue aumentando con el tiempo: el Bhagavata cuenta 22.

El primer avatar de Visnú es el *pez*. Cuando el diluvio, Visnú-pez vino a guiar el navío del rey-justo Manu Varvasvata sobre el Meru (¿Himalaya?), donde pudo sobrevivir.

El segundo es la *tortuga* que sostuvo a la tierra amenazada de hundirse.

La tercera vez bajó como *jabalí* que, con sus colmillos, sacó a la tierra de la superficie de los mares, en donde la había sumergido el demonio Hiranyaksa.

En cuarto lugar se transformó en *hombre-león*, matando al demonio Hiranyakasipu, que devoraba la tierra.

El quinto avatar fue un *enano* que, como David, derribó al gigante Bali.

Su sexta emanación fue *Rama-el-del-hacha*, que

mató a los guerreros sublevados contra los brahmanes.

La séptima y la octava son las más importantes, pues dieron origen a dos *héroes legendarios* adorados como dioses: Rama y Krisna.

El príncipe Rama [13], encarnación de Visnú, restableció el orden contra Ravana, el Maligno. Krisna, pastor y flautista que encandilaba a las pastoras del bosque sagrado del Vrindavana, es un dios que se complace en las aventuras galantes y el adulterio. Es el vencedor de la guerra de los Bharatas y el dios de la devoción amorosa [14].

El noveno avatar de Visnú sería Buda en persona.

El décimo está aún por venir, bajo el nombre de Kalkin, una especie de salvador con cabeza de caballo. Para algunos, Jesús y Mahoma habrían sido también encarnaciones de Visnú; y ése sería también el caso de los gurús de las grandes sectas sivaítas.

### e) Siva

Siva viene de Rudra, genio de las tempestades, destructor del ganado. Es por tanto de origen novédico. Según la leyenda, Brahma-pájaro y Visnú-jabalí no lograron alcanzar la cima de la columna de fuego y tuvieron que admitir en ella a Siva. Otra leyenda cuenta que, bebiéndose el agua del mar envenenada por un demonio, fue como salvó la creación. Por eso tiene la garganta azul; de ahí su apodo de Nilakanta. Finalmente, otra leyenda lo muestra bajo la cascada del Ganges, protegiendo al mundo de su caída. De aquello le quedó una gran cabellera, parecida al entramado del delta del río sagrado. Un broche en forma de luna indica su pertenencia al mundo de la noche, pero atestigua también su condición viril, ya que la luna es masculina y fecunda en cada una de sus renovaciones.

Esto es lo que caracteriza a Siva. Al lado de Vis-

---

[13] Cf. p. 48.
[14] Cf. p. 48.

nú, solar, que mantiene el universo, y de Brahma, el creador, Siva es a la vez engendrador y destructor, protector y justiciero. Es el dios de la dualidad. El que unifica la diferencia: puro pensamiento y materia prima. Por su gracia, crea, actúa y destruye sin fin. Es la *contradicción*, que engendra a la vez la vida y la muerte.

La primera representación de Siva es el *linga*, piedra cilíndrica que surge de una especie de vasija con vertedera reposando sobre un zócalo redondo o cuadrangular. A veces, se levanta simplemente por encima del triángulo que representa la vulva. Este linga es un símbolo fálico, lo mismo que el disco representa el yoni femenino. Significa también, con sus tres partes, la unión de los dioses: Siva levantado, el varón; Visnú, la parte femenina; Brahma, el zócalo de la base. Más profundamente, esta clasificación ternaria corresponde a las tres categorías del ser: pati, pasu y pasa [15].

De hecho, el linga no es más que un signo material de la presencia del dios, un soporte para el pensamiento del devoto. El signo de lo que engendra, bendición de los hogares. Pero es también el tridente que aniquila o la columna de fuego, el fuego que ilumina y que calienta y el incendio que destruye y consume. Siva tiene igualmente numerosas representaciones humanas. Generalmente, es un joven soberano, en pie, a veces con cuatro brazos, llevando en uno una gacela y en el otro un hacha. O bien, aparece sentado en la cadera de una diosa; o también, con un tercer ojo en la frente, reduciendo a cenizas el amor que intentaba distraerle. De este modo, ejecutor de las fuerzas malignas, es también el dios compasivo.

La imagen más célebre de Siva lo muestra danzando en el centro de un círculo de llamas, aplastando a los demonios. Es Nataraja, el «señor de la danza». Es el símbolo de la destrucción permanente del mundo, pero al mismo tiempo el de la libera-

---

[15] *Pati* (el maestro), los seres liberados, trascendentes, en el terreno de lo puro.

*Pasu* (el ganado): las almas en camino de liberación.

*Pasa* (el vínculo): lo que les ata al mundo e impide el verdadero conocimiento. Siva les ayuda con su poder a madurar su karman.

ción de las almas. El dios, por medio de su danza, aplasta a los demonios de la ilusión que nos hacen apegarnos a la vida. Manifiesta así el final de los tiempos, cuando, una vez desaparecidas todas las apariencias, el fiel conozca finalmente la verdad, la identidad del alma individual y del gran todo. En el marco macabro de la cremación, su danza sin embargo es signo de alegría. Siva es *el dios ambiguo del tiempo.* El tiempo de la generación, el tiempo que conduce a la muerte, pero también, a través de ella, a la liberación y a la bienaventuranza, la *ananda.*

A pesar de sus apariencias a menudo lúgubres, este dios de los fuegos apocalípticos, es decir, de la disolución del universo, es un dios salvador. Su linga es el lazo de unión que ata el cielo y la tierra. Su danza es ritmo, vida profunda del cosmos. Los cráneos que le sirven de collar, como a Kali, representan a los demonios de que ha liberado a sus fieles. Más allá de las apariencias sexuales, el toro, animal favorito de sus santuarios, y el linga revelan que Siva es el dios del deseo. Ese deseo de alcanzar, más allá de las ilusiones, la suprema pureza del Brahma, dios del Yoga, del que es el Maha-Yoga, el gran adepto. Es él el que indica su verdadera función, no ya sexual, sino fundamentalmente religiosa: la unión con lo absoluto.

### f) Otros dioses

Cada dios tiene sus avatares y sus representaciones numerosas. Ya hemos visto, al lado de Brahma, la importancia de la gran diosa. Pero hay otras muchas, esposas y compañeras de las grandes divinidades.

*Laksmi* o *Sri,* unida a Visnú (su pareja), personifica la felicidad y la prosperidad.

*Parvati* es la esposa de Siva. Todavía virgen, Kamari, «la doncella», cazaba por los montes –de ahí su nombre de «montañera»–, antes de conquistar el amor del dios. Esposa modelo, aunque a veces regañona, su unión con Siva simboliza la fusión del alma y de su poder. Su hijo es Ganesa.

*Kali,* la «negra», es también la horrorosa, la destructora, como la antítesis de Parvati. Y así es también como se venera su estatua, sobre todo en Ben-

gala: anciana con los senos lacios, con la boca abierta, manchada de sangre. Su collar de huesos humanos y su cuchillo muestran que preside los sacrificios sangrientos, en otro tiempo humanos, hoy de animales. Sin embargo, Kali es también una madre y hasta una «joven bella y sonriente» que inicia en la vida espiritual a sus devotos.

Si bien no tiene avatares, Siva sin embargo no carece de acólitos. El primero, sin duda, es su hijo Ganesa, cuyo nombre significa «señor de las tropas de día». Ventripotente, con cabeza de elefante, se asienta sobre muelles cojines. Representa a la vez la fuerza guerrera, por sus vestidos rojos y sus armas; la riqueza, por la criba que tiene; y la inteligencia, que posee su símbolo en el elefante. Es el dios favorito de los comerciantes y de las profesiones liberales que ofrecen flores rojas a su icono instalado en sus tiendas. Se piensa que aparta los obstáculos del camino de sus devotos.

Pero el más importante es Kama. Dios del amor, se presenta bajo la forma de un joven arquero como Apolo. Es él el que hizo que Siva se enamorase de Parvati y el que sigue lanzando sus flechas en el corazón de los hombres.

Menos importantes son Skanda, dios guerrero; Kubera, rey dispensador de piedras preciosas; Rada, amada de Krisna; Hanuman, el dios-mono que ayudó a Rama; Yama, el primero de los hombres y por tanto de los mortales, convertido en dios de los muertos...

Pero todos ellos tienen un lugar, en algún sitio del panteón hinduista.

## 4. El culto y los ritos

Se comprende que este politeísmo multiforme diera origen, a lo largo de los tiempos, a un culto y a unos ritos no menos *diversos y equívocos.* Muy cerca de la magia entre la muchedumbre, muy depurados para los verdaderos fieles, van puntuando la existencia y la vida familiar. Por eso, excepto para los sacrificios y el mantenimiento de los templos, el clero está reducido a su más simple expresión.

## a) Los brahmanes*

Son los que han escogido consagrar su vida a la adoración del dios. Pertenecen a la primera casta, la que está más cerca del brahman, la energía universal. Guardianes de las escrituras, del veda, encargados de transmitirlo, presiden las ceremonias y las autentifican.

En los tiempos primitivos, eran ellos los que ofrecían el sacrificio, acto esencial destinado a renovar la unidad del ser del mundo. El poder que de allí resultaba dio origen a los privilegios de esta casta sacerdotal. Hoy, reducidos muchas veces a simples tareas de enseñanza, son sobre todo un modelo para los fieles por la sabiduría y la sobriedad de sus costumbres. A la casta de los brahmanes pertenecen igualmente los *pujari*. Estos sacerdotes, dedicados al culto de una divinidad particular, reciben las ofrendas.

El hinduismo conoce también: los pandits, los ermitaños, los sadhu y los monjes.

Un *pandit* es una especie de doctor en hinduismo. Conoce de memoria los vedas y el saber que se puede encontrar en ellos sobre dios, el mundo y el universo. Es a la vez un sabio y un teólogo.

El *ermitaño*, como en toda religión, es el que renuncia al mundo para entregarse más a dios. En la India esto significa dejar la casta y la familia para recorrer los caminos, de santuario en santuario, predicando a los aldeanos. El pueblo suele venerarlos como «locos de dios».

El *sadhu* es un ermitaño que, para escaparse del ciclo de los renacimientos, se aísla en el silencio y el ayuno. Peor que un paria, lo ha abandonado todo y está abandonado de todos. Es un «renunciante» que ha concebido efectivamente la locura de alcanzar directamente el brahman, huyendo como él del universo.

Finalmente, a partir del siglo VIII, se crearon monasterios vinculados al culto de Siva o de Visnú. Los *monjes*, hombres y mujeres, practican allí una ascesis particular bajo la dirección de un maestro.

Están finalmente los *gurús**, o sea, en sánscrito, los «hombres de peso». Cada uno está al frente de la secta que ha fundado y que muchas veces desapare-

ce con su muerte. A menudo muy humildes, y hasta analfabetos, son esencialmente maestros espirituales. Su enseñanza sobre el dharma atrae discípulos. El gurú los inicia, les enseña las fórmulas sagradas y les ayuda a identificarse con la última realidad. Es igualmente a un gurú a quien apela el padre cuando ha llegado el momento de enseñar a su hijo el hinduismo.

## b) Las castas

Este hinduismo es inseparable, para la mayoría de la gente, del fenómeno de las castas. Esto es así, pero hay que matizar esta afirmación con algunas observaciones capitales.

En primer lugar, *la casta es una realidad religiosa*. Y esto de tres maneras.

Ante todo, porque traduce una *jerarquía* de la comunidad basada en las funciones religiosas de cada grupo. Como en toda religión, hay unos hombres apartados de los demás para ejercer un sacerdocio. Como acabamos de decir, son los brahmanes, «encarnaciones eternas de la ley». Su nacimiento y su función son sagrados. Los ksatriyas, la segunda casta, tienen a su frente al rey, «dios con rostro humano», y tienen deberes religiosos particulares: defender a la divinidad, hacerle ofrendas, estudiar el veda. Los vaisyas y los sudras, que vienen a continuación, tienen tareas más humildes. Además, el orden de las castas reproduce el de las divinidades, desde Brahma, la gran diosa, Visnú, Siva, hasta Kali, Laksmi, Annapurna, y otros dioses secundarios. Igualmente, los sacerdotes egipcios o los clérigos hasta la Revolución francesa constituían la primera casta, el primer orden privilegiado.

Además, la división en castas se basa en la noción, igualmente religiosa, de *pureza*. La palabra casta viene del latín «castus», puro: fue así como los portugueses vieron a la sociedad india, separada entre los que sirven a la divinidad, los puros, y los otros. Es sabido que esta distinción existe en todas las religiones.

Finalmente, y quizás sobre todo, las castas se integran en la creencia fundamental en los grandes principios del dharma, del karman, del samsara. Es la ley de la transmigración de las almas, según el balance de sus actos, la que justifica que cada uno nazca y vuelva a nacer en tal grado de la escala social. El nacimiento como desgraciado no es una injusticia, sino el resultado de un karman negativo en una vida anterior. Y al revés, ese desgraciado tiene la esperanza de que mejore su suerte en una vida posterior.

*En segundo lugar, si la casta fuera un hecho social*, no sería propia del hinduismo. Todas las sociedades han tenido sus castas, aunque llamadas con otros nombres: clases, órdenes, rangos, categorías. Y cuando se dicen democráticas, vuelven a inventar los parias: anormales, marginales, inmigrantes. Pero las castas y las clases sociales son realidades muy diferentes. En la India, la clase superior no corresponde a una situación de riqueza o de poder político. Muchos brahmanes viven en la miseria. Y al revés, pertenecer a la última de las castas no condena a la pobreza. Muchos vaisyas de la tercera casta son ricos comerciantes, y hay parias propietarios de fábricas.

*En tercer lugar, el sistema de castas es una especie de contra-poder.* A pesar de su religión, la sociedad india, como toda sociedad, conoce la explotación de la mayoría por obra de una minoría. La casta es religiosa y socialmente el derecho de los explotados a formar un grupo solidario frente a los explotadores. Constituye así a la vez una especie de cofradía, de corporación y de sindicato.

Cada casta posee un consejo que regula las relaciones dentro de la comunidad y de ésta con las demás castas. Tiene derecho a una identidad cultural y hasta religiosa, hasta el punto de que puede adoptar otra fe. Así, en el siglo XVI, la casta de los carniceros del Maharastra se convirtió toda ella al islamismo. El individuo de una casta no es un esclavo que pertenezca a un amo. Sus condiciones laborales están reguladas por negociaciones entre su consejo de casta y los de las castas dominantes. Guy Deleury da, entre otros, tres ejemplos de este funcionamiento.

Los barrenderos no están ligados de por vida a tal o cual familia, sino que son propiedad colectiva de la persona moral de la aldea. Para contratarlos, las familias explotantes tienen que pasar por el consejo de casta de los barrenderos. Segundo ejemplo: el voto; el consejo de cada casta decide en favor del candidato por el que hay que votar; por eso la señora Gandhi perdió las elecciones de 1977, al haber perdido el voto de los intocables.

El tercer ejemplo es el de la fiesta. Es la ocasión de una revisión general de los convenios firmados anteriormente, una especie de página nueva en la que las castas explotadas hacen que se reconozcan sus derechos. «Cuando, al final de la fiesta, todas las castas sacrifican un búfalo, es su propia injusticia (a-dharma) la que las clases explotadoras se comprometen simbólicamente a eliminar para que la aldea recobre su armonía». Y es el sacerdote intocable el que sacrifica el búfalo, convirtiéndose en «el intermediario privilegiado e indispensable entre la aldea y la Diosa».

*En cuarto lugar, las posiciones frente al sistema de castas no son ni inmutables ni monolíticas.* En el siglo XIX, bajo la influencia de las iglesias protestantes, los *modernistas* fundaron sectas sin distinción de castas. Así ocurrió con el Brahmo Samaj (sociedad de Dios) de Ram Mohan Roy, después de 1800.

Los *reformadores*, especialmente Ramakrisna (1836-1886), predicaron que «todos eran hijos de Dios». Sus sucesores o discípulos, Vivekananda, Aurobindo (1872-1930), Hare Krisna, Maharisi, Maresh Yogi aceptaron las diversas sectas en sus asrams [16].

*Gandhi* (1869-1948) no dejó de militar por la integración de los parias en la comunidad india. Para él, como para los profetas bíblicos al hablar de los «pobres de Yahvé», los parias eran «el pueblo de Dios». Finalmente, la Constitución india votada por el parlamento en 1947 abolió el sistema de castas...

Pero las prácticas, y más aún las mentalidades religiosas, no se someten muchas veces a las leyes humanas. Y es dentro de su casta y de su familia como el hinduista practica su religión.

---

[16] *Asram*: lugar de retiro, de paz y de meditación en donde se reúnen un maestro y sus discípulos para unos ejercicios espirituales.

## c) La puja

Uno de los momentos esenciales de este culto doméstico es la puja, adoración de las imágenes. Las estatuillas o imágenes de Siva, Skanda, Visaka, Visnú, Parvati, se fabrican según reglas precisas sacadas de los sutras. Cada familia tiene su *isa devata* (su dios escogido).

Se le instala ritualmente en un altar de la casa o del huerto. Por la mañana y por la tarde, ante la divinidad, se rezan ciertas plegarias y letanías –mantras, japas–, se quema incienso, se agitan lamparillas de aceite, se dejan flores. Pero sobre todo se le baña, se le viste, se le invita a comer, y luego se comparten los alimentos que se le han ofrecido.

Otras pujas tienen lugar en el santuario del dios, la cueva, el vado o el templo. En ciertas festividades, se le saca del templo y se le pasea en procesión sobre una carroza –como se hace con las imágenes de la Virgen y de los santos en los países católicos–. Es lo que se llama yatra.

Parecidos a las pujas son los ritos que jalonan la jornada y la vida del hinduista: abluciones, enjuagues de boca, aspersiones de la cabeza, que, acompañadas de oraciones, señalan el paso de la noche al día, el mediodía, la llegada de la noche. Igualmente, antes de las comidas o al recibir a un visitante, las familias piadosas celebran sacrificios –los mahayajna, los cinco grandes– de ofrendas o de libaciones.

### • Otros ritos

El *matrimonio* da lugar a complejas ceremonias. La fecha se fija de acuerdo con las observaciones astrológicas. Unos mensajeros conducen al novio a la casa de su futura esposa. El padre se la confía después de haberla ungido y haberle entregado un vestido nuevo y un espejo. Oblación de granos tostados, atadura de los vestidos y de las manos, marcha de siete pasos, son los últimos ritos en casa de la novia. Llevada entonces a su nueva morada, ella trae consigo el fuego doméstico, se sienta sobre una piel de buey rojo y comparte con el esposo la comida de la ofrenda. El matrimonio no se consuma hasta después de tres días de castidad.

Al día siguiente, un rito de «impregnación» bendice la supuesta concepción, seguido tres meses más tarde del sacramento de «engendramiento», destinado a obtener un hijo varón.

*Antes del nacimiento*, se dividen los cabellos de la madre con una raya. Luego, mientras que el recién nacido es presentado a Sasti, la protectora –como el pequeño aragonés a la Virgen del Pilar–, se le introduce en la boca, no ya sal, sino una mezcla de miel y de manteca fundida (ghi). El día décimo se le pone un nombre: es el «otorgamiento».

A los ocho o diez años, recibirá otro segundo nombre, con el que se consagra su entrada en la comunidad brahmánica. Es la «iniciación» (upanayana), significada por el don de un cordón sagrado, compuesto de tres hilos de algodón blanco anudados entre sí. Pero antes, a los cuatro meses, tiene lugar la primera salida con un homenaje al sol naciente; a los tres meses, el niño toma su primera comida sólida; a los tres años, recibe la «tonsura» y, a los cuatro, el «agujero en la oreja». Todos estos pasos van acompañados de solemnidades y de ritos.

También los *funerales* se celebran, como en todas partes, con numerosos ritos que no son siempre exclusivos del hinduismo. Así, el difunto, vestido y adornado de nuevo, es llevado en cortejo al lugar de la cremación. El convoy va acompañado de melopeas y a veces de lamentaciones con plañideras profesionales. En la hoguera se dejan, junto al cadáver, sus instrumentos y objetos familiares. Los niños, los ascetas y los miembros de ciertas sectas se libran de la incineración.

Varios días más tarde, los restos son tirados al río o enterrados. Luego, se le ofrecen bolas de arroz, depositadas bajo tierra y destinadas a obtener la benevolencia del difunto, convertido en «mane». Este rito, el sraddha, tiene lugar de diez a treinta días después del fallecimiento, y es un deber del «dueño de la casa». Guarda cierto parentesco con los del animismo, y hasta con los funerales y oficios del catolicismo.

## d) Las fiestas

Se comprende que una religión tan aparentemente politeísta tenga fiestas innumerables. Es difícil citarlas todas y describirlas, ya que difieren de una región y de una divinidad a otra.

Su carácter común consiste en que se celebra a la vez un cambio de astros, en especial de la luna, y el recuerdo de una historia mitológica. También aquí, como en otras religiones, van precedidas a menudo de días de ayuno. Toman la forma de procesiones, de dramas sagrados, de regocijos y diversiones populares. Pueden también desempeñar una función social, como hemos visto, dentro del sistema de castas.

Las principales son:

— *Durga-Puja*, en octubre-noviembre, está consagrada a Durga, la gran diosa, la inaccesible. Son diez días de empavesamiento, de procesiones, de ceremonias en el templo y en los hogares. Se celebra particularmente como un carnaval en Dassara; es algo así como la «Navidad de Bengala».

— *Sivaratri*, en febrero, es la «jornada de Siva».

— *Dipavali*, en noviembre-diciembre, es la «fiesta de las luces», algo así como la Hanuká judía, la santa Lucía nórdica. Se ponen lámparas en los templos y en las puertas. Recuerda la victoria de Bali sobre Indra.

— *Holi*, en febrero-marzo, es el festival de la alegría, una especie de gran carnaval que señala la llegada de la primavera en honor del dios amor.

Pero, según los lugares santos, se celebra también el nacimiento de Krisna, de Rama, de Indra...

### e) Los lugares santos

Casi siempre guardan relación con el agua purificadora. Es al borde de los ríos, de los estanques y sobre todo junto a los vados donde los hindúes construyen sus ciudades santas. Las más importantes están situadas junto al Ganges, río sagrado por excelencia: Benarés, Hardvar, Prayag... Por medio de terrazas y de escaleras en suave declive, se llega hasta el río para bañarse allí y dispersar las cenizas de las piras funerarias.

Otros santuarios guardan relación con un dios particular, como Puri para Visnú, Vridavana para Krisna. En ciertos momentos fijados por los astros, acuden peregrinaciones, turbas innumerables que mezclan los gestos religiosos con las distracciones profanas. A esas reuniones se les da el nombre de «melas».

Si bien los ritos y las fiestas están destinadas a recordar el orden cósmico y a conformarse a él, uno de los caminos más seguros para llegar a la liberación suprema es el yoga.

### f) El yoga

Este método místico está ya evocado en los vedas, dos milenios antes de Jesucristo. La palabra, emparentada con «yugo», designaba la acción de uncir los caballos al carro de batalla. Era entonces un secreto eficaz reservado a una aristocracia.

Esta etimología define tanto el objetivo como los medios del yoga. El objetivo es alcanzar la unión del alma o, mejor dicho, su identificación con el brahman, lo absoluto. El medio de esta liberación es el dominio del cuerpo y especialmente de la respiración, el dominio de sí mismo para liberar la energía vital. El yoga descansa así en una comparación que contiene e ilustra toda una *concepción del alma y del cuerpo*. El individuo es un vehículo en movimiento. Su cuerpo es el carro; los órganos son los caballos; el pensamiento es el cochero que conduce el carro, y el alma es el pasajero que sufre las peripecias de un viaje que ella no ha querido. El yoga es el método que permite al espíritu, el mana (el cochero), comprender la desgracia del alma y detener el viaje para que ella pueda dejar el carro, el cuerpo. Su éxito es la salida del mundo por la moksa. Hay otras imágenes para explicar el yoga: el alma es un ave migratoria, prisionera del lazo del cazador; el yoga es el cuchillo que rompe la red.

Todas ellas significan que el cuerpo, que es movimiento, agitación y dispersión, no es más que un objeto opaco, ignorante y perecedero. El alma, que es luz, inteligencia y vida, es idéntica al principio universal. Imperecedera y eterna, va visitando un número indefinido de cuerpos. Es infinitamente superior a ellos, pero extraña al cuerpo, depende de él y no puede liberarse a sí misma. En efecto, aunque todopoderosa, es impasible, inactiva y contemplativa. Pero el pensamiento es la bisagra del cuerpo y del alma. A la vez perecedero, múltiple y activo, dependiente de cuanto le rodea, puede sin embargo forzar al cuerpo a obrar contra sí mismo. Si toma conciencia de la presencia silenciosa del alma, el pensamiento puede ayudarla a liberarse del ciclo de encarcelamientos en el cuerpo. Esta es la función del yoga.

Para conseguirlo, utiliza dos nociones: la del cuerpo sutil y la de la kundalini. El *cuerpo sutil* es una especie de doble del cuerpo material o, mejor dicho, su análogo. Es él el que hace circular las energías por el cuerpo y el que le da la vida a través de los conductos, de los «nadis», que no son ni las arterias ni los nervios. La *kundalini** es la suma de energía divina que reside en los nudos de esos nadis. Es como una serpiente enroscada debajo de la columna vertebral. Gracias a los ejercicios del yoga, esa serpiente se despierta, sube a la Susumna, lo alto de la cabeza, rompe allí uno de los nudos de nadi (chakra) y libera al alma. Esta unión, samadhi, reproduce la de Parvati con su divino esposo Siva. Simboliza la ascensión espiritual engendrada por el yoga.

Concretamente, el yoga, tal como quedó establecido en los «Yoga-sutra» de Patanjali, dos siglos antes de Cristo, es más largo y más complejo de como se lo imaginan los occidentales seducidos. Comprende ocho etapas precedidas por la renuncia al mundo: familia, casta, posesiones y hasta prácticas religiosas. Comienzan entonces los «refrenamientos» (yama*) y «astricciones» (niyama): honestidad, veracidad, castidad, pureza física y moral, generosidad, serenidad... A continuación viene lo que se conoce habitualmente como control de la respiración (pranayama*) y las posturas (asana*). Las posturas tienen la finalidad de colocar el cuerpo de tal manera que el espíritu olvide su existencia. La disciplina de la respiración permite al aire inspirado y retenido bajar hasta el fuego de la base que despertará la kundalini.

Todavía es preciso, a través del retraimiento de los sentidos –pratyahara–, lograr la desconexión total y la fijación del pensamiento en un punto único (dharana) y llegar finalmente a la meditación total...

Cuando se ha olvidado por completo el cuerpo, cuando se ha perdido la conciencia del mundo exterior, cuando uno se ha concentrado en un solo punto, entonces finalmente se disuelve el espíritu y la inteligencia cósmica –buddhi– sustituye al espíritu, y se puede contemplar la esencia absoluta. Es la visión beatífica, el samadhi, en el que el ser individual se confunde con el ser-en-sí. El yogin ha llegado al final de su viaje: ya no hay viaje.

### g) El tantrismo

Es otro camino, un desarrollo del yoga, basado en los *Tantras**, o sea, los libros, las escrituras. De estos textos en sánscrito del siglo X d. C., pero probablemente más antiguos, ciertos hinduistas han deducido que la energía esencial es femenina. Es la «sakti»*, fuerza que coexiste con cada dios masculino, y por la cual actúa. Se la representa muchas veces como la esposa del dios. Así, Sarasvati es la sakti y la esposa de Brahma, Laksmi la de Visnú, Parvati la de Siva. Pero el atman de cada uno posee también su sakti: nuestra alma tiene su esposa.

El tantrismo se propone despertar a esta esposa para unirla a su atman, el principio masculino inmortal. La liberación del alma y finalmente la bienaventuranza, la «ananda», son el resultado de la unión de los dos sexos de lo divino en el hombre, representando el atman a Siva, y siendo la sakti la emanación de Parvati. De este modo, el tantrismo se basa en la sexualidad, pero una sexualidad que divide a cada ser humano en elemento masculino y elemento femenino. El mismo Siva es representado a veces con un cuerpo mitad masculino y mitad femenino. La salvación tantrista consiste por tanto en llegar a la unión de los sexos en una especie de sublimación del acto carnal.

De ahí la tendencia y la representación eróticas del tantrismo. Las encontramos en las esculturas y bajorrelieves [17], pero también en ceremonias rituales de unión sexual. Estas son, por otra parte, de dos clases: realmente eróticas para el común de los

---

[17] Templos de Khajuraho y de Konarah.

mortales, místicas para una élite. Las prácticas tántricas siguen dos caminos. El primero, llamado de la derecha, es el del yoga. Consiste, con ciertas connotaciones sexuales, en ir haciendo subir de círculo en círculo a la serpiente femenina hasta la cima masculina de Siva en la parte superior del cráneo. Su método principal es el control de la respiración. El segundo camino, llamado de izquierda –o «vamacara»–, busca la acumulación en sí mismo de la energía fundamental, que es sexual. Intenta una liberación del yo por la extinción de los deseos que lo constituyen. Ciertos ritos van jalonando las etapas de esta exaltación de la energía sexual que hay que transformar en energía espiritual. Así ocurre con las «cinco entidades» (pancatattva), que son cinco aproximaciones a la mujer, por el vino, por la carne, por el pescado, por los gestos, por el contacto carnal. Esta fusión progresiva con lo femenino, y en definitiva con el cosmos, puede ser concreta o simbólica.

La finalidad es siempre la unión perfecta con el todo para anularse en él. Pero se basa en la analogía fundamental entre el individuo y el cosmos: unir a la mujer y al hombre, o lo masculino y lo femenino en uno mismo, es reproducir la unión eterna de la pareja divina [18] y finalmente la del ser con el yo universal.

Bajo diversas formas, el tantrismo se extendió ampliamente en China en el siglo III. Influyó más o menos en ciertas sectas del Japón (Shingon) y del Tibet.

# 5. El hinduismo hoy

Se calcula actualmente en 460 millones el número de hinduistas en el mundo, de ellos 455 en Asia. Pero se muestran sumamente diversos a medida que se van alejando de un fondo común de actitudes mentales, de creencias y de comportamientos en la masa india.

El hinduismo actual tampoco puede dejar de verse influido a la vez por la historia de las sectas y por su contacto con el islam, con occidente y con las diversas formas de cristianismo. En esta evolución, como todas las religiones, el hinduismo posee sus místicos, sus integristas, sus reformadores.

## a) De Kabir a Ramakrisna

Kabir (1440-1518) es uno de los padres del misticismo hindú. Tejedor de Benarés, se dedicó especialmente a la devoción al dios único. Quizá bajo la influencia de los místicos sufíes, de los que se muestra cercano, cantó la gloria de Dios en maravillosos poemas [19]. Para Kabir, Dios está más allá de todas las religiones, y lo predicó tanto a los musulmanes como a los hinduistas de todas las castas. Pero su sueño de unirlos a todos no logró más que fomentar el odio de unos contra otros.

Si bien hoy no queda de su enseñanza más que una secta de unos 4 millones de adeptos, Kabir influyó sin embargo en el movimiento sikh fundado por Nanak.

En el siglo XIX, los *integristas* reaccionaron contra la presencia británica. En nombre de la indianidad, reclamaron el respeto al hinduismo en todas sus manifestaciones.

El personaje más notable fue Bal Gangadhar *Tilak*, a finales del siglo XIX. Con sus escritos y sus discursos, volvió a fomentar las procesiones solemnes en honor de Ganesa e intentó hacer reconocer legalmente el sistema de las castas. Partidario de la violencia, influyó en las sociedades secretas, particularmente activas en la región de Bombay. Fueron ellas las principales causantes de la división sangrienta entre la India y Pakistán. Y de su seno salió el asesino de Gandhi, a quien reprochaban su tolerancia y su amor a los parias.

Al revés, los *modernistas o reformadores* piensan que el hinduismo puede, sin renegar de sí mismo, aceptar cierta adaptación al movimiento de la historia y al conocimiento de otras religiones.

---

[18] Siva-Parvati.

[19] *Au cabaret de l'Amour* (trad. Ch. Vaudeville). Gallimard, Paris.

Su padre fue un brahmán de Bengala, *Ram Mohan Ray* (1772-1833). Funcionario de Delhi, en contacto con cristianos y musulmanes, había estudiado sus religiones, así como los vedas y las Upanisads. Este estudio le convenció de la necesidad de luchar contra el politeísmo y la idolatría. A los 42 años, dejó su empleo para consagrarse a la reforma del hinduismo. Su ideal era unir el monoteísmo con la espiritualidad hindú. Con esta intención fundó ante todo una «sociedad de amigos» y luego la «sociedad de los creyentes en Brahman» (Brahmasamaj). Sólo consiguió enemistarse con los misioneros cristianos y con los hinduistas ortodoxos. Y la sociedad que había creado se disolvió en cofradías rivales.

Pero aquel movimiento había lanzado una búsqueda simultánea de lo mejor de la tradición hinduista y de la fe en un dios único. A continuación, otros bengalíes, como Krisna Chandra Sen (1838-1884), Ananda Mohun Bose, Mahaded Govind Ranade (1842-1901), prosiguieron en este intento.

Sin embargo, entre los reformadores, Ramakrisna (1834-1886) representa un caso especial. Hijo de un pobre brahmán de los alrededores de Calcuta, no era más que un humilde servidor de un pequeño templo a Kali. Pero muy sensible a los aspectos místicos del Vedanta*, al abandono en manos de dios, fue capaz de tener verdaderos éxtasis llevado por su extraordinaria piedad. Los fieles acudieron muy pronto en peregrinación a Dakshineshwa para escuchar sus enseñanzas.

Estas se basaban en una especie de síntesis, más espiritual que intelectual, entre las creencias hinduistas y una fe depurada en un dios único. La bhakti, el amor oblativo, es el camino privilegiado del conocimiento que libera. Pero para Ramakrisna, esa fe no se dirige a una divinidad particular. Dios es la madre sin nombre de toda la humanidad.

Su discípulo bengalí, el aristócrata Narendranath Datta *Vivekananda* (1863-1902), seducido por el misticismo de su maestro, tras un largo retiro en el Himalaya, se convirtió en ardiente propagandista de su mensaje. Según el modelo de una orden monástica, y hasta en contradicción con la tradición hinduista, fundó una orden de Ramakrisna y una «Misión Ramakrisna». Desde Belu, envió predicadores, swamis, a Europa, a América, a Asia, y abrió colegios, o monasterios, desde los que difunde sus publicaciones.

La espiritualidad de Vivekananda conserva los métodos de un yoga diversificado, según lo practiquen los monjes (samoyadin) o los simples fieles. Pero a todos les propone una vida nueva, la del servicio, la «seya»: sirviendo al hombre es como se encuentra a Dios. Y la «misión de Ramakrisna» mantiene en la India numerosas obras filantrópicas.

Después de Vivekananda, otros *gurús* se encargaron de difundir la enseñanza hinduista y su mística en asrams abiertos a todos. Los más conocidos son Aurobindo Ghose (1872-1950); Givananda, fundador de la «Divine Life Society» y su discípulo Chinmayananda; Ramana Maharshi, el silencioso, o el poeta Rabindranath Tagore.

### b) Gandhi y la ahimsa

Mohandas Karamchand Gandhi (Mahatma*) (1869-1948), el más conocido de los hinduistas, es sin embargo un caso original. Libros y películas han recogido en el mundo entero su vida de abogado en la India y en Africa del Sur, su lucha contra la discriminación racial y por la independencia de la India.

Para todos se identifica con lo que se llama la *no-violencia*. Pero es difícil de comprenderla fuera de sus convicciones hinduistas profundas y de la influencia que ejerció sobre él el «sermón de la montaña».

La no-violencia (a-himsa*) se basa efectivamente en la observancia del dharma, la «buena ley»: no dañar a ningún ser viviente. Porque «todo lo que se mueve sobre la tierra está penetrado por el Señor». Lo que revelan los mitos de la Upanisad o de la Gita es que el hombre no se hace hombre más que liberándose de los deseos que le encadenan, y del más pesado de todos, que es el deseo de matar. Respetando toda vida, es como el hombre se acerca a lo absoluto, a Visnú dormido.

La no-violencia es igualmente inseparable de un amor esencial a la verdad. Es el satyagraha, el espíritu de lo verdadero. Toda injusticia es ante todo una ofensa a la verdad. Nunca se puede estar en la verdad intentando restablecer la injusticia por medio de otra injusticia. Tan sólo la «resistencia pasiva», la oración, el ayuno, la «desobediencia civil» a las leyes injustas pueden ser medios justos de lucha. De 1919 a 1948, Gandhi los predicó muchas veces con su ejemplo. Su tolerancia universal provocó su muerte.

Vinoba Bhave (1895-1982) intentó proseguir su obra de conversión personal y social, pidiendo por ejemplo a los ricos que compartiesen sus propiedades con los sin-tierra.

### c) Las sectas

El número y la diversidad de estos grandes reformadores no son más que la última manifestación de la tendencia del hinduismo a proliferar en sectas.

Este fenómeno, que constituye la riqueza y la vida misma del hinduismo, se debe a la multiplicidad de dioses y a la necesidad de reformas periódicas. Por eso, después del siglo XII, se distingue entre sectas sivaítas y sectas visnuítas. Las primeras ponen el acento en la necesidad de liberarse de la ilusión (maya*) por el culto a Siva y el yoga.

Para las sectas «saktas», el corazón del mundo es la energía que veneran bajo la forma de Durga.

Las segundas son más sensibles a los «avatares» de Visnú, es decir, a una realidad divina del mundo. Tienden a unirse con dios por medio de la bhakti, el «amor-fe».

Cada movimiento, sivaíta o visnuíta, se divide en tantas sectas como ritos o gurús.

### d) La tolerancia

Lo que caracteriza al hinduismo contemporáneo es esta *tolerancia*. Una tolerancia profunda con los seres y con sus diversos caminos más o menos avanzados.

Su ausencia de dogmatismo lo abre a posibles reformas, como la supresión de las castas, sin hacerle perder sus aspiraciones multiseculares. Le confiere también cierto atractivo para los espíritus modernos occidentales, preocupados por la búsqueda de una verdad religiosa, pero desconfiados de las iglesias.

Su sentido de un dios depurado, su concepción de un universo unificado por la energía divina, de la que cada uno posee una partícula, encuentran eco tanto en las aspiraciones como en las teorías del hombre de ciencia contemporáneo.

Incluso su moral, que no se basa ya en mandamientos, sino en la renuncia y en un altruismo universal, tiene muchos motivos para seducir a un mundo perturbado por lo que el hinduismo considera precisamente como un mal: la búsqueda de ganancia (artha) y de placeres (kama).

## LEXICO

*A-himsa:* término sánscrito traducido por Gandhi: no-violencia; más exactamente, eliminación en uno mismo del deseo homicida.

*Asana:* posturas del yoga para llegar al «samadhi», una especie de éxtasis.

*Atman:* el soplo vital, el alma inmortal idéntica al principio absoluto y destinado a unirse con él después de liberarse de los renacimientos.

*Avatar* (bajada): manifestación, especie de encarnación provisional de los dioses.

*Bhagavadgita* (bhaga: la parte buena): es el «Canto del bienaventurado», o sea, de Krisna, en el Maha-bharata.

*Bhakti* (participación): actitud religiosa de unión con dios.

*Brahma:* personificación masculina del brahman: dios creador, ser supremo, primer dios de la trinidad hindú.

*Brahman:* palabra neutra que designa lo absoluto, el alma universal, la existencia pura.

*Brahmán:* especie de sacerdote y sabio, guardián de la revelación y perteneciente a la casta más elevada.

*Dharma* (ley): es a la vez el orden cósmico y la ley moral, el deber de mantener la armonía universal.

*Gurú* (el que pesa): preceptor del niño que entra en la comunidad brahmánica, maestro espiritual reconocido como tal por sus discípulos.

*Kali* (la negra): diosa salida de Siva, terrible destructora, pero también madre acogedora.

*Karman* (acto, obra): dogma central del hinduismo, que designa el balance de los actos de una vida, que arrastra o no el ciclo de renacimientos.

*Krisna*: héroe, avatar de Visnú, encarna el amor y la fusión con el dios.

*Kundalini*: energía interna de naturaleza divina, representada por una serpiente enroscada y que el yoga o el tantrismo intentan liberar.

*Linga* (signo): concretamente símbolo de Siva: el falo representado por una piedra erecta.

*Maha-bharata:* epopeya de la Gran guerra de los bharatas (siglo II a. C.).

*Mahatma* (gran alma): apodo que se le dio a Gandhi.

*Mantra* (instrumento de pensamiento): fórmula sacada del Rigveda, eficaz para transformar el espíritu. Se convierte muchas veces en una especie de invocación con poderes mágicos.

*Maya*: principio de evolución de los fenómenos a partir de brahman...

*Prakriti* (pre-acción): la materia primitiva que contiene los cinco elementos y de la que salió el mundo.

*Pranayama* (prana = soplo): práctica del control, del dominio del aliento en el yoga.

*Puranas* (antigüedades): mitos y relatos comentados, entre ellos el Bhagavata sobre Visnú.

*Purusa*: principio masculino, el espíritu que, unido a la prakriti (femenina), asegura el equilibrio y la permanencia del mundo.

*Rama*: héroe del Ramayana, divinizado, séptimo avatar de Visnú, que simboliza el deber.

*Risi*: profeta, sabio de los primeros tiempos.

*Sadhu* (excelente): designa a un hindú que, habiendo dejado la sociedad, llega al estado de santidad.

*Samhita*: colección de textos sagrados.

*Samsara* (fluencia): es la transmigración de las almas según su karman; la sucesión de renacimientos, una especie de metempsícosis.

*Sánscrito:* idioma de la antigua India en el que se redactaron los textos sagrados.

*Shakti:* energía divina presente en cada uno y que el yoga y el tantrismo pueden despertar.

*Siva:* dios del tiempo, a la vez destructor y benéfico, «rey danzante».

*Smriti* (tradición): conjunto de textos (sutras) sobre el derecho civil y religioso.

*Sruti* (revelación): colección de textos sagrados: los cuatro Vedas, los Brahmanas y las Upanisads.

*Tantras* (libros): a partir de los cuales se elaboró el tantrismo; técnicas de liberación del yo.

*Trimurti:* trinidad de los tres dioses fundamentales: Brahma, Visnú y Siva, o de las tres formas y las tres sustancias (gunas).

*Upanisads:* uno de los libros sagrados, redactados entre el primer milenio a. C. y los primeros siglos d. C. Estos textos contienen, con las prescripciones rituales, consideraciones sobre la existencia humana, los fines últimos, el cosmos, la divinidad... = «aproximaciones».

*Veda* (saber): los cuatro grandes textos que revelan el saber divino a los antiguos sabios. Fueron compuestos desde el segundo milenio a. C. hasta mediados del primero. Redactados en sánscrito, comprenden: himnos a las grandes divinidades, prescripciones rituales, una mitología y una especie de teología.

*Vedanta:* tradición mayoritaria de la teología hinduista aparecida en el siglo VIII d. C., según la cual la liberación viene del conocimiento de la identidad entre el brahman (absoluto) y el atman (alma).

*Visnú:* segunda persona de la trinidad hindú, representa la conciencia. Es el salvador del orden cósmico (dharma).

*Yama:* el primer mortal, convertido en dios de la muerte y soberano de los infiernos. Juzga el «karman» (balance) de cada uno. En una Upanisad dialoga con un joven brahmán, Naciketas.

*Yoga:* práctica espiritual de una de las ramas de la teología hinduista, el «Samkhya». Por etapas, cese de toda actividad mental, dominio de sí mismo, control del aliento y posturas, el yogin (adepto) puede alcanzar la unión de su alma con lo absoluto.

## Lecturas

### a) Textos

*Los Vedas.* Ed. Ibéricas, Madrid 1967.

*Védico y sánscrito clásico.* Textos anotados por F. Rodríguez Adrados. CSIC, Madrid 1953.

*Bhagavad-Gita* (trad. Pardilla González). Visions, Barcelona 1978.

*Doctrinas secretas de la India. Upanishads.* Barral, Barcelona 1975.

Valmiki, *El mundo está en el alma.* Taurus, Madrid 1982.

S. Vishnu Devananda, *Meditación y mantras.* Alianza E., Madrid 1980.

M. Gandhi, *Todos los hombres son hermanos.* Sígueme, Salamanca 1979.

M. Gandhi, *Mis experiencias con la verdad.* Eyras, Madrid 1978.

S. Radhakrishnan, *Religión y sociedad.* Ed. Sudamericanas, Buenos Aires 1955.

### b) Generalidades

L. Renou, *El hinduismo.* Ed. Universal, Buenos Aires 1960.

K. M. Sen, *Hinduismo.* Guadarrama, Madrid 1975.

R. Becker, *El hinduismo.* Plaza y Janés, Barcelona 1970.

R. Calle, *La espiritualidad india.* Barcelona 1973.

D. Acharuparambil, *Espiritualidad hinduista.* Ed. Católica, Madrid 1982.

R. Calle, *La sabiduría de los grandes yoguis.* Madrid 1974.

### c) Estudios particulares

M. Alfonseca, *Krishna frente a Cristo.* Lorca, Madrid 1978.

F. Báez Santana, *El camino del yoga.* Cedel, Barcelona 1976.

S. M. Chazini, *Yoga, contemplación en el silencio.* Ed. Paulinas, Madrid 1978.

R. Panikkar, *El Cristo desconocido del hinduismo.* Marova, Madrid 1970.

R. Panikkar, *Misterio y revelación.* Hinduismo y cristianismo: encuentro de dos culturas. Marova, Madrid 1971.

A. Schweitzer, *El pensamiento de la India.* FCE, México 1977 [3].

T. Mende, *La India contemporánea.* FCE, México 1967 [2].

# 3
# El budismo

La verdad permanece oculta para el que está lleno del deseo y del odio (Buda).

## 1. Lo indefinible

Que el budismo es difícil de definir se comprueba en el mismo momento en que uno quiere contar sus adeptos o fijar sus límites geográficos. Las estadísticas oscilan entre los 250 y los 551 millones, casi el doble. Si es relativamente fácil contar los budistas de Bengala del norte, de Ceilán, de Birmania o de Tailandia, la cosa es mucho más delicada cuando se habla del Tibet y casi imposible cuando se piensa en China o en el Vietnam.

En efecto, el budismo, en especial el del «Gran Vehículo» [1], tiene unos contornos poco definidos. Además, está íntimamente entrelazado con el confucianismo [2] y con el taoísmo [3], hasta el punto de

que es muy pretencioso querer determinar a cuál de estas tres religiones pertenece un chino. Finalmente, tampoco resulta cómodo distinguir en qué medida el adepto del tantrismo [4] en el Tibet o de algunas sectas japonesas sigue siendo auténticamente budista.

Se comprende ya que esta imprecisión se debe esencialmente a la naturaleza misma del budismo. Por un lado, no está estructurado en una institución, en una iglesia con sus fronteras dogmáticas, sus jefes, su jerarquía, su credo y su capital. Hay comunidades budistas con sus ritos propios. Y hay corrientes y sectas budistas. Hay budistas con prácticas y hasta con creencias diferentes. Pero *no hay una iglesia budista.*

### • *Religión o sabiduría*

Por otra parte –y aquí está la explicación de lo que hemos dicho–, se puede incluso *preguntar si hay una religión budista.* Apenas puede decirse que sea una doctrina. La de Buda* sería más bien la de que no lo es. Se trata sobre todo, como en el caso del hinduismo, en el que se inspira, de una mentalidad profunda que impregna a la vez la visión del mundo y el comportamiento cotidiano a lo largo de toda una existencia dedicada a la nada. Hay una *sabidu-*

---

[1] Budismo popular, cf. p. 77.

[2] Confucianismo: doctrina del sabio Confucio (551-479 a. C.). Se basa en la virtud, es decir, en el respeto al puesto justo que cada uno ocupa en la sociedad.

[3] Taoísmo: doctrina atribuida a Lao-Tsé (o Lao-Tseu, autor presunto del libro que lleva este nombre, sin duda del siglo III a. C.). Su principio es el «tao», unidad primordial del ser, que unifica los principios opuestos del «yang» (activo) y del «yin» (pasivo). La sabiduría está en el reposo de la sumisión al destino.

---

[4] Rama del hinduismo: culto a la energía femenina.

ría budista. Pero lo mismo que Buda tiene numerosos rostros impenetrables, el árbol fecundo del budismo tiene muchas ramas.

Dicho esto, ¿qué es el budismo?

Es una sabiduría derivada de las creencias del hinduismo, pero en reacción contra el ritualismo excesivo del brahmanismo. El budismo es un *hinduismo reformado* que conserva los fundamentos del mismo: la necesidad de liberarse de las apariencias, la reencarnación y la importancia de una meditación que implica al cuerpo.

Pero ¿tiene esta reforma un fundador?

En efecto, para algunos historiadores, el budismo nació simplemente de la *lenta evolución de una secta hinduista*. Para los brahmanes, el budismo es una *herejía* como el jainismo [5]. Para otros, el budismo tuvo realmente un fundador, un sabio del que podemos conocer la historia, fijar algunos datos de su vida, narrar sus hechos. Este sabio es Buda.

## 2. Buda

Resulta difícil trazar los linderos entre su historia y lo que la leyenda ha hecho con ella.

### a) *Vida y leyenda*

Su verdadero nombre era Gautama, apellidado Siddharta –el que ha conseguido su objetivo– o Sakyamuni –el sabio de los sakya–; habría nacido el año 560 a. C. [6], de una casta de nobles guerreros. El lugar de su nacimiento fue Kapilavastu, en los confines del Nepal, donde reinaba su padre Shuddhodana, del clan de los sakya [7]. Su madre llevaba el nombre de Maha Maya [8].

Según una leyenda, habría sido engendrado en el vientre de su madre bajo la forma de un pequeño elefante, y ella lo habría dado a luz, de pie, apoyada en una rama de higuera. Un dios habría recogido al niño en unos pañales.

Más probablemente, su madre murió después de su nacimiento, y Gautama fue educado por una tía llamada Mahaprajapati, y por su padre. Este, como en el cuento de la Bella durmiente del bosque, se habría esforzado en preservarlo de todo peligro y de toda visión de las miserias del mundo. Educado como un joven príncipe, se habría casado a los 16 años con su prima Yashodara. La tradición cuenta que la habría obtenido después de su triunfo en un concurso de tiro con arco en el que su flecha habría traspasado siete árboles. Ella le dio tres hijas y un hijo, llamado Rahula.

Así es como rico, elegante, inteligente, el príncipe llegó a los 29 años en medio de placeres y festejos. Hacia esa edad, el encuentro con un anciano, con un enfermo, con un cadáver y con un monje pidiendo limosna, le movió a reflexionar sobre la enfermedad, la vejez y la muerte. Abandonó entonces hastiado los placeres y la gloria, en el mismo momento en que su esposa daba a luz. Y así, después de haber cumplido con sus deberes de tener descendencia, habría podido seguir finalmente su vocación de asceta; esto estaría en conformidad con lo que sabemos de su carácter. O, por el contrario, lo que intentó quizás fue escaparse del aprisionamiento de una existencia sin fin [9]; y esto estaría en conformidad con su futura enseñanza.

La leyenda dice que, guiado por su fiel cochero Chandaka y por su caballo Kanthaka, se refugió en lo más profundo del bosque, cambiando sus trajes de seda por un vestido de harapos.

### • *Sentido de una experiencia*

En este momento de la historia de Buda, no es posible dejar de hacer algunas observaciones. Las primeras tienen que ver con lo anecdótico.

---

[5] Religión fundada por un contemporáneo de Buda, el príncipe Vardhamana Jnata; religión del desprendimiento y del ascetismo.

[6] O probablemente el 558.

[7] O Shakya.

[8] En sánscrito, la universal ilusión.

[9] Habría exclamado entonces: «¡Rahula ha nacido! ¡Acaban de romper mis cadenas!».

El cochero, en el hinduismo, pero también en otras mitologías, desempeña una función simbólica importante, junto con el caballo, preferentemente alado como Pegaso o como el que se llevó a Mahoma. Pero más aún se encuentra en esta renuncia de Buda un tema común a todas las grandes religiones: el retiro del mundo y el rechazo de las tentaciones: riqueza, poder. Buda se retira al bosque como Jesús y Mahoma al desierto; lo mismo que Jesús frente al maligno, Buda rechaza la realeza temporal y los placeres de la existencia. ¿Es que sólo se encuentra a Dios en el desprendimiento y en la soledad?

Gautama conoció esta soledad buscada durante siete años –otra vez un número simbólico–. Sometiéndose a una dura ascesis, a imitación de los brahmanes [10], meditó largamente en el sufrimiento y la muerte. La leyenda lo describe, sucesivamente, sentado sobre sus talones, contentándose con un grano de arroz diario, o imitando la rigidez de los cadáveres.

Pero siete años de privaciones y de meditación le convencieron de que las maceraciones del cuerpo no conducen a la verdad y a la salvación, como tampoco lo hace la búsqueda del placer. La perfección no está en los extremos, sino en la «vía media».

● *Enseñanza*

Tal es la experiencia que constituye lo esencial de la enseñanza del que habría de merecer el nombre de «Buda», el Despertado. Todo es sufrimiento. Pero el sufrimiento puede ser superado. Y el método para ello es muy sencillo, accesible a todos, ya que todos los seres son iguales. Sin embargo, no se trata tanto de practicar unos ritos como de cambiar el corazón, de vaciarlo de todo deseo y de toda ilusión.

b) *La iluminación*

La *iluminación* liberadora habría tenido lugar cerca de la aldea de Uruvilva, mientras Gautama,

sentado al pie de una higuera, recibía la ofrenda de arroz de una joven. Al tirar la escudilla al río, vio cómo remontaba la corriente. Lo mismo que ella, él iba a subir también a la fuente de toda verdad.

«Yo no enciendo fuego para el altar; avivo una llama que hay dentro de mí. Mi corazón es la hoguera».

Gautama, convertido ya en Buda, vaciló en proclamar esta revelación. Lo mismo que Jesús y Mahoma, se vio asaltado de dudas sobre su misión. Los demonios de las tinieblas le provocaban y atacaban; los dioses parecían abandonarlo. Habiendo vencido finalmente esta oscuridad, Buda se decidió a predicar las *cuatro santas verdades*.

Fue en un parque, cerca de Benarés. Se le unieron cinco monjes [11]; luego, como el publicano Mateo, un joven hijo de un banquero buscó también refugio en la pequeña comunidad, la «Sangha»*. En adelante, durante 44 años, Sakyamuni recorrió el país predicando, atrayendo a discípulos cada vez más numerosos [12] y enviando misioneros a las regiones vecinas.

Murió, sin duda el 480 a. C., en Kusinara –en el Kasia actual–, en medio de sus bhiksus [13]. Como Jesús o Sócrates, exhortó a los miembros de la pequeña comunidad a que no le llorasen, sino a que vieran en su muerte la liberación definitiva que les espera también a ellos, si permanecen fieles a su enseñanza.

Se incineraron sus restos. Pero, desgraciadamente, en contra de las recomendaciones de Buda, sus discípulos se disputaron sus huesos. Y finalmente levantaron torres, estupas, para conservar y venerar sus reliquias. Primera y última traición.

c) *Representación*

Esto nos da ocasión para decir algunas palabras sobre las maneras de representar a Buda.

---

[10] Otros relatos lo muestran siguiendo las enseñanzas y experiencias de los gurús: Arada, Rudraka y su yoga.

[11] Sadhu: santo que ha renunciado a la sociedad.

[12] Se citan: su hijo Rahula, Ananda, el preferido, el rey Bibisara, el generoso, el monje Sariputra...

[13] Discípulos.

En el arte primitivo no tiene figura humana, sino que es evocado por sus símbolos [14]: el árbol de la iluminación y de la sabiduría, la rueda de la ley, signo de majestad y de encadenamiento sin fin de las causas y de los efectos.

Más tarde, su rostro se inspirará en la estatuaria griega y en las figuras de Apolo, aunque conservando los ojos ligeramente sesgados de su raza. Lo que impresiona en estas imágenes de Buda es su sonrisa: una sonrisa enigmática, benévola y serena. «En ese rostro no hay mirada. Mejor dicho, la mirada queda absorbida por dentro, vuelta hacia el interior, ausente del mundo, como si el cuerpo en su transfiguración fuera totalmente ojo y luz».

## 3. La doctrina

¿Qué es lo que dice entonces esta boca secreta? ¿Cuál es *el credo budista*? Está contenido en el «Sermón de Benarés», que provocó la conversión de los cinco primeros monjes budistas. Se le llama generalmente las «cuatro santas verdades». Pero, antes de penetrar en su expresión y en su estudio, quizás haya que precisar la noción de credo budista.

En efecto, en el budismo no se trata ni mucho menos de un «creo en Dios». Al contrario, se podría decir que el budismo es una religión atea, o por lo menos agnóstica [15]. Esta afirmación significa, en primer lugar, que Buda no es sobre todo un profeta como Jesús o Mahoma. No anuncia a Dios. No lo revela. No pretende nunca hablar en nombre suyo. El budismo no es ni Evangelio ni Corán dictado por Dios.

La revelación de Buda es precisamente que no hay verdad revelada. No hay ningún dios que hable por labios de Buda. Lo que él predica no es ni el mensaje de dios, ni la salvación de las almas, sino la liberación posible de cada uno por la adhesión a las verdades totalmente humanas que ha descubierto.

El fondo de la doctrina de Buda es que todo pasa. *Todo no es más que apariencia*. A diferencia del hinduismo primitivo, Buda no cree que haya ni un alma universal ni un alma individual. El mundo no tiene comienzo. Tampoco tiene creador. Fue un gran filósofo budista del siglo V d. C., Yacomitra, el que declaró: «Los seres no son creados ni por dios, ni por el espíritu, ni por la materia». Todo es ilusión. Dios mismo es ilusorio. La única realidad es el dolor universal. Este es el grande, el único descubrimiento de Buda.

### a) El fundamento: el sufrimiento universal

Tal es la iluminación de las cuatro santas verdades. El budismo descansa en este fundamento, en esta constatación que marca el comienzo del Sermón de Benarés: «El nacimiento es dolor, la vejez es dolor, la enfermedad es dolor, la muerte es dolor, la unión con lo que uno no ama es dolor, la separación de lo que uno ama es dolor, no obtener lo que uno desea es dolor».

Este descubrimiento es la base de las cuatro santas verdades. Responden a las cuestiones esenciales de la filosofía: «¿Qué es el ser? (la cuestión ontológica). ¿De dónde viene el sufrimiento? ¿Y cómo librarse de él? (la cuestión ética)».

● *Primera verdad: el «yo» no existe*

Es la «primera verdad». El ser no es más que un ensamblaje momentáneo y fugaz de elementos efímeros. «Yo pienso, luego existo», dice Descartes, basando la realidad del ser sobre el sujeto pensante. Para Buda, por el contrario, no hay «yo», sino solamente un conjunto de cinco elementos: el cuerpo, las sensaciones, las representaciones, las formaciones y el conocimiento. Ninguno de estos elementos constitutivos del yo es el «yo». Para toda religión, incluido el hinduismo, el ser es un cuerpo habitado por un alma, una chispa de lo divino. Para el budismo, el ser se reduce a una simple apelación. Yo es solamente el nombre que le damos a esta unión pro-

---

[14] También Jesús fue representado por sus primeros discípulos bajo el signo de un pez, jugando con el sentido de *ichthys;* en el islam, la letra nùn representa también el pez de Jonás y simboliza por tanto la resurrección.

[15] Para el agnóstico, lo absoluto quizás existe, pero jamás es accesible al espíritu humano.

visional de elementos. Fuera de esta designación, no hay realidad. El ser no existe más que por el apego a esta apariencia de ser.

- *Segunda verdad:*
  *todo apego es sufrimiento*

Esta segunda verdad se deduce naturalmente de la primera. Lo que nos hace sufrir es nuestra voluntad de vivir, nuestro deseo de existir y de perpetuarnos, nuestro miedo permanente de perder lo que creemos ser. Nos gustaría vivir eternamente, y morimos. Nos gustaría ser felices sin cesar: he aquí el origen de nuestra desdicha. Si estamos en el sufrimiento universal, es porque deseamos retener los placeres vanos de una vida que no es nada. Nuestro deseo de vivir apegándonos a esas apariencias no puede menos de provocar la decepción incesante del sufrimiento humano.

- *Tercera verdad: despegarse de todo*

Por consiguiente, el remedio a este sufrimiento no puede ser más que el desprendimiento universal. Hay que matar en nosotros el deseo. E incluso aniquilar en nosotros la sed de vivir.

En teoría, esta aniquilación liberadora exige el conocimiento de los encadenamientos de las doce causas de la existencia o, mejor dicho, de las existencias anterior, presente y renaciente. Y la causa principal de este encadenamiento es la ignorancia, que desaparece con la asimilación de las cuatro santas verdades. Conocerlas es dar los primeros pasos por el camino de la salvación.

Prácticamente, estos primeros pasos empiezan por seguir, como el mismo Buda, el camino de todas las renuncias. Renuncia al confort, a la seguridad, al amor, a la familia, a un oficio, a la amistad... Es lo que pide Cristo a sus discípulos: «Si alguno quiere venir conmigo, que renuncie a sí mismo, que tome su cruz y me siga. El que quiera ganar su vida, la perderá». Pero el desprendimiento del que habla Buda no es una cruz o un sufrimiento. Tiene que ir acompañado del sinsabor por lo que el asceta abandona. No sólo hay que dejar el mundo. Hay que ignorarlo. Más aún, la renuncia no es más que un paso previo. De lo que conviene desprenderse es de

la satisfacción misma del desprendimiento. Lo que hay que aniquilar en uno mismo es también la sed de conocer, el placer de discutir o de convencer. Hay que eliminar incluso la preocupación por la opinión de los demás y por la estima de uno mismo, hasta el deseo de obrar bien y de saborear la paz de una conciencia tranquila. Tal es la condición primera de la salvación.

- *Cuarta verdad:*
  *practicar la meditación pura*

De esta manera, el neófito está preparado para acceder a la verdad suprema: la cuarta santa verdad, la que conduce a la extinción de todo sufrimiento. Constituye de algún modo la ética budista: el «noble camino de las ocho virtudes»: fe pura, voluntad pura, lenguaje puro, acción pura, aplicación pura, medios de existencia puros, memoria pura, meditación pura. Esta purificación que ha de alcanzar el hombre en todas sus dimensiones es un constante desprendimiento, una abstracción progresiva e incesante de todas las cosas y de todos los deseos.

Culmina en la dhyana, la meditación pura. El que quiera alcanzarla tiene que comenzar, no por mortificar su cuerpo u olvidar a sus semejantes, sino por renunciar a poseer y hasta a desear unos bienes, una función, una reputación, un título, un nombre. Tiene que olvidarse de sí mismo para atestiguar a todas las criaturas una comprensión, una benevolencia, un espíritu de servicio universal.

La historia del príncipe Kunala ilustra esta benevolencia característica. Amado por su suegra, rechazó sus proposiciones. Ella le hizo arrancar los ojos. Pero, ciego, él bendijo a su verdugo por haberle liberado así de todos sus apegos terrenales. Sin ojos, puede contemplar mejor la sabiduría, y se pone a recorrer el país como mendigo. Su padre, al enterarse de la maldad de la reina, quiere hacerla ejecutar. Pero Kunala le pide que la perdone. «Mi corazón –le dijo– está lleno de benevolencia por la que ordenó sacarme los ojos. Si digo la verdad, que mis ojos vuelvan a ser lo que eran». E inmediatamente sus ojos brillaron como antes.

A imagen de Kunala, es por este dominio sobre sí mismo y por esta magnanimidad y benevolencia como puede el sabio conocer la «meditación pura». Entonces contempla el vacío absoluto, la unidad sin diversidad del no-ser. Adquiere la impasible serenidad de la liberación.

Se comprende que esta purificación absoluta sólo podrá ser alcanzada por algunas personas selectas. Por eso el budismo propone numerosos ejercicios a los que aspiran a la iluminación.

El principal de estos medios es el *yoga*. Es una disciplina progresiva cuyas etapas, siguiendo las cuatro verdades santas, permiten controlar los sentidos, someter la imaginación y la sensibilidad hasta poder fijar el vacío. En la base de esta ascensión hay una gimnasia respiratoria, un dominio del aliento y de la mirada que conducen a la concentración espiritual. Este largo recorrido puede ocupar varias vidas. Y sólo al final de sucesivos renacimientos es como el «merecedor» llega al *nirvana**.

### b) Alcanzar el nirvana

Ya nos hemos encontrado con este término en el hinduismo, en donde significaba la unión del alma individual (el atman) con el alma universal (el brahman). El nirvana búdico es más difícil de definir y de comprender. El mismo Buda tuvo que apelar a parábolas sibilinas para intentar explicarlo. En sánscrito significa «extinción». Lo mismo que se extingue una lámpara al faltarle el aceite, el hombre que no alimenta el fuego de sus deseos se apaga definitivamente. Y se libra entonces de las reencarnaciones.

El nirvana es la abolición de toda voluntad, de todo deseo, de toda sensación, de todo cambio, de todo devenir. No es ni la eterna bienaventuranza, ni la nada absoluta, sino un estado inimaginable de inconsciencia absoluta y de no-ser.

Para el budismo popular, esta concepción un tanto inaccesible se encarna en un lugar imaginario. Esta «estancia inmutable», en la que el difunto conoce finalmente una especie de existencia inmortal despojada de todos los tormentos de la vida terrena, está muy cerca del paraíso.

Sea de ello lo que fuere, lo que importa no es tanto saber qué es el nirvana como buscarlo. Ahí está lo esencial del budismo que, más que una religión y una filosofía, es una disciplina para alcanzar la suprema serenidad, la liberación de las reencarnaciones en que nos encierra el deseo de vivir.

La *moral* budista no es ni un código de prohibiciones, ni siquiera un decálogo de mandamientos. Es una actitud universal frente a la existencia. Para el budista, más que de obrar bien o de ser caritativo, se trata de evitar todo lo que pueda hacer daño a una criatura. El sabio budista es impasible, sereno, pero benévolo.

## LA PROFESION DE FE O «LOS TRES REFUGIOS»

**Trijatna*: Las tres joyas**

Yo pongo mi confianza[+] en Buda.
Yo pongo mi confianza en la ley (dharma).
Yo pongo mi confianza en la comunidad.

**Los diez preceptos**

1. Abstenerse de destruir la vida.
2. Abstenerse de robar.
3. Abstenerse de fornicar y de otras impurezas.
4. Abstenerse de mentir.
5. Abstenerse de licores fermentados, alcohol y bebidas fuertes.
6. Abstenerse de comer en las horas prohibidas.
7. Abstenerse de danzas, de cantos y de todo espectáculo.
8. Abstenerse de adornar y embellecer el cuerpo por medio de guirnaldas, perfumes y ungüentos.
9. Abstenerse de utilizar un lecho o una sede elevada o espaciosa.
10. Abstenerse de recibir oro y plata.

[+]Otra traducción dice: «Yo me refugio en...».

## 4. El culto

Una vez esbozada, ya que no explicada, la doctrina de Buda, queda por ver cómo se vive el budismo. Es decir, examinar la vida de las primeras comunidades, y el culto budista.

### a) Los monjes

Los primeros compañeros de Buda fueron los cinco monjes del Sermón de Benarés, la primera «Sangha». La comunidad budista es ante todo una comunidad de monjes-mendicantes.

Porque la sabiduría y la meditación de las cuatro santas verdades suponen el estado monacal. El budismo sólo es practicado plenamente por las cofradías de monjes que acompañan al maestro por sus caminos, mendigando y escuchando su enseñanza.

Tampoco son ellos, propiamente hablando, sacerdotes; solamente discípulos y modelos. Con el ejemplo de su comportamiento, enseñan la nueva religión a la que ellos se convirtieron.

Las *mujeres* sólo son admitidas en estas cofradías con muchas precauciones. La primera fue la madre de Buda cuando se quedó viuda; después de haberla rechazado, Buda la aceptó tan sólo para evitar que viviera solitaria y vagabunda. Luego se impusieron reglas muy severas –ocho– a los postulantes. Y las mujeres vivieron siempre retiradas de los monjes. Según el mismo Buda, «una monja, aunque tenga cien años, tiene que venerar a un monje, levantarse cuando se encuentre con él, saludarle con las manos juntas y honrarle, aunque él hubiera recibido las órdenes aquel mismo día».

#### • La entrada en la orden

Para ser «bhiksu», hay que recorrer dos etapas.

La primera tiene lugar, lo más pronto, a los 16 años. Es la *pravrajya*, la salida del mundo. Presentado por un maestro a la asamblea de los monjes, el futuro novicio se compromete a confiarse a los «tres refugios» y a observar los «diez preceptos». Una vez admitido, el novicio recibe su vestidura amarilla y mendiga durante todo el día en compañía de su maestro.

Después de varios años –cuatro por lo menos–, viene la segunda ordenación: la *upasampada*, la entrada. Es un verdadero examen en el que el postulante tiene que demostrar tanto su buena salud como su plena libertad.

Pero el nuevo bhiksu puede dejar libremente la orden en que ha entrado, o bien ser excluido de ella por faltas graves: la fornicación, el robo, el homicidio, la impostura.

#### • Los ritos comunitarios

Fue para estos religiosos para los que se crearon los primeros y verdaderos ritos comunitarios.

Están en primer lugar las dos ceremonias mensuales de *confesión*, los días de novilunio y de plenilunio.

Esta confesión se desarrolla en ocho partes, con interrogatorio, introducción y catálogo en el que se clasifican las diversas faltas, luego los pecados «indecisos» y finalmente los pecados «capitales»: unos abren a la absolución y otros conducen a la exclusión temporal o definitiva.

El culto monástico sigue girando en torno a la *celebración de las fiestas*.

Hay tres principales, que marcan el cambio de estación y recuerdan al mismo tiempo, como en la mayor parte de las religiones, los momentos importantes de la vida del fundador.

Son: la pravarana, al final de la estación de las lluvias; el día de la luna nueva de abril, aniversario de la entrada de Buda en el nirvana; y para la llegada de la primavera, la conmemoración de la victoria de Buda sobre el diablo Mara.

### b) Los laicos

Pero la sangha comprende también a los fieles que se quedan en el mundo. Son los laicos [16]. Su

---

[16] O upasikas; en Camboya, donde está sólidamente implantado el budismo, se pasa del estado de upasikas al de monje.

función principal es la de hacer vivir a la comunidad con sus dones, y más concretamente servir a los monjes. En efecto, éstos, aunque no tienen que comer –y predicar– más que una vez al día, sólo pueden vivir de limosnas. A medida que los monjes, abandonando su vida errante, se situaron en las casas que les dieron, la tarea de los laicos se fue haciendo más pesada: no sólo tienen que mantener a los monjes, sino también el convento y sus dependencias.

Los «upasikas» se esfuerzan, según su capacidad, en seguir las enseñanzas de Buda, pero sin regla precisa, y sin más esperanza que la de renacer como monje en una próxima reencarnación. Sin embargo, para ayudarles, se estableció para ellos un culto popular.

### • El culto popular

Esta piedad para uso de los humildes se manifiesta en la veneración de las reliquias y estatuas de Buda y en las peregrinaciones. Pero hay que recordar que esto va evidentemente en contra del espíritu profundo de la enseñanza y de la doctrina de Buda. En efecto, Buda, en contra de los brahmanes, predicaba que los dioses son también una ilusión, y más ilusoria todavía era la devoción que se les rendía. Desgraciadamente, apenas morir, se convirtió él mismo en objeto de ese culto que no había cesado de proscribir. Lo más urgente para sus discípulos fue repartirse entre ocho sus desventurados restos.

– Las *reliquias* son restos de Buda, huesos, cabellos, dientes... Recogidos en urnas, están encerrados en monumentos conmemorativos de túmulos funerarios, las *estupas*. Las más célebres son la de Rangoon, que encerraría los cabellos de Buda, y la de Ceilán, que contiene una urna con uno de sus dientes.

La estupa consiste generalmente en una construcción rectangular coronada por una cúpula semiesférica, cubierta a su vez de un parasol simbólico, símbolo de poder. Su visita debería ser propicia para la meditación. Pero, de hecho, los fieles acuden allá a dejar sus ofrendas en procesión, teniendo siempre la reliquia a su derecha; cantan himnos y fórmulas sagradas, convencidos de que así adquieren gracias y méritos.

– Las *imágenes y estatuas* de Buda se veneran en numerosos *templos*, en contra de los deseos del Maestro. ¿No había acaso declarado a sus discípulos: «La doctrina y la disciplina que he enseñado y que os he impuesto deben ser vuestros únicos maestros cuando yo ya no esté»? –También Jesús había dicho: «Ha llegado el tiempo en que no se adorará ya en un templo o en una montaña, sino en espíritu y en verdad»–. Pero la idolatría está sin duda inscrita en el corazón de las tentaciones humanas. Y los budistas, después de haber representado a su fundador por los símbolos de la higuera o de la rueda, se pusieron a reproducir su imagen. La conquista de Alejandro contribuyó a darle los rasgos del hijo de Apolo. Y actualmente son esas múltiples estatuas de Buda las que dan lugar a cantos, danzas, recitaciones, ofrendas de alimento, de flores y de incienso, en medio de lámparas encendidas. Incluso se les dirige plegarias, como a las estatuas de los santos.

– Las *peregrinaciones* se desarrollaron muy pronto en torno a los lugares en donde había vivido Buda: su ciudad natal, Kapilavastu; Bodh Gaya, donde recibió la iluminación; Sarnath, donde predicó por primera vez; Kusnara, donde murió y entró en el nirvana. También acuden a las estupas famosas y a los templos, en donde se celebran las fiestas.

### • ¿Una iglesia?

Sin embargo, la veneración de las reliquias y de las estatuas, las peregrinaciones, la práctica de la benevolencia, la celebración de las fiestas, no constituyen más que vínculos muy laxos y no estructurados por códigos imperativos ni por una jerarquía sacerdotal. Los budistas se organizan a nivel de aldea o de barrio, y hasta en una especie de federación nacional. Pero no existe un verdadero organismo habilitado para hablar en nombre del budismo. *La comunidad budista no es una iglesia.*

Nunca se ha dado una institución estructurada con una organización mundial y una jerarquía piramidal. Los responsables, cuando los hay, son elegidos democráticamente.

Los budistas se parecen más a un conjunto difuso y diverso de simpatizantes que a una iglesia. El budismo está compuesto de un gran número de cofradías monacales variadas y de una masa de laicos más o menos ignorantes de la verdadera doctrina, pero que participan de un espíritu y de unos ritos religiosos que no siempre habría aprobado Buda, aunque su benevolencia habría admitido varias etapas en la marcha hacia las «cuatro santas verdades».

## 5. Las corrientes del budismo

Esta concepción evolutiva, esta ausencia congénita de una iglesia explica la *historia* del budismo, sus *divisiones* y los éxitos de su expansión.

Al morir Buda, sus discípulos no se mostraron de acuerdo en la interpretación de su enseñanza y en la designación de su sucesor. Los sucesivos concilios intentaron en vano fijar una doctrina; tres siglos antes de Jesucristo, había ya 18 escuelas budistas.

Sin embargo, con la ayuda de los misioneros o de las conquistas del rey convertido –Asoka–, el budismo se extendió por Cachemira, por el sur del Decán, los valles del Ganges y del Indo, Afganistán, Ceilán, Tibet, Mongolia, China y Japón, antes de pasar por mar a Birmania, Malasia, la península de Indochina e Indonesia. Pero entre tanto se había dividido en *tres grandes corrientes*, que todavía subsisten hoy:

– El *Pequeño Vehículo*, fijado por los concilios sucesivos de Rajagriha (s. V a. C.), de Vaisali (siglo IV a. C.) y de Pataliputra (245 a. C.).

– El *Gran Vehículo*, nacido un siglo después de Jesucristo, en el cuarto concilio.

– El *Vehículo tántrico*, salido del Gran Vehículo en la India del siglo VII.

### a) El Pequeño Vehículo

Es el Hinayana*, de Yana*, el vehículo que permite atravesar el río de las reencarnaciones para llegar a la orilla del nirvana. Merecería llamarse más bien budismo estricto o literal.

En efecto, es la práctica de las reglas de Buda, tal como habrían sido fijadas por su discípulo preferido *Ananda*. Es el «Theravada», la doctrina de los antiguos, en cierto modo la ortodoxia budista aprobada por los concilios de monjes, especialmente por el de Pataliputra.

Fue allí donde, el 245 a. C., los sthaviras (los viejos) establecieron algo así como el *canon* del budismo.

Escrito en «pali» –dialecto del nordeste de la India–, comprende tres partes o Tripitaka (tres cestos):

– La *disciplina* (Vinaya) prescribe las reglas que han de observar los monjes; comprende una especie de catecismo con las prescripciones para cada día y el comentario de los diversos pecados.

– La *predicación* (Sutras*) es la colección de sermones y sentencias de Buda; están clasificadas por su longitud, algo así como los capítulos del Corán.

– La *doctrina* (Abhidhamma) está contenida finalmente en un conjunto de siete obras que constituyen como la metafísica budista.

Otros textos más tardíos, debidos a monjes como Nagasena (125 a. C.), que convirtió al rey griego Menandro o Milinda, y Buddhaghosa (siglo IV d. C.), actualizaron la doctrina de Buda. Contribuyeron a difundir el Pequeño Vehículo por Ceilán, Birmania, Tailandia, Camboya y Laos, donde viven actualmente la mayor parte de sus adeptos, 35 millones de budistas. Son fieles fervorosos que buscan ante todo la purificación interior, construyendo templos austeros a su imagen.

### b) El Gran Vehículo

El Mahayana* data del comienzo de nuestra era. Corresponde a la extensión geográfica del budismo en la India, y a la necesidad de adaptarse al gran número de adeptos. Añade a la enseñanza escrita de Buda la tradición oral. Es el budismo popular, opuesto al elitismo del Pequeño Vehículo que proponía a los laicos el modelo de los bhiksus. Mientras que el Hinayana invita a una liberación individual, el Mahayana se dirige a todos. Para el Gran Vehículo, son raros los que pueden acceder al nirvana, pero, a través de las transmigraciones, los fieles pueden hacerse santos, bodhisattvas*. Y éstos, a los que se dirige un verdadero culto, protegen, curan y salvan a los devotos. La aspiración no consiste ya en escaparse de las reencarnaciones, sino en ayudar a los demás a liberarse de ellas. Logrando la liberación de los otros es como puede uno liberarse.

Dos parábolas, por así llamarlas, explican esta doctrina.

La primera es la leyenda del rico comerciante Purna, que deseaba ir a predicar entre los «violentos», pero Buda le dijo: «Vete, Purna; liberado, libera; llegado a la otra orilla, haz que lleguen allá los otros; consolado, consuela; llegado al completo nirvana, conduce a él a los otros» [17].

La segunda es la del «Loto de la buena ley». Un hombre rico acogió a su hijo, reducido a la mendicidad, sin reconocerlo, pero acabó convirtiéndolo en su heredero [18].

Del mismo modo, Buda hace de nosotros sus hijos si, lo mismo que él hizo, limpiamos el lugar en donde se tira la basura; y nos convertimos a nuestra vez en Budas. Lo mismo que Buda, sólo se puede entrar en el nirvana después de un largo apostolado entre los que todavía están bajo el dominio de Mara (el maligno).

Los fieles mahayanistas llevan la compasión hasta el sacrificio de sí mismos. Aceptan sufrir con los que sufren. Por eso hay en el Gran Vehículo una especie de «comunión de los santos» en donde los méritos del bodhisattva que sufre favorecen a los que siguen aún torturados por el infierno de la reencarnación. Un doctor mahayanista declara: «Los bodhisattvas, llenos de piedad y de amor, desean sufrir ellos mismos por amor a esos seres miserables». La negación del yo llega hasta esa fusión con el otro, que igualmente es nada. Se salvan juntos por la generosidad.

---

[17] Hay una semejanza de fondo y de forma entre estas recomendaciones y la oración de Francisco de Asís: «Haz que no busque tanto ser consolado como consolar».

[18] ¿No hay también un parentesco entre esta historia y la parábola del hijo pródigo? (Lc 15, 11-32).

Junto con esta doctrina de la posibilidad de compartir el karma [19], el Gran Vehículo deifica progresivamente a Buda. Este se convierte en una especie de dios trinitario. Habría tres Budas: el Buda humano, histórico; el Buda divino, que dejó la tierra y entró en el nirvana; y el Buda cósmico, absoluto, ley y verdad del universo.

–¿No ocurre algo parecido con Jesús, hijo de Dios por los caminos históricos de Palestina, hijo resucitado sentado a la diestra de su Padre y señor de los siglos?–.

Más tarde, muchos budas y bodhisattvas se fueron añadiendo al *panteón mahayanista*. Rojos o blancos, brillan en el cielo y pueblan los templos bajo diversas formas: loto, dragón, pavo real... Presiden la meditación, guían y protegen a los hombres.

Igualmente, muchos pensadores han expresado diversos aspectos del budismo mahayanista. Los mayores han sido sin duda: Nagarjuna, en el siglo I de nuestra era; Asanga, en el siglo V; Sanditeva, un poeta del siglo VII, cantor de la «gran piedad». Este último, por ejemplo, ha escrito: «El que quiera salvarse rápidamente a sí mismo y a los otros debe practicar el gran secreto: la interversión del yo y del otro...

El que impone a otro la tarea de trabajar para sí tendrá como retribución la esclavitud; el que se impone la tarea de trabajar por el otro tendrá como recompensa el poder.

Todos los desgraciados, lo son por haber buscado su propia felicidad; todos los que son felices, lo son por haber buscado la felicidad de los demás...».

### c) El Vehículo tántrico

El tantrismo aparece hacia el siglo VI como una reaparición de las antiguas prácticas hinduistas. –El término «tantra» en sánscrito significa «libro», exposición; en efecto, se trata de numerosas obras, de una especie de poemas rituales–. Se basa en las analogías que vinculan a los diversos fenómenos del mundo en un todo único. Y utiliza esas analogías para alcanzar lo absoluto y actuar sobre el universo.

El budismo tántrico, de hecho, tiene poco que ver con la doctrina de Buda, pues reposa más bien en los *ritos*.

Se trata, o bien de la recitación de *mantras**, unas como fórmulas mágicas capaces de unir con lo absoluto y de salvar al que las pronuncia, o bien de un *yoga* reducido a ejercicios físicos, especialmente respiratorios.

Es finalmente el *erotismo sagrado*, en donde se enseñan las diversas posturas del amor carnal como el mejor método para entrar en la perfección divina del conocimiento absoluto. Basadas en ciertas creencias hinduistas en las diosas y en sus energías (shakti)*, estas prácticas buscan la bienaventuranza simbolizada en la unión de los principios masculino y femenino.

– ¿No se dice «conocer» para hablar de la unión sexual? ¿Y no se habla del «séptimo cielo» para indicar el éxtasis carnal?–.

Los chinos acogieron tanto más fácilmente esta forma de tantrismo (el shaktismo) cuanto que vieron en ella la unión de los principios masculino y femenino, el yang y el yin. Los indios veían en él la penetración del rayo (vajra) en el loto (padma).

Se comprende que este simbolismo mágico está muy lejos, por no decir que es todo lo contrario, del budismo, incluso en su versión vulgar.

## 6. La expansión del budismo

Curiosamente, el budismo casi ha desaparecido por completo de su país natal, la *India*, en donde no cuenta más que con unos 4 millones de adeptos, es decir, el 0,5% de la población. La mayor parte vive actualmente cerca del Tibet, en Assam y en Bengala del norte.

Esta desaparición se debió, en parte, a la invasión musulmana del siglo XII, pero esta invasión no

---

[19] Podría hablarse también de «reversión de los méritos».

hizo más que dar el golpe de gracia a una religión en vías de extinción tras el apogeo del siglo V.

Las razones de este debilitamiento se encuentran sin duda en la degradación del monaquismo budista [20], en su contaminación por las supersticiones populares y en los ataques incesantes más o menos violentos de los brahmanes.

Pero, desde el siglo VIII, el budismo había ya emigrado al *Asia meridional*, en donde sigue vivo, especialmente bajo la forma del Pequeño Vehículo: en Tailandia, en Laos, en Camboya, en donde la civilización khmer le dio el célebre templo de Angkor. De Indonesia, en donde luego sería suplantado por el islam, emigró en el siglo XIV a Bali. Finalmente, después del tercer concilio, el rey Asoka, llamado el Piadoso, envió misioneros a Ceilán y a Birmania. Todavía hoy es en estos dos países donde el budismo tiene más vigor. ¿No es Rangoon la «ciudad de los mil Budas»? [21]

### a) El budismo tibetano: el lamaísmo

Sin embargo, es en Tibet y en Mongolia donde el budismo se ha instalado más sólidamente. Y la verdad es que lo ha hecho bajo su forma tántrica, a la que los tibetanos han añadido además los ritos mágicos de sus antiguas creencias: inscripciones y recitaciones de fórmulas, molinos de oraciones, cantos, danzas y campanillas...

Así, el budismo se ha convertido, a partir de los monjes de la secta amarilla, en el lamaísmo. Es un sistema a la vez religioso y político, basado en la jerarquía de los monjes [22]. En su cima está el *Dalai-Lama** («semejante al océano») y el *Panchen-Lama** (la «joya»). El primero, desde su monasterio de Pota-la en Lhassa, ejerce el poder temporal. El segundo, en el monasterio de Ta-shilhum-po, es el jefe espiritual de los tibetanos. Vienen a continuación los hutuktus, encarnaciones de los dioses o de los santos bodhisattvas, y finalmente los sacerdotes.

Fue en el siglo XVII cuando el Dalai-Lama se hizo con el poder político en el Tibet, de acuerdo con el emperador de China. En 1959, el 14.º Dalai-Lama se refugió en la India, tras el fracaso de una sublevación anticomunista. Aunque invitado a volver al Tibet, sigue viviendo en el destierro. El Panchen-Lama se alió con China.

La creencia esencial de los lamaístas es, en efecto, la *reencarnación*. Para ellos, los budas, y aun los bodhisattvas, se reencarnan en los «lamas», y los lamas*, a su vez, pueden también reencarnarse. Cuando un lama muere, hay que buscar al niño en el que el alma del difunto se ha reencarnado. Encontrado y comprobado, la asamblea de los lamas hace de él un nuevo lama.

Las invasiones mongoles propagaron el lamaísmo en Mongolia y en China. Fue hacia el siglo XIII. Declinó luego con la expulsión de la dinastía mongol bajo los Ming. Quedan aún monasterios como el de Urga, templos como el de Yong-ho-Kong en Pekín, y sobre todo una influencia más o menos penetrante.

### b) El budismo en China

Es preferible hablar del budismo en China que de un budismo chino. En efecto, éste se degradó para convertirse en la religión vulgar y simplista de una pequeña parte del pueblo chino. Pero, introducido en China a finales del siglo I d. C. a través de la ruta de la seda, el budismo fue unas veces rechazado como extranjero, otras prosperó bajo los T'ang (618-907), los Song (960-1276) y sobre todo los reyes mongoles (1259-1294), mezclándose con el confucianismo (cf. nota 2) y con el taoísmo (cf. nota 3).

La religión de los chinos es una amalgama de confucianismo, de taoísmo y de budismo, en donde, según los momentos y los lugares, predomina la doctrina de Confucio o la influencia de Lao-tsé (cf. nota 3). El budismo aportó a la una y a la otra cierta espiritualidad y una metafísica. Pero pasó con el budismo lo mismo que con casi todas las otras doc-

---

[20] Como en Europa, los cuentos hindúes hacen del monje y de las monjas personajes sensuales y epicúreos, objetos de burla.

[21] Con la famosa pagoda de Shwe Dagon, donde se veneran cabellos de Buda.

[22] Uno de cada cinco tibetanos sería monje, lama, sacerdote...

trinas, incluido el comunismo: se «sinizó» [23]. Y a través de sus sectas [24] y de sus diferentes prácticas, el budismo en China impregna una religión difusa, unas reglas de conducta, una mentalidad de los comportamientos.

### c) En Japón

Al contrario, mezclado con el *shintoísmo* [25] ancestral, el budismo es la religión cuasi nacional de Japón. Procedente de Corea a comienzos del siglo VI, adoptado por la corte imperial, fue conquistando todos los ambientes de la sociedad japonesa. Aunque contaminado, dividido por una proliferación de sectas como el Zen* de Myoan Eisai (1141-1215), el Amidismo [26] y el Nichiren Shoshu, el budismo japonés cuenta con unos 40 millones de adeptos que frecuentan más de 100.000 templos.

Tolerante con todas las doctrinas, adaptándose tanto a la ciencia como a las diversas filosofías, el budismo japonés se propagó por todos los países del Pacífico y hasta los Estados Unidos.

### d) En Europa

En el siglo XVI, pero sobre todo en el XIX y más todavía en nuestros días, a pesar de haber sido y de seguir siendo incompatible con la lógica occidental, el budismo ejerce una influencia nada despreciable en Europa.

A veces ha conquistado a algunos filósofos y sabios: ayer a Schopenhauer, hoy al físico Fritjol Capra y al economista Serge Christophe Kolm. A menudo, el budismo está presente por sus formas de disciplina corporal y física: el yoga, el zen, el tantra. Pero también se encuentran monjes tibetanos que enseñan en pleno Morvan: el centro Kagyu-Ling de Plaige pertenece a la tradición Vadjrayana* (el camino del diamante), que forma parte del Gran Vehículo. Allí cantan, meditan, viven en retiro y se preparan a construir un gran templo en tres pisos, como en el Himalaya.

Este encuentro de occidente con una de las religiones orientales más características se explica, por un lado, por el malestar de una crisis tanto cultural como económica, por el deseo de huir de ella y por el atractivo ante lo que queda de exotismo intelectual en un mundo uniformado.

Más profundamente, quizás es que tenemos confusamente la impresión de que hemos sido llevados a un callejón sin salida por el espíritu racional de occidente, con su egoísmo, su dualismo, sus contradicciones, su bipolarismo conflictivo y el determinismo constrictivo de las causas y los efectos, cuestionado a su vez por los más recientes descubrimientos científicos.

Entonces, muchos se vuelven hacia una filosofía oriental basada en la unidad del universo, la interdependencia de todos sus elementos, la interacción de los contrarios o, mejor dicho, la reconciliación de los opuestos. El yin y el yang no son más que uno. El Uno es muchos. La libertad y la felicidad no son incompatibles. La intuición no es menos necesaria que el análisis. Un camino no excluye el camino inverso. La felicidad no está tanto en la satisfacción de los deseos como en su dominio.

☆

El budismo llegó a Europa tras la huida de los lamas tibetanos de la persecución comunista. También ha sido el budismo tibetano el que entró en España, traído por el venerable Akong Rimpoche, que en 1977 abrió un centro en Barcelona. Existe otro pequeño grupo del budismo tibetano en Monóvar (Alicante) y algunos focos en Andalucía, que han adquirido gran notoriedad tras la aparición del niño-lama.

---

[23] Sinizado: transformado por la cultura y la mentalidad chinas.

[24] La «escuela del país puro» de Amitabha, un buda del siglo I; la «escuela de la meditación» de Bodhidharma (siglo VI); la «escuela de los secretos» (siglo VIII).

[25] Religión primitiva del Japón, que mezcla el culto a la naturaleza con el de los antepasados, pero que explotó en numerosas sectas...

[26] Agrupa a dos escuelas ligadas también a la mística del paraíso de Buda Amitabha (Amida-Butsu en japonés).

En Sevilla hay otra agrupación perteneciente al budismo zen, de origen japonés. En Madrid existe también un templo, con una sala para el culto y otros locales para la formación y propaganda. Otros extranjeros budistas, procedentes de países asiáticos, no parecen contar con ninguna organización, aunque practican en privado sus cultos religiosos.

# 7. Budismo y espíritu occidental

El ser es más importante que el tener.

De parte del tener están la producción y el consumo.

El ser, por su parte, se descubre por la contemplación de la naturaleza, por el arte, por el culto y por el erotismo (que es lo contrario de la satisfacción y de la acumulación de las experiencias sexuales).

Como dice la sabiduría japonesa: «Cada situación es la mejor de las ocasiones para tocar el ser».

En este mismo sentido, el occidental que cree poseer la verdad descubierta se siente con la misión de convencer de ella a los demás. Es de buen grado intolerante. Si su creencia es verdadera, cualquier otra creencia no puede ser otra cosa más que un error que condenar y que suprimir.

## a)  Su tolerancia

El budismo, por el contrario, con su *tolerancia, se* contenta con anunciar la luz que ha vislumbrado. Los caminos para la iluminación son diversos y lentos. Conviene respetar con benevolencia el itinerario y la marcha de cada uno.

Más profundamente aún, el occidental es el hombre de las *ideas* —que él cree claras—. Esto es quizás lo que le caracteriza. No contempla la naturaleza. Y menos aún intenta disolverse en ella. La naturaleza existe, no en él ni él en ella, sino delante de él. Es objeto que hay que comprender para utilizar. Y él la analiza, la desmonta; construye teorías que den cuenta de ella. Maneja abstracciones y las fija para fabricar *dogmas*. Y se sirve de ellos para reconstruir el mundo.

Todo esto es sin duda lo que hace al occidental intolerante.

Al revés, el budista desconfía de las ideas y de la abstracción. El mundo no está hecho de ideas, sino más bien de cosas y de fenómenos. Lo que se necesita es que cada uno encontremos en él nuestro lugar: vaciarnos de nosotros mismos para experimentar el ser. Lo esencial no es tener bellas teorías sobre el mundo para explicarlo, sino hacer el vacío en sí mismo para vivir con el mundo. Ser el mundo. Mejor dicho, contemplar el vacío de lo inexistente.

## b)  Originalidad del budismo

El budismo, nacido en el país del hinduismo, intenta como él liberar al hombre de la ilusión de las apariencias y de la infelicidad de las reencarnaciones sucesivas hasta la fusión con el Gran Todo. Como el hinduismo, intenta llegar a ello mediante una meditación profunda, precedida por el dominio del propio cuerpo.

Pero, *hinduismo reformado, depurado, el budismo, más radical*, va más lejos. Para él, el despego de las apariencias tiene que ser aún más profundo. Nuestros deseos, Dios mismo son también ilusiones a las que conviene renunciar. Los ritos son igualmente rechazados como exteriores a lo esencial. Lo mismo que Yahvé dirigiéndose a los judíos, Buda, como hemos visto, «mira con desdén las fiestas, los holocaustos, los sacrificios y oblaciones». El culto que él aprecia es «un corazón puro» [27].

Esta es una de las razones por las cuales el lenguaje del budismo abandona la lengua sagrada, elitista, del hinduismo, para dirigirse al pueblo en su lenguaje. Igualmente, sin abolir el sistema de las castas, Buda no las tiene en cuenta para nada a la hora de reclutar sus discípulos. «El que me ama, que me siga», dijo Jesús. Todo el que se comprometa a seguir los «diez mandamientos de la comunidad» puede formar parte de ella, había dicho Buda antes que él.

---

[27] Is 1, 13; Am 5, 21... Buda: «Mi corazón es el hogar».

Finalmente, en la línea del hinduismo, pero más radicalmente que él, el budismo insiste en la liberación de todo sufrimiento, incluido el de las mortificaciones. No se llega a ello más que por un total desprendimiento, puesto que la raíz de todo dolor está en nuestros lazos con las cosas, con los seres y con nosotros mismos. Pero esta renuncia, lejos de resultar penosa, está llena de felicidad.

Esta «espiritualidad» corresponde muy profundamente a la lógica y a la mentalidad asiáticas. *Una lógica y una mentalidad opuestas a las de occidente.*

Toda la mentalidad occidental se basa en la fórmula de Descartes: «pienso, luego existo». Lo cual significa que lo primero para nosotros, cartesianos, es el «yo». Es eso lo que nos asegura de nuestra existencia.

Al contrario, para un budista, ese mismo «yo» es una ilusión. No existe más que superficialmente como un momento, como un simple accidente de la única existencia verdadera que es el todo, el orden del mundo... Hay que desprenderse del «yo». *El individuo no es nada.*

Por el contrario, en la concepción occidental, el «yo» que piensa, fundamento de la existencia individual, va acompañado del «yo deseo» y del «yo quiero». Yo existo gracias a mis deseos y a mi voluntad.

Muy distinto es lo que ocurre para el budista. El deseo es lo que nos hace desgraciados. Para romper con el sufrimiento, hay que renunciar a todo deseo: deseo de poseer, pero también deseo de llegar a ser alguien, de desempeñar una función. La suprema virtud es el *desprendimiento absoluto.* Ese es el verdadero realismo. Reconoce que no existe nada y que, por consiguiente, no hay nada que merezca la pena que nos apeguemos a ello.

Se comprende entonces que las dos actitudes se opongan profundamente en lo que se refiere a la acción y a la historia.

Para el occidental, el mundo tiene que transformarse, y el modelo humano es el hombre de acción, el que inventa instrumentos y cambia la naturaleza. Eso es la historia, que tiene al hombre por actor. La historia es movimiento. El tiempo es el de un devenir con el que el hombre colabora. Para el budista, el mundo no es ni siquiera un objeto de contemplación. No deviene. Es el orden. Un orden que no hay que cambiar. El hombre no tiene que perturbar en lo más mínimo esta intangible *estabilidad.* Frente a la naturaleza, la misma oposición. El hombre occidental se sitúa precisamente frente a ella. Procura distinguirse de ella. Se considera diferente de ella y quiere marcar las diferencias. Y también entonces su búsqueda de sí mismo pasa por esta diferencia. –El poeta que se concibe como un árbol o una nube no puede menos de ser un loco, un insensato respecto al sentido de la lógica occidental–. El mundo es concebido más generalmente como un juego de contradicciones. Una lucha de fuerzas antagónicas.

Al revés, el budista, en la medida en que busca algo, es sobre todo fundirse en la naturaleza. O por lo menos, conservar en él su lugar debido sin perturbar su ordenación. El hombre budista se hace lo más discreto posible, tiende a hacerse olvidar, a reabsorberse en el orden esencial. Y ese orden es el de las energías, que no son tanto rivales como complementarias. El *equilibrio* sustituye al combate.

Las mismas oposiciones finalmente en el comportamiento con los demás. La palabra clave de la religión occidental, en lo que tiene de mejor, es «caridad». Es decir, amor activo al otro. El otro es un ser precioso al que hay que querer. Para el cristiano, es Dios mismo al que hay que amar en esta encarnación.

Para un budista hay dos palabras que caracterizan su mirada sobre los demás: *benevolencia* y *compasión.* Querer el bien del otro es desear su liberación de las reencarnaciones. Pero no se trata de «hacerle bien». Sólo él puede liberarse a sí mismo. Y lo único que se puede hacer es mostrarle el camino y compadecerle si no logra comprometerse con él. Ya es bastante no hacerle daño intentando actuar sobre él, aunque sea en su propio favor.

Tal es el fondo del budismo en la diversidad de sus ramas. Su riqueza y su vitalidad se derivan de esta diversidad misma y de las respuestas que da a las constataciones y a las aspiraciones fundamentales de todo ser humano: la existencia del sufrimiento universal y el deseo de liberarse de él; el sentimiento confuso de la diversidad y de la unidad del mundo y de los seres.

Pero su agnosticismo, su pesimismo, su desprendimiento absoluto, si bien lo hacen atractivo para el occidente en crisis, no corresponden desde luego a la lógica de este último.

# CRONOLOGIA

560-480 a. C.: nacimiento y muerte de Siddharta, llamado Buda.

siglo V a. C.: primer concilio cerca de Rajagriha.

siglo IV a. C.: segundo concilio en Vaisali.

274-236 a. C.: expansión del budismo en el reinado de Asoka el Piadoso.

hacia el 245 a. C.: tercer concilio en Pataliputra.

166-145 a. C.: en el Penjab, reinado de Menandro (griego), protector del budismo.

78-110 d. C.: reinado del indo-escita Kanishka: segunda gran expansión del budismo.

siglo I d. C.: cuarto concilio; nacimiento del Gran Vehículo.

siglo II d. C.: Nagarjuna, gran filósofo del Gran Vehículo: el «vacío».

hacia el 400 d. C.: Buddhaghosa, doctor del Pequeño Vehículo, en Ceilán.

siglo V d. C.: Asanga, doctor del Gran Vehículo, reintroduce lo absoluto.

siglo VII d. C.: Santideva, poeta del Gran Vehículo. Hacia la misma época, nacimiento del Vehículo tántrico y ocaso del budismo indio.

1193: toma de Bahar por los musulmanes; fin del budismo indio.

siglo XIV: adhesión de Camboya al Pequeño Vehículo y reforma del budismo tibetano.

siglo XVI: conversión de los mongoles al budismo tibetano.

1871: quinto concilio en Mandalay: los textos de la enseñanza se graban en 729 placas de mármol.

17 mayo 1954: sexto concilio en Rangoon.

23 mayo 1956: conmemoración del 25 centenario del nacimiento de Buda.

1959: aplastamiento de la revolución nacional tibetana. Huida del Dalai-Lama a la India.

# LEXICO

*Buda* (Buddha): en sánscrito, el despertado (boddhi = despertar) o el iluminado.

*Bhiksu:* monje mendicante.

*Bodhisattva:* sabio que ha alcanzado el despertar; sucesor de Buda.

*Dalai-Lama:* literalmente, lama parecido al oceáno: maestro del saber.

*Hinayana:* el Pequeño Vehículo, o pequeño camino: camino riguroso hacia el nirvana.

*Lama:* término tibetano, por sacerdote. De hecho, monje del budismo tibetano o mongol.

*Mahayana:* Gran Vehículo, camino real por la devoción a los budas, para hacerse perfecto por la compasión universal.

*Mantras:* sílabas sagradas del tantrismo, que transforman el espíritu. Por ejemplo: «Om, mani, padmé, om» (la joya en el corazón del loto, que significa la unión de los principios masculino y femenino).

*Nirvana:* en sánscrito, extinción. No es tanto el no-ser o la nada, como la liberación de la necesidad de renacer, paz total más allá de la pena y del gozo.

*Panchen-Lama:* lama-joya: reencarnación de un lama.

*Sangha:* comunidad de los discípulos de Buda.

*Shakti:* forma creadora femenina, divinidad-mujer adorada en el shaktismo, forma degradada del budismo.

*Sunha:* el vacío, realidad detrás de la ilusión de todo cuanto existe.

*Sutras:* predicaciones de Buda, reunidas en cinco colecciones.

*Trijatna:* las tres joyas: bodhi, dharma, sangha, o sea: la sabiduría, la ley y la comunidad que hacen llegar al nirvana.

*Vajrayana:* el Vehículo del diamante (tantrismo): conjunto de los medios que permiten llegar a lo divino (el diamante).

*Yana:* vehículo para atravesar el río de las reencarnaciones.

*Zen:* procede de «dhyana» (meditación). Forma del budismo, establecida en China y luego en Japón, por Yosai (1141-1215). Por técnicas muy variadas, el zen intenta alcanzar el vacío que permita acceder a la iluminación interior.

## Lecturas

F. Houang, *El Budismo.* Casal y Vall, Andorra 1964.

P. Gómez Bosque, *El budismo. Su concepción religiosa y filosófica de la vida.* Sever-Cuesta, Valladolid 1973.

J. López-Gay, *La mística del budismo.* Ed. Católica, Madrid 1974.

R. Panikkar, *El silencio de Dios.* Guadiana, Madrid 1970.

P. Thera, *Budismo: un mensaje vivo.* Bier, Buenos Aires 1977.

D. T. Suzuki, *La gran liberación.* Mensajero, Bilbao 1972.

C. Humphreys, *La sabiduría del budismo.* Bier, Buenos Aires 1977.

H. von Grassnapp, *El budismo, una religión sin dios.* Barral, Barcelona 1974.

J. E. G. Blofeld, *El budismo tibetano.* Martínez Roca, Barcelona 1979.

H. M. Enomiya-Lasalle, *Zen, un camino hacia la propia identidad.* Mensajero, Bilbao 1980.

Id., *El zen.* Mensajero, Bilbao 1974.

# 4

# El judaísmo

Hasta el fin de los siglos, siempre habrá un Libro que desenterrar (Edmond Jabes, *Parcours*).

## 1. En busca de una definición

Parece evidente definir el judaísmo como la religión de los judíos. Pero si preguntamos: ¿qué es un judío?, las cosas empiezan a complicarse.

En efecto, si es un habitante de Judea (uno de los estados de la antigua Palestina\*), no profesa necesariamente el judaísmo. Puede ser hoy cristiano, musulmán o irreligioso. Y si, residiendo en New York o en París, se dice judío, no necesariamente practica la religión judía.

Reflexionando sobre la «cuestión judía», Jean-Paul Sartre pudo solamente concluir: «Es judío el que se siente y se dice judío». Así, pues, ser judío sería cuestión de subjetividad. Es querer estar ligado con el pueblo que habitaba Judea, y al que Yahvé\*-Dios se reveló.

Originalmente, «yehudé» significaba a la vez: «judeano» (del país de Judá, de la Judea) y «que da gracias a Dios». El judío es entonces el hombre que se reconoce de una tierra y de un Dios, un «reconocedor de Dios». *El judaísmo es, pues, la religión de la alianza entre una tierra (santa), un dios, un pueblo.* La religión de los que se sienten herederos de esa tierra, escogidos por Dios y descendientes de ese pueblo.

### a) La religión de un pueblo

Por consiguiente, no se puede comprender el judaísmo sin conocer el pasado más lejano de ese pueblo, es decir, sin juntar la historia y la geografía.

Este pueblo es el pueblo hebreo. Los *hebreos* son los descendientes de Heber, un antepasado de Abrahán. Se les llamaba «habiru» o, según la raíz aramea, «ivri», es decir: del otro lado del desierto (árabe-sirio).

Pastores, nómadas, erraban bajo la guía de sus patriarcas, desde Caldea hasta Egipto pasando por Palestina. Su origen se sitúa, probablemente, en los años 2.500 a. C., en *Mesopotamia*, alrededor de Ur, entonces colonia siria.

Uno de aquellos patriarcas, Jacob, apodado Israel\* («fuerte ante Dios»), es el que les dio el nombre de «israelitas».

Fijados en Palestina, después de muchas peregrinaciones –hoy diríamos migraciones–, tras una historia política accidentada, constituyeron *dos reinos*: Israel (capital Samaría) y Judá (capital Jerusalén). Históricamente, los judíos o judeanos son los súbditos del reino de Judá.

Su historia, muchas veces trágica, no les impidió seguir siendo fieles a la religión de sus antepasados, los hebreos, y hasta a la ciudad en la que habían edificado su primer templo. El judaísmo está por consiguiente íntimamente ligado a la historia de los hebreos. Tanto si han vuelto a la tierra de Palestina como si siguen aún dispersos en la diáspora*, los judíos se adhieren al judaísmo en la medida en que se reconocen herederos de esa historia. *El judaísmo es el árbol religioso plantado por Abrahán y por Moisés en Palestina en el siglo XIX y en el siglo XIII antes de nuestra era. Inseparable de una tierra y de un pueblo, es ante todo conocimiento de esa historia.*

### b)   La historia del pueblo hebreo [1]

*Es una historia antigua*, ya que se remonta por lo menos a Abrahán, cuyo nombre se ha encontrado [2] en tablillas que datan de 2.500 años a. C. Tan sólo los chinos y los indios tienen una historia religiosa tan remota.

*Esta historia está geográficamente situada*, al menos en su origen, en el próximo oriente, en la encrucijada entre Asia y Africa. Más concretamente, transcurrió a lo largo del desierto en un largo ir y venir entre el valle del Nilo, el del Jordán, el del Tigris y el Eufrates.

*Esta historia tiene unos arraigos culturales*, precisamente en los comienzos entre la civilización egipcia y la civilización caldea; más tarde, entre la persa y la india, y luego entre Roma y Grecia. Su originalidad es una progresiva decantación de las influencias vecinas.

Los *hebreos*, pastores, labradores, nómadas, eran muy similares a los beduinos del desierto siro-árabe. Su historia se nos narra en el Génesis*.

Es la de la familia de Abrahán, natural de Ur en Caldea, y de las tribus que nacieron de él. Siguiendo la ruta de los pastores, nomadeaban entre la Mesopotamia del norte y Siria hasta que penetraron en Palestina hacia el 1500. Estas montañas y estas estepas estaban pobladas por gente sedentaria cuyo país llevaba el nombre de Canaán. Los hebreos plantaron allí sus tiendas, en el valle de Siquén, en las faldas del Hebrón, junto a los pozos de Bersabé y de Shellal, cambiando los productos de sus rebaños con los de las aldeas, adquiriendo campos...

Hacia el 1700 a. C., empujados por el hambre y atraídos por la fama del rico y acogedor Egipto de los hicsos [3], partieron a instalarse en aquel país. Jacob y sus doce hijos se asentaron en el país de Gosén (cf. Gn 46, 1-7; 47), cuando José, padre de Efraín y de Manasés, ocupaba el cargo de gran visir en la corte del Faraón, e hizo venir a Egipto a Jacob y a toda su familia. «Los hijos de Israel se multiplicaron en Egipto, se hicieron muy numerosos y poderosos, y el país se llenó de ellos».

Luego, una vez muertos Jacob y José, los faraones tebanos suplantaron a los hicsos [4]. Y los hebreos, como inmigrados que eran, se vieron obligados a servir en las duras tareas impuestas por el rey, esclavizados y a veces perseguidos... Uno de ellos, del clan sacerdotal de Leví, salvado de la muerte por la astucia de su madre y educado por la hija del Faraón, recibió el nombre egipcio de Moisés.

En su juventud, habiendo visto a un egipcio golpear a uno de sus correligionarios hebreos, lo mató. Tras aquel homicidio, tuvo que huir y se refugió en la orilla oriental del golfo de Elam, en el país de Madián [5]. Allí vivía otro pueblo, nacido también de Abrahán y de una de sus esposas, Quetura. Moisés se casó con Séfora, hija de Jetró (o Itró), sacerdote de Madián. Y un día, mientras apacentaba el rebaño de su suegro más allá del desierto del Sinaí, el «Dios de Abrahán, de Isaac y de Jacob» le reveló su nombre: Yhwh, «El que fue, el que es, el que será y

[3] Población de invasores llegados de Asia, llamados todavía «pastores», reinaron desde 1785 hasta 1580 a. C., con su capital en Avaris.
[4] El período tebano comienza hacia el 1680 a. C., y cubre las 13.ª, 14.ª, 15.ª, 16.ª y 17.ª dinastías.
[5] O Midyan, cf. Ex 2-3.

[1] Véase *Cronología.*
[2] Descubrimiento hecho en 1975 en Ebla (Siria).

el que hace ser, porque él es». Fue en el monte Horeb, en medio de una zarza que ardía sin consumirse. Yahvé le pidió entonces que volviera a Egipto para hacer salir de allí a los hijos de Israel.

Más tarde, después de las diez plagas de Egipto, habiendo sido heridos mortalmente los primogénitos egipcios, el Faraón permitió a Moisés y a su pueblo dejar el país de Ramsés por Sucot, «en número de unos 600.000 sin contar los niños» (cf. Ex 12, 37).

Guiados por una nube de fuego, atravesando milagrosamente el mar Rojo, bebiendo de las aguas desalinizadas de Mara, alimentados por las codornices y el maná caídos de cielo, los judíos llegaron en tres meses al desierto del Sinaí.

Y fue allí donde, llamado por Yahvé a la montaña, Moisés recibió sus preceptos, lo que se llama tradicionalmente el «decálogo», o «el código de la alianza» (cf. Ex 19-20; Dt 5)... Siguió un largo viaje que se nos narra en el libro de los Números, la muerte de Moisés en el monte Nebo, desde donde Yahvé le mostró «todo el país, desde Galaad hasta Dan, Jericó y Soar», el paso del río Jordán bajo la guía de Josué, la conquista de Canaán, la caída de Jericó (cf. Dt 34; Jos 3.6), y en Siló, hacia el 1200 a. C., el reparto del país entre las doce tribus: Aser, Neftalí y Zabulón, el norte; Isacar, Efraín, Dan y Benjamín, el centro; Judá y Simeón, el sur; Gad y Rubén, la Transjordania; Manasés, las dos partes del Jordán.

La familia de Leví, la tribu sacerdotal de los levitas, recibió de los demás 48 aldeas y sus pastos respectivos (cf. Jos 13-21).

### c) Una historia santa

A cada una de estas grandes etapas de la historia del pueblo hebreo corresponden los ritos y las fiestas importantes del judaísmo, ritos y fiestas que muchas veces sustituyeron a los antiguos cultos populares semíticos.

Pesah (pascua) recuerda la liberación de Egipto y el paso del mar Rojo; Sabu'ot (pentecostés) conmemora la revelación del Sinaí; Sucot (la fiesta de las tiendas) evoca los tiempos en que Israel vivió en las tiendas del desierto; Hanuká (fiesta de las luces) señala la purificación del templo cuando fue abierto de nuevo al culto tras la sublevación de los macabeos. Para recordar la salida de Egipto, antes de la pascua* se come pan ázimo* (sin levadura) y el cordero asado al fuego «con ázimos y hierbas amargas..., ceñidos los lomos, calzados los pies y el bastón en la mano...» (cf. Ex 12, 11).

Esta epopeya de un pueblo, de sus peregrinaciones, de sus destierros, de sus servidumbres, de sus liberaciones y de sus conquistas, constituye una *historia santa*, es decir, la historia de los encuentros de unos hombres con Dios.

Resume lo esencial de la fe judía:

— la revelación progresiva de un Dios único;

— sus promesas y su fidelidad, a pesar de las infidelidades de su pueblo;

— las alianzas sucesivas de Dios con su pueblo;

— la ley que le dio.

## 2. La fe judía

### a) Las revelaciones de Dios

Dios se reveló a su pueblo. Esto significa que, sin mostrarse a los hombres, habló con algunos de ellos y les encargó que dijesen quién era.

Esta revelación de Dios es, en primer lugar, *revelación de su nombre*. Es revelación oral. Dios habla. Es el Verbo. Y los hombres, los patriarcas, los profetas a los que se manifestó, transmiten su palabra. Es la Tradición. Más tarde la pusieron por escrito unos escribas, y se convirtió en el Libro de la palabra, la Biblia*.

### b) Los patriarcas y las alianzas

Los *patriarcas**, a los que se reveló Dios, aparecen a lo largo de la historia de los hebreos. Recordar su aventura es ir señalando al mismo tiempo *las alianzas sucesivas*.

Sin hablar de *Adán*, puesto por Dios en el «jardín de Edén para que lo cultivara y lo guardara», uno de los primeros hombres a los que se dirigió Dios fue *Noé*. Era «un hombre justo, íntegro entre los hombres de su tiempo», y que «caminaba con Dios». Debido a esta «justicia», «encontró gracia a los ojos de Yahvé», que le preservó del diluvio haciéndole construir el arca famosa que encalló en el monte Ararat [6].

Entonces, fiel a su promesa («Estableceré mi alianza contigo»), Yahvé «habló con Noé», le «bendijo a él y a sus hijos», le ordenó que «no comiera la carne de los animales con la sangre, su alma». Luego, mientras aparecía el arco iris en el cielo, le declaró: «He aquí el signo de la alianza que establezco con vosotros y toda alma viviente que os acompaña. Pongo mi arco en las nubes y servirá de señal de la alianza con la tierra» (Gn 9, 12).

El segundo interlocutor de Dios fue *Abrahán* [7]. Era el hijo de Téraj, en Ur de los caldeos, de donde «salieron para ir al país de Canaán», pero se establecieron en Jarán, donde murió Téraj.

Fue allí donde Yahvé dijo a Abrahán: «Deja tu país, tu familia, la casa de tu padre por el país que yo te mostraré. Quiero hacer de ti una gran nación, bendecirte y hacer grande tu nombre».

Mucho más tarde –Abrahán tenía 90 años–, mientras vivía en el encinar de Mambré, «que está en Hebrón», Yahvé lo llamó y le dijo: «Yo soy el Todopoderoso: camina ante mí y sé perfecto; estableceré mi alianza contigo y serás el padre de una muchedumbre de pueblos, de generación en generación... Te daré a ti y a tu descendencia detrás de ti el país en que vives como extranjero... como posesión perpetua...» (cf. Gn 17, 1-8). Luego, como había hecho con Noé, Dios le dio a Abrahán *un signo* de esta alianza: la circuncisión de los varones. «La circuncisión de la carne del prepucio será el signo de alianza con vosotros».

El tercer patriarca con el que Dios renovó su alianza fue *Moisés*. El libro del Exodo narra su historia y sus conversaciones con Dios. Pero fue después de la salida de Egipto, mientras los hebreos acampaban en el desierto del Sinaí, cuando «Moisés subió a Dios» en el monte Nebo y recibió de él el doble signo de la nueva y definitiva alianza: el sábado y la ley.

Yahvé, desde lo alto de la montaña, en el trueno, las llamas y el sonido de la trompeta, que mantenían al pueblo a distancia, se dirigió a Moisés para que transmitiera sus palabras a los hijos de Israel.

La revelación mosaica confirma la alianza: «Si respetáis mi alianza, seréis míos entre todos los pueblos, os convertiréis para mí en un reino de sacerdotes y una nación santa». Y le añade tres complementos: el sábado, un código de alianza y un santuario para los sacrificios.

El *sábado* es mucho más que un día de descanso, «el día séptimo, en que no harás ningún trabajo, ni tú, ni tu hijo, ni tu hija, ni tu servidor, ni tu esclava, ni tu ganado, ni tu huésped extranjero». Recuerda «el descanso de Yahvé» después de los seis días de la creación. Está destinado por tanto a «santificar» el nombre de Yahvé. Está consagrado a él como signo de la perfección de la creación divina.

El *código de la alianza* está constituido por lo que llamamos habitualmente el «decálogo» o «los diez mandamientos». Según lo mandado por Yahvé, Moisés «escribió en su presencia, en las tablas, las diez palabras de la alianza».

Es la ley –la Torá*– del hombre que repudia los ídolos para reconocer a un solo Dios, señor único de la sociedad de Israel. Esta sociedad ha recibido sus reglamentos de Dios mismo. Y es esta especie de carta divina la que lo establece como nación, como reino elegido de Yahvé.

Para guardar esta ley, signo de la presencia de Yahvé en su pueblo, Moisés, por mandato divino, ordenó la construcción de un *santuario*, con un «altar» consagrado «para los holocaustos» e instituyó unos sacerdotes encargados de cumplir los sacrificios.

Otras muchas prescripciones están recogidas minuciosamente en los libros del Exodo*, del Levítico y luego del Deuteronomio. Se refieren al culto y

---

[6] Unos aviadores habrían divisado sus restos a lo largo de la segunda guerra mundial y otras expediciones más recientes habrían descubierto sus vestigios.

[7] Fue el mismo Yahvé el que cambió el nombre de Abrán en el de Abrahán (Gn 17, 5).

a los sacerdotes, a la vida religiosa y social, a las fiestas...

Pero lo esencial de la alianza mosaica es la elección que Dios hace una vez más en el seno mismo del pueblo que ya había escogido para sí con Abrahán. Una tribu, los levitas, y una familia, la de David, son elegidos para que Israel quede consagrado a su Dios. Mediante el culto que le rindan, servirán de mediadores entre Israel y Yahvé. Nunca dejarán de recordarles a los dos su alianza, el pacto establecido en el Sinaí. Gracias a ellos, el pueblo se acordará de los mandamientos de su Señor. Y Yahvé recibirá los sacrificios de sus fieles.

¿Quién es ese señor? ¿Quién es el dios de Israel?

Un Dios que se revela progresivamente, diciendo su nombre a sus profetas.

### c) El nombre de Dios

*El nombre de Dios* es de hecho impronunciable. Le pertenece a él y se confunde con su identidad.

Por eso, durante siglos, el hombre no lo nombró. En las tradiciones más antiguas, se le designa con el término de «El» (Alá), que quiere decir: príncipe, héroe, señor... Ante su aparición, el hombre se postra en tierra, se cubre el rostro, se mantiene aparte so pena de muerte.

Emite una luz tan grande que, cuando Moisés se encuentra con él, su rostro queda iluminado, transfigurado... El pueblo, al pie de la montaña, no lo ve más que como una humareda, no lo oye más que como un trueno. Es que, cuando Dios se aparece, es como una llama en la zarza que no se consume (Ex 3, 2) o en «una nube densa»... «Yahvé habla en el fuego» (Is 66, 15). Su palabra arde.

Pero habla a los que ha escogido. Revela su nombre a Abrahán. Un nombre impronunciable: un tetragrama Y H W H, al que se añadieron mucho más tarde las vocales de Adonai (señor), para hacer de él Jehovah: «Yo soy Yhwh, el que te hizo salir de Ur de los caldeos». Yo soy el que soy. Es casi lo mismo que repitió a Moisés en el Sinaí: «Yo soy Yhwh, tu Dios, el que te sacó del país de Egipto, de la casa de la servidumbre...». Le reconocen todos los profetas,

como Isaías: «Celebraré las gracias de Yhwh, las hazañas de Yhwh, todo lo que ha hecho por nosotros...» (Is 63, 7).

A través de estas revelaciones, se dibuja la imagen del dios de los judíos.

#### • El es el totalmente otro

Enteramente distinto de los hombres. No se parece a nada de cuanto existe. Por eso está prohibido hacer imágenes suyas. Totalmente distinto, lo es también en relación con los dioses que rodean al pueblo judío: ídolos tallados materialmente o moldeados imaginariamente según la idea que los hombres se hacen de la fuerza, del poder de una divinidad. Este es, por otra parte, su primer mandamiento: «No harás frente a mí dioses de plata ni dioses de oro». Y: «El mayor pecado es hacerse un dios de oro».

Totalmente otro, no está sometido a ninguno de los cambios, de los apetitos, de los avatares, de las identificaciones con las fuerzas de la naturaleza que caracterizan a los dioses animistas, hindúes o egipcios.

#### • Es uno

Aunque no era desconocida la idea de un Dios «uno», por ejemplo entre los babilonios, adquiere toda su fuerza en el caso de Yahvé. Dios es único. Dios es uno. Se lo repite a los profetas cada vez que se dirige a ellos.

#### • Es el creador de todas las cosas

El cielo, la tierra, las aguas, la luz, los vegetales, los animales salvajes y los domésticos... Y finalmente, «creó al hombre a su imagen..., varón y mujer». El hizo todas las cosas, y vio que todo era «bueno».

Pero este soberano supremo y absoluto no quiere ser un extraño para el mundo que ha creado. No cesa de preocuparse de él. Interviene en la historia de sus criaturas.

## • Es el que se revela progresivamente

Su carácter esencial es ser un dios que habla, desde Adán hasta Moisés, desde Isaías hasta Amós. En cada ocasión va renovando sus promesas, estimulando al pueblo, quejándose de él; amenaza; anuncia calamidades o liberaciones... «Desde lo alto del cielo, ve a todos los hijos de los hombres... Se muestra atento a todas sus acciones». Su palabra es presencia y compromiso.

## • Es el que da la vida

Tanto si se aparece a Noé como si se manifiesta a Abrahán, lo hace para prometerles fecundidad y «numerosa posteridad». Gracias a Agar, le suscita un hijo a Abrahán a sus 86 años y hace que tenga un hijo Sara a los 90 años. Le proporciona a su pueblo «una tierra ancha y excelente, que mana leche y miel». Más aún, los que le buscan «viven para siempre» (Sal 22).

## • Es un Dios de justicia

«¿Hay mejor nombre para Yhwh que el Dios justo, el único justo?». Así es como lo reconoce Abrahán, el padre de los creyentes, en el Génesis. «No soy más que polvo y ceniza. Mi rey es justicia» (Gn 18, 27). «El ama la justicia y el derecho» (Sal 33; cf. también Sal 5 y 34). Y cuando escoge a un hombre para salvarlo de su cólera, como a Noé, es porque se trata de un «hombre justo».

Yahvé recompensa a «los que le temen». «Nada les falta a los que buscan a Yahvé». Pero «su rostro está contra los que obran mal»; «castiga la falta de los padres en los hijos y en los nietos»; «odia a los que obran la iniquidad», y, si pecan contra él, «los poderosos conocen la pobreza y el hambre».

Continuamente se le implora con las palabras del salmista [8]: «¡Oh Dios, que haces justicia a los que te invocan y ponen en ti su confianza...!».

## • Es el Dios que libera

Afectado por la «desgracia de su pueblo», desciende para liberarlo de Egipto. No cesa de recordarlo cuando se presenta a Moisés: «Yo soy Yahvé, tu Dios, que te sacó del país de Egipto, de la casa de la servidumbre». Pero aquello no es más que un ejemplo. A lo largo de los siglos, él «da una casa a los abandonados... Conduce a los cautivos a la prosperidad» (Sal 68). Es el que «salva», la «roca», el «escudo», el «refugio», la «fortaleza», la «salvación», la «muralla»...

Dios, finalmente, se designa por sus actos. Por lo que hace en beneficio de su creación y de los hombres, sus hijos. Es lo que nos indican sus palabras a los patriarcas y a los profetas, a través de la letanía de «sus hazañas». El Dios de Abrahán y de Moisés es un dios que se compromete en la historia de los hombres. Establece con ellos una alianza que no deja de renovar.

Pero con especial predilección se compromete en favor de los «pobres», de los «esclavos», de los «humildes». Es él el que «levanta a los humildes y derriba en tierra a los malvados». Esta expresión del salmo 147, recogida del cántico de Ana (1 Sm 2, 1-10), fue repetida por María en su respuesta a Isabel en el Magnificat (Lc 1, 46-55). Y este texto magnífico es como un resumen de la concepción judía más elaborada sobre Dios. El «Altísimo» es también «el padre de los huérfanos, el protector de las viudas» (Sal 68, 6; 35; 23). El quiere «la felicidad de su siervo». Es un «buen pastor». Y, finalmente, «Yahvé es *nuestro padre*» (Is 64, 7).

### d) La alianza

En retorno, Yahvé espera del hombre: atención, confianza, fidelidad y sobre todo conversión.

La historia de las relaciones de Dios con su pueblo es la de una confianza recíproca. Dios habla y, a ejemplo de Abrahán y de Samuel, el hombre responde: «Habla, Señor, que tu siervo escucha» (1 Sm 3, 10).

Como hemos visto, cada una de estas grandes revelaciones de Yahvé es un recuerdo de la alianza.

---

[8] El autor de los salmos, tradicionalmente identificado con el rey David.

Doble recuerdo: el de Dios que renueva sus promesas envueltas en amenazas, en advertencias y en consolaciones. Y el de los profetas que piden a Dios que «se acuerde de la promesa hecha a sus padres». Es lo que hace, por ejemplo, Moisés cuando Yahvé está encolerizado contra «el pueblo de dura cerviz», que adora al becerro de oro: «Acuérdate de Abrahán, de Isaac y de Israel, tus siervos, a los que juraste por ti mismo: multiplicaré vuestros descendientes... Calma el ardor de tu cólera y arrepiéntete del mal que quieres hacer a tu pueblo...». Del mismo modo, el salmista y otros muchos se atreven a reprochar al Dios de la alianza: «Has rechazado, has desdeñado y te has irritado contra tu ungido. Te has cansado de la alianza que has establecido con tu siervo... ¿Hasta cuándo te abrasará como el fuego tu furor?» (Sal 89, 40).

Es que los judíos saben muy bien que «la bondad y la fidelidad caminan delante» de Yahvé. A pesar de sus muchas infidelidades, Dios es *fiel* para siempre con lo que les ha prometido.

La alianza es irreversible, eterna. Se la compara muchas veces con la unión indisoluble del esposo y la esposa. «Me desposaré contigo para siempre; tú serás mi desposada por la rectitud y la justicia, por la bondad y el cariño; serás mi desposada en toda lealtad, y entonces conocerás al eterno» (Os 2, 21-22).

Para poder ser fiel a esta alianza, el hombre, que es frágil, necesita una *perpetua conversión*. Necesita periódicamente apartarse de los ídolos para volverse al dios de sus padres. Y periódicamente, Yahvé envía profetas a su pueblo para que su pueblo, repudiando sus pecados, vuelva a encontrar el camino de la paz con su creador.

Es Moisés el que obtiene el perdón de Yahvé y una nueva alianza después de que el pueblo sacrifica al «becerro de oro». Y es también Moisés el que sirve de intercesor cuando «el pueblo murmura contra él y contra Yahvé».

«No seguiré estando con vosotros si no suprimís el anatema de en medio de vosotros», dice ese «dios celoso» a Josué. Y, en su nombre, Samuel exhorta a la «casa de Israel»: «Con todo vuestro corazón volved a Yahvé; quitad de en medio de vosotros a los dioses extranjeros..., dirigid vuestro corazón a Yahvé y servidle sólo a él...» (1 Sm 7, 3). Del mismo modo, Natán reprende al rey David: «¿Por qué has despreciado la palabra de Yahvé, haciendo lo que está mal a sus ojos?». «Lavaos, purificaos; quitad vuestras malas acciones de delante de mis ojos; dejad de obrar mal, aprended a obrar bien...», dice Dios por labios de Isaías (Is 1, 16). Y por los de Ezequiel: «Convertíos, renunciando a todas vuestras infidelidades, y que nada os haga caer en el pecado... Haceos un corazón nuevo y un espíritu nuevo... ¡Convertíos y viviréis!» (Ez 18, 30-32)...

Dios no deja de llamar a su pueblo para que venga a él, como un pastor a sus ovejas: «Vuelve, Israel, al eterno, tu Dios, pues sólo estás caído por tu pecado» (Os 14, 2-6)... Porque lo que él quiere es su salvación. El hombre es su testigo. *El destino del hombre* es atestiguar, mediante su incesante conversión, que Dios es. Y se trata de un testimonio colectivo. Israel es el pueblo de Dios. El que, por su fe, sus instituciones, manifiesta en medio de los demás la existencia de Dios. Es el pueblo responsable de Dios entre los hombres.

La respuesta del hombre a Dios se resume en la que dio a Moisés: «Haz de nosotros tu posesión». El mundo ha sido creado para ser reino de Dios. E Israel ha sido escogido para ser «un árbitro entre las naciones y el instructor de pueblos numerosos» (Is 4, 2-4). Es aquel por medio del cual llega al reino de Dios. Tal es su fe profunda, repetida a cada paso en la Biblia.

### e)  La Biblia

Es el libro por excelencia. O más exactamente, la colección de libros sagrados. Son libros testigos de Dios mismo. Escritos por los hombres, son igualmente inspiración del Espíritu de Dios, son la *palabra misma de Dios*.

Ciertamente, tienen el estilo de una época y de un lugar; las imágenes, la poesía del oriente antiguo; pertenecen a diversos géneros literarios y están marcados por la personalidad de sus autores. Además, difieren según el ambiente de aquellos a los que van destinados. Por tanto, pueden ser leídos como libros de historia, como testimonios de una cultura pasada, como literatura de un pueblo particular.

Pero, para los creyentes, esta humanidad no les impide revelar otra cosa; son un texto sagrado por el que Dios manifiesta su persona y su ley. Este texto está autentificado por la autoridad de los rabinos o de las Iglesias.

Para los judíos*, sólo cuenta la Escritura en hebreo. No cesan de meditar y de comentar sus más pequeños pasajes. Literalmente puede decirse que se alimentan de ellos [9].

• *Su composición*

La Biblia judía comprende 39 libros clasificados en cuatro grupos de una manera no cronológica [10]:

1. El *Pentateuco*, así llamado porque está formado de cinco libros que constituyen la ley de Moisés, en hebreo la Torá. Estos cinco libros son el Génesis, el Exodo, el Levítico, los Números y el Deuteronomio.

— El *Génesis* es, por una parte, el relato poético de la creación del mundo; por otra, la historia de los patriarcas. Estas dos partes revelan el designio de Dios sobre la creación: la elección que hace de unas personas bendiciéndolas, el triunfo de su amor creador sobre la nada y el pecado. Una sola ley: la circuncisión, primer signo de la alianza.

— El *Exodo* es a la vez relato y leyes. Tres relatos conducen a tres leyes:

el primero recuerda la salida de Egipto, que será conmemorada por la ley de la pascua (Ex 11-12, 43);

el segundo es la marcha hacia el Sinaí, que concluye con el decálogo (Ex 19-20, 17);

el tercero es el episodio del becerro de oro con las nuevas tablas de la alianza, después de que Moisés rompió las primeras en su cólera (Ex 32-34). Su sentido es claro: Dios libera a su pueblo de la esclavitud y de la idolatría. Es el misericordioso salvador, si el hombre no cuenta más que con Yahvé y con su ley. Porque la ley de Dios es liberadora.

— El *Levítico* fija las instituciones y los ritos. Regula la vida social y religiosa. Establece instituciones religiosas con el ritmo de las fiestas y de las prescripciones.

— Los *Números* mezclan el relato de las emigraciones del pueblo, las leyes y las tradiciones. El pueblo murmura y desobedece. Dios muestra su severidad.

— El *Deuteronomio*, nuevo código de leyes, de discursos, de reformas, revela la penetración del mensaje de Moisés: Dios único, invisible, es un padre para su pueblo. Su ley es una pedagogía para guiarlo a la verdadera felicidad.

2. Los *primeros profetas*. Esta segunda colección, llamada en hebreo *Nebiim richonim*, recoge los libros de Josué, de los Jueces, de Samuel y de los Reyes.

— El libro de *Josué* narra la conquista de la tierra prometida, describe el país y la manera como fue repartido entre las tribus. Pero muestra sobre todo el sentido religioso de esta aventura: Dios cumple su promesa; combate con sus fieles. Y en Siquén, el pueblo escoge solemnemente «servir a Yahvé» y sólo a él.

— El libro de los *Jueces* subraya la importancia religiosa de los sucesos acaecidos después de la muerte de Moisés. Es un período de agitaciones: «Aquellos días, no había rey en Israel; cada uno hacía lo que era bueno a sus ojos». Pero Dios sigue guiando a su pueblo, con sus castigos y sus beneficios.

— Los dos libros de *Samuel* y los dos libros de los *Reyes* refieren la historia de la instauración de los reinados de David y de sus sucesores, desde Salomón hasta Sedecías. Son libros históricos, verdaderos documentos claramente distintos de las profecías y de los relatos de milagros. A través de esos anales, aparece una vez más la larga paciencia de Yahvé en la educación de su pueblo. A lo largo de ellos, persiste la esperanza en la venida del mesías.

---

[9] Fue después de la caída de Jerusalén cuando el judaísmo fijó su canon de libros sagrados. En el siglo III, los textos hebreos fueron traducidos al griego (versión llamada de los Setenta).

[10] La Biblia católica cuenta con otros siete que habían sido escritos en griego: Judit, Tobías, 1 y 2 Macabeos, Sabiduría, Eclesiástico y Baruc.

3. Los *segundos profetas*: en hebreo son los *Nebiim aharonim*, los que vienen a continuación. Hay tres importantes: Isaías, Jeremías, Ezequiel, y luego otros doce, desde Oseas a Malaquías.

— *Isaías*, el «consolador de Israel», anima a los desterrados de Babilonia anunciándoles la liberación y el aplastamiento de los ídolos. Les recuerda la promesa de salvación, la vuelta a Jerusalén y el juicio de los impíos. Con el siervo doliente de Yahvé llegarán «los nuevos cielos y la nueva tierra».

— *Jeremías*, sometido a una dura prueba, maltratado, encarcelado, predica contra la corrupción universal que está pidiendo un castigo divino. Pero, en el seno de sus sombrías predicciones y de sus propios sufrimientos, da testimonio de la esperanza en la alianza: «Llegan los días en que Yahvé hará germinar a David un germen justo, que ejercerá el derecho y la justicia en la tierra».

— *Ezequiel*, deportado, anuncia también al mismo tiempo la ruina y la llegada de un nuevo David, pastor de las ovejas de Israel. «La persona que peca, ésa morirá». Pero Dios «no quiere la muerte del impío, sino que se aparte de su camino y que viva. ¡Convertíos, convertíos!» (Ez 33, 10-11).

— Entre *los «doce»*, los más conocidos son *Oseas*, seguro de que el amor de Dios acabará imponiéndose; *Amós*, el denunciante de las injusticias sociales; *Miqueas*, el profeta del mesías-salvador, el pastor salido de «Belén-Efrata».

4. Los *escritos*, o *Ketubim*, que podríamos traducir por «varios» (!). Son los tres libros poéticos de *Job*, de los *Salmos* y de los *Proverbios*; los cinco libros de poesía o sapienciales: el *Cantar de los cantares*, el libro de *Rut*, el de *Ester*, las *Lamentaciones* y el *Eclesiastés*; finalmente, *Daniel, Esdras, Nehemías* y las *Crónicas 1 y 2*.

— Se conoce generalmente la historia de *Job* y de sus desgracias sucesivas. Inocente, apela a Dios que responde con el despliegue de sus obras y maravillas. Job se inclina ante Dios. Pero este texto magnífico ofrece una triple enseñanza: la sabiduría de Dios no es la de los sabios; la virtud no es forzosamente recompensa por el éxito terreno; y el sufrimiento puede ser una pedagogía.

— El *Cantar de los cantares* es también muy conocido. Es una serie de cantos amorosos en donde se puede ver la exaltación de un amor profano. Para el creyente, es la imagen del amor de Yahvé, el esposo, a su amada, la nación que él ha escogido y que se entrega a él [11].

— El *Eclesiastés*, un libro más tardío, es una reflexión sobre la sabiduría y la felicidad. «Conclusión»: teme a Dios y guarda sus mandamientos. Ahí está todo el hombre».

### f) Los artículos de la fe

Los mandamientos de Dios son uno de los elementos de la profesión de fe codificada por Maimónides de Córdoba, a finales del siglo XII. Se resume en *trece «principios y fundamentos»* relativos a Dios, a la revelación, al mesianismo y a los fines últimos.

1. Creer en la existencia de un Dios, ser perfecto que lo ha creado todo y que gobierna todo cuanto existe. Su no-existencia es inconcebible.

2. Creer en la unidad absoluta de Dios, unidad innominable e indivisible.

3. Creer que ese Dios único no es ni un cuerpo ni una fuerza, sino un Espíritu que no puede ser representado.

4. Creer que sólo ese Dios es eterno, sin comienzo ni fin.

5. Sólo a él hay que exaltar, rezar, obedecer, servir, con exclusión de cualquier otro: astros, elementos, sabios...

Esta profesión de fe se basa en el versículo del Deuteronomio que pronuncia el joven en el momento de su *Bar-mitzwá** y que recuerda continuamente el judío piadoso: «El Señor es nuestro Dios, el Señor es uno».

Además, la revelación proclama:

6. Hay profetas que, por su perfección, recibieron la inspiración divina. Sus palabras (la Biblia) son verdad.

---

[11] Para los cristianos, es también el amor de Cristo a su iglesia, el de Dios al alma escogida.

7. Moisés fue el mayor de todos los profetas: trató directamente con Dios.

8. Toda la Torá fue dada por Dios a Moisés; es totalmente perfecta y santa.

9. Esta ley, emanada de Dios, no puede completarse ni disminuirse por nadie.

Finalmente, ser judío es creer en el mesías y en un mundo venidero:

10. Dios conoce todas las acciones y pensamientos de los hombres y no es indiferente a ellos.

11. Recompensa al que cumple los mandamientos de la ley y castiga al que falta a sus prohibiciones. La recompensa suprema es el mundo futuro; el castigo es «la separación».

12. Vendrá el mesías anunciado por los profetas y, sin calcular la fecha de su llegada, hay que esperarlo, aunque tarde. Su realeza se impondrá sobre todos los reyes, y la realeza legítima pertenece a la dinastía de David.

13. En la hora escogida por Dios, los muertos serán llamados de nuevo a la vida.

Esta es la doctrina del judaísmo, sacada de la Biblia, pero repensada por la filosofía.

### g) La moral

Esta fe, muy sencilla, centrada por completo en la ley, se prolonga y se encarna en un conjunto de mandamientos que regulan todos los actos del judío creyente. El fundamento de esta moral es desde luego el decálogo de las tablas de Moisés. Pero, a partir del Pentateuco, se le fueron añadiendo una serie de prescripciones relativas a la vida diaria, desde el amanecer hasta la noche, a la alimentación, el matrimonio, los funerales, las purificaciones... Se señalan hasta 613. También es sabido que algunos rabinos refinan y complican excesivamente estas obligaciones y prohibiciones.

Más simplemente, David enuncia *once virtudes*: la rectitud, la justicia, la verdad, el horror a la maledicencia, a la malicia, a la injuria, el desprecio por el impío, la estima del justo, el respeto a los juramentos, el préstamo sin interés, la incorruptibilidad. Isaías las reduce a seis. Y Miqueas a tres. Finalmente, Habacuc condensa toda la moral en

---

## DECALOGO

No tendrás más Dios que a Yahvé....

No te harás imágenes talladas, no te postrarás ante ellas ni las servirás...

No tomarás el nombre de Yahvé, tu Dios, para engañar...

Acuérdate del día del sábado para santificarlo... No harás ningún trabajo..., porque el día séptimo pertenece a Yahvé, tu Dios...

Honra a tu padre y a tu madre, para que se prolonguen tus días...

No cometerás homicidio.

No cometerás adulterio.

No robarás.

No darás falso testimonio contra tu compañero.

No desearás la casa de tu compañero, ni la mujer de tu compañero, ni su siervo, ni su sierva, ni su buey, ni su asno, ni nada de lo que le pertenece, (según Ex 20 o Dt 5-6).

## PLEGARIAS

Bendito seas, Adonai, Dios de Abrahán, Dios de Isaac y Dios de Jacob; Dios altísimo, autor del cielo y de la tierra, nuestro escudo y escudo de nuestros padres, nuestra confianza de generación en generación. Bendito seas, Adonai, escudo de Abrahán *(Bendición del día del sábado)*.

Escucha, Israel: el eterno, nuestro Dios, el eterno es UNO. Bendito sea para siempre el nombre de su reino glorioso. Amarás al eterno, tu Dios, con toda tu alma, con todo tu corazón y con todo tu poder *(Semá, confesión de fe sacada del Deuteronomio, recitada varias veces al día)*.

una fórmula que se ha hecho universalmente célebre: «El justo vive por la fe».

Así, toda la moral está centrada en una trilogía de virtudes: el estudio de la ley, la observancia de los mandamientos y la práctica de la justicia con el prójimo.

A estas tres virtudes corresponden tres pecados capitales: la idolatría, el libertinaje y el homicidio.

Al final de esta historia y de este rápido examen del libro fundador del judaísmo, resulta posible dar de él la definición que íbamos buscando.

El judaísmo es la religión de la Torá, es decir, la religión de una ley dada por Dios a Israel, su pueblo.

Como toda religión, también el judaísmo se expresa en unos ritos.

## 3. Ritos y fiestas

Como todo el judaísmo, estos ritos y estas fiestas no se pueden comprender fuera de la historia del pueblo judío.

Ha habido dos grandes períodos, que se ordenan en torno a la existencia del templo.

Cuando el templo está en pie, es el *sacerdote* el que oficia el *sacrificio*, rito esencial. Cuando ha desaparecido el templo, los ritos se desplazan a la *sinagoga**, con el *rabino** y la enseñanza de la *Torá*.

### a) El primer templo

En los antiguos tiempos, el edificio religioso por excelencia es el *templo de Jerusalén*. Es «la casa de Yahvé». Su construcción se inscribe en una tradición oriental clásica. Es Dios el que le da al rey la orden de construirlo según sus indicaciones. Siguen el relato de la construcción a base de trabajo obligatorio del pueblo, y luego la descripción del templo una vez acabado. Viene finalmente la narración de la procesión que trae a Dios –en nuestro caso, la Torá– a su morada, en donde recibe el homenaje del rey, de los sacerdotes y del pueblo (cf. 1 Re 5s).

El primer templo fue obra del rey Salomón, el año 971 a. C. Se levantaba en el monte Moria, adquirido por David y en el que habría tenido lugar el sacrificio de Isaac. El director de las obras fue Jirán de Tiro. Su construcción, con madera del Líbano, duró 7 años y movilizó a 170.000 obreros y 3.300 oficiales.

Rectangular, estaba precedido de un patio, en donde se encontraba, delante del pilono, el altar de los holocaustos. La fachada estaba adornada de columnas. Se entraba primero en una gran sala alargada, el *hekal* [12], que recibía luz por arriba, gracias a unas claraboyas. Allí estaba la mesa con los panes de la proposición que se renovaban cada día, el candelabro de siete brazos y el altar de los perfumes. Venía a continuación una especie de reducto cerrado, el *debir*, o Santo de los Santos, es decir, el lugar donde estaba depositada el arca de la alianza. Alrededor, en tres pisos distintos, había diversas habitaciones para los servicios del templo.

Levantado de nuevo por Zorobabel y reconstruido por Herodes, que multiplicó los patios, el templo quedó definitivamente destruido tras el asedio y la toma de Jerusalén por Tito en el año 70 de nuestra era. Hasta su desaparición, siempre parecido a la concepción primitiva, sirvió fielmente al cumplimiento de los ritos prescritos por el Levítico. Entre ellos, el más importante era el sacrificio.

### b) El sacrificio

Es la expresión arcaica de la ley primitiva de todas las religiones. Pero no se le puede separar de la fe fundamental del judaísmo. La manifiesta y la refuerza. El Dios de los patriarcas, Dios todopoderoso, creador de todas las cosas, es el propietario del mundo. Todo le pertenece: el universo, la tierra y las criaturas que la pueblan. Todo se lo ha dado a su pueblo, lo cual significa que el hombre tiene que reconocer ante todo este don, esta deuda.

---

[12] Veinte codos de ancho, sesenta de largo y treinta de alto.

Así, pues, *el sacrificio es reconocimiento de una deuda.* Es tanto un deber de justicia como un acto de adoración. Por el rito sacrificial, en sentido propio, el hombre judío le da a Dios lo que le debe. Confiesa que no es más que el usufructuario de los bienes que pertenecen a Dios, el administrador del señor del universo [13].

En su origen, el sacrificio es sin duda humano, como lo demuestra la inmolación de Isaac por Abrahán. Pero Yahvé, después de aprobar su obediencia, le presentó el carnero que, en adelante, serviría de *víctima.* Moisés confirmó esta sustitución por un animal, y la Biblia habla a continuación de sacrificios de novillos, de cabras, de palomas.

De este modo, ya en Galaad, el tratado que fijaba las fronteras entre Canaán y la llanura quedó sellado por un sacrificio: «Abrahán tomó una novilla de tres años, una cabra de tres años, una tórtola y una paloma; puso cada parte una frente a otra, pero a los pájaros no los dividió». Y Dios, bajo la forma de fuego, pasó entre los trozos, manifestando de este modo que le agradaba aquel sacrificio.

Este tipo de sacrificio no es solamente sustitutivo de lo que el hombre le debe a Dios. Es también *llamada al testimonio de Dios.* Es Yahvé el que aprueba y consagra los acuerdos entre los hombres.

También en este caso, el sacrificio revela otra cara de Yahvé. Yahvé es verdadero. Yahvé es la verdad. No engaña nunca a su criatura, y no se le puede engañar. Llamándolo por el sacrificio como testigo de la historia de su pueblo, él garantiza que esta historia es también la suya.

Pero quizás haya que recordar los antiguos ritos del tiempo de los patriarcas. Porque son los que explican esta misma creencia.

En la época del templo se distinguían dos clases de sacrificios:

— el primero era *el holocausto.* Sólo tenía lugar en circunstancias solemnes, como el día del gran perdón, con una finalidad concreta, por ejemplo el rescate de los pecados del pueblo. Consistía en el sacrificio de un animal, consumido a continuación;

— el segundo era *la oblación,* es decir, la ofrenda de un alimento, como pasteles, o de animales. Los restos se reservaban para los sacerdotes. Estas ofrendas marcaban la gratitud por una cosecha, por un nacimiento, por una curación, o el cumplimiento de un voto.

### c) La circuncisión

Es un rito esencial, próximo al sacrificio, pero practicado siempre. Como hemos visto, la circuncisión es *signo de alianza* con Yahvé. Pero señala igualmente la pertenencia del «circunciso» a Dios. Por medio de su circuncisión, el joven varón atestigua a la vez que ha sido designado, escogido por Dios, y que forma parte de su pueblo.

El origen de la circuncisión se remonta a Abrahán, después de que Yahvé le suscitara un hijo por medio de su esclava Agar (Gn 17, 9-14). Quedó luego codificada en la ley de Moisés: «Que sea circuncidado entre vosotros todo varón. Y que seáis circuncidados en cuanto a la carne de vuestros prepucios; que sea como signo de la alianza con vosotros. Que sea circuncidado entre vosotros todo varón a los ocho días de nacer... Así, mi alianza en vuestras carnes será como una alianza eterna. Todo varón con prepucio, que no sea circuncidado en la carne de su prepucio, será separado de su pueblo porque ha roto con mi alianza».

Esta exigencia se extendió también a Ismael, el patriarca de los árabes. Y desde entonces también los musulmanes hacen circuncidar a sus hijos cuando llegan a los 7 años. Finalmente, en virtud de la ley, también Jesús fue circuncidado y, desde el siglo IV, el aniversario de esta circuncisión pasó a ser una fiesta de la Iglesia católica.

### d) El segundo templo

La vuelta a Jerusalén el año 536 a. C., gracias a Ciro y a la reforma de Esdras, «sacerdote y escriba versado en la ley de Moisés», marca un giro en el culto judío.

---

[13] La Biblia y el evangelio recogen con frecuencia esta comparación del administrador.

En efecto, Esdras convocó al pueblo en la plaza mayor de Jerusalén y durante dos días leyó en la asamblea el *Libro de la ley de Moisés*. Entonces el pueblo, derramando lágrimas, ayunó, confesó sus pecados y juró seguir en adelante la ley de Yahvé, su Dios...

Este acontecimiento es el que se designa como «la promulgación de la Torá por Esdras»; se introducen entonces tres modificaciones capitales: fija al judaísmo fuera del templo; desplaza la función del sacerdote por la del oficiante que recita las oraciones, lee y comenta el texto sagrado; finalmente, pone a la Torá en el centro del culto.

Esta reforma es la que le permitió al judaísmo sobrevivir después de la destrucción del templo en el año 70. Reorganizado en Yabné por Yohanán, mantuvo lo esencial: la Biblia y las oraciones, cuyos textos y fórmulas se fijaron por entonces. El judaísmo pasó a ser lo que queda de él: *la religión de la Torá*. Bastaba con un sitio donde guardarla y leerla en común: la sinagoga.

### e)  La sinagoga

No es ya el santuario, accesible sólo a los sacerdotes, sino simplemente, como indica la etimología griega, el lugar en donde algunos se reúnen. Es lo que significa también la denominación hebrea «Bet Hakenneset», la *casa de la asamblea*. Así, pues, la sinagoga no es tanto un lugar de culto, como un edificio para la reunión y la enseñanza. Allí se guarda la tradición y se participa en ella mediante la oración comunitaria [14]. Desde los tiempos de Jesús, cada aldea poseía su sinagoga, y se contaban más de 400 en Jerusalén. La más antigua que se conoce se encuentra en Shedia, cerca de Alejandría, y data del siglo III a. C.

Parecidas a las basílicas greco-romanas, las antiguas sinagogas, vueltas hacia Jerusalén, se edificaban en un lugar eminente o junto al agua viva. Se abrían hacia fuera por tres puertas sin ornamentación. El interior comprendía generalmente una nave central y dos laterales, por encima de las cuales estaban las galerías reservadas a las mujeres, y a las que se accedía por una escalera exterior.

Su parte esencial era y sigue siendo el arca de la Torá, que suele ser un armario situado al oriente. Sobre un estrado llamado «almamón» o «bima» se tienen las lecturas y las oraciones. El arca santa está flanqueada por dos candelabros de siete brazos, pero la ornamentación se limita al pavimento, a los capiteles y a un tablero central decorado en su base con una escena bíblica y por arriba con la rueda del zodíaco y otros símbolos rituales.

Durante las ceremonias, los hombres, con la cabeza cubierta y llevando sobre los hombros el «talit» [15], están de pie en la nave; las mujeres ocupan las galerías laterales. El centro de este culto en la sinagoga lo ocupan la lectura de la Torá y las oraciones.

### f)  La Torá

Concretamente, como hemos visto, está constituida por los cinco libros del *Pentateuco*. Es el centro de la revelación, la *ley*. Pero este término debe comprenderse en dos acepciones:

— en sentido propio, es un *conjunto de prescripciones* sociales, morales y religiosas: un código, unos «mandamientos» cuyo corazón está constituido por el decálogo;

— en sentido religioso, esa ley dice a Dios; es *su palabra*, su llamada a la santidad. Esta santidad es la vocación del pueblo elegido. Es la práctica de la justicia al servicio de la humanidad.

Pero, como todo texto religioso, esta ley, la Torá y sus libros, tiene *una historia*. Ha dado lugar a interpretaciones, a añadidos, que han suscitado corrientes distintas, aunque, emanada de Dios, no puede ni completarse, ni corregirse, ni amputarse.

---

[14] Los askenazíes distinguen entre las sinagogas destinadas a la enseñanza (shuhl) y los lugares de oración, más pequeños, los «stiebel» (camarillas). Pero, apenas se forma un grupo de al menos diez hombres, se puede reunir una «miniane» para rezar.

[15] O Taled, chal de oración.

En efecto, está en primer lugar la *ley escrita*, indiscutible. Y la *ley oral* que, comunicada a Moisés, se va desarrollando y transmitiendo de generación en generación. Mientras que ésta es admitida por los fariseos*, los saduceos* la ponen en duda. Sin embargo, su interpretación no es libre; se inscribe en una continua meditación que no tiene más objetivo que el de escudriñar más fielmente la ley de Yahvé. Este largo estudio es el que desembocó, ya hacia el año 200 [16], en una enseñanza unánimemente aceptada, la *Misná*, y, un poco más tarde [17], en una colección de «estudio», el *Talmud*.

Así, pues, la *Misná* es la enseñanza o la «lectura» redactada en hebreo. Comprende seis secciones que forman 63 tratados y 123 capítulos. Las seis secciones u «órdenes» (sedarim) están consagradas a las semillas (reglamentos y bendiciones), a las estaciones (fiestas), a las mujeres, a los daños, a los objetos consagrados, a las cosas puras. El estudio de la Misná forma parte integrante de los deberes religiosos que conducen a la salvación, puesto que es conocimiento de la voluntad de Dios. A partir de la Misná es como el gran rabino y filósofo Maimónides (1135-1204) formuló una especie de resumen de las creencias judías: el *Libro de los preceptos*.

El *Talmud** fija la enseñanza dada por los rabinos palestinos (tannaim) o más tarde los de Babilonia, los «amoras». Por eso se distingue entre el *Talmud de Jerusalén*, acabado en el siglo IV, y el *Talmud de Babilonia*, impreso por primera vez en Venecia en 1520. Reúne dos secciones distintas: las reglas de la existencia que permiten santificar toda la vida –la *halaká*– y una especie de predicación, un conjunto de comentarios y de sentencias –la *haggadá*–. En seis tratados, como la Misná, ofrece una síntesis de la revelación y de las leyes que engloban la totalidad de la vida judía [18].

---

[16] Los dos autores principales de esta obra fueron Aqiba (50-132) y Judá el Santo (135-200).

[17] En el siglo IV, con Yohanan ben Nappaka (199-279), que estableció los fundamentos del Talmud de Jerusalén; luego Rabbina (474-499) para el de Babilonia.

[18] La «summa» teológica del judaísmo está constituida por las obras de Maimónides, *El libro del conocimiento* y *El libro del amor*.

La Torá es tan importante que el judío piadoso no se separa físicamente de ella. La lleva sobre sí, bajo la forma de *filacterias**, pequeñas cajas de cuero negro que contienen pasajes de la Escritura. Se las ata alrededor del brazo izquierdo y alrededor de la cabeza con cintas de cuero negro. Excepto el día del sábado, se llevan las filacterias durante los servicios religiosos de la mañana.

### g) La oración

En el judaísmo, la oración es tan importante como la Torá, a la que incluye. En efecto, es una recitación de pasajes de la Torá y por tanto una adhesión a la ley de Yahvé y una proclamación de la fe. Es también una presencia de Dios en la vida. Toda la vida: individual y colectiva, los días ordinarios y los días de fiesta.

Al mismo tiempo, la oración es sacrificio, que sustituye al del templo. Es decir, un momento, una parte del tiempo dado por Dios y que el hombre le devuelve. Precisamente la imposición obligatoria del talit, el chal de la oración, es para recordar al fiel que su vida está consagrada al servicio de Dios. Ese chal está formado de franjas negras y blancas.

Hay *tres oraciones* que marcan los tres momentos principales de la jornada:

– la oración de la mañana, Saharit, en principio al amanecer;

– la oración del mediodía, o Minha, la ofrenda;

– la oración del atardecer, el Arbit.

Las tres tienen su origen en los patriarcas, Abrahán, Isaac, Jacob, y recuerdan la historia de las liberaciones y de las alianzas entre Dios y el pueblo judío. El saharit de la mañana celebra la salida de las tinieblas y del destierro. En él se proclama el Semá Israel. Las dieciocho bendiciones (Semoné Esré) del mediodía son para dar gracias al Dios de Abrahán que libera, perdona y reina en la luz. Finalmente, la oración de la tarde hace entrar en la paz nocturna, que es también la de Dios.

El día del sábado, se añade a estas oraciones tradicionales la lectura de algunos pasajes de la Torá y algunos himnos. Habitualmente se rezan colectivamente en la sinagoga, pero también se las puede rezar en cualquier lugar, con tal que se haya constituido un grupo de diez hombres mayores de trece años («miniane»).

Pero las oraciones son siempre las de la *comunidad*. Se expresan siempre en plural. Cuando hay un oficiante, es él el que las recita, y el pueblo las ratifica con su «Amin» (amén), puntuando cada fórmula. Es el rabino el que preside la oración comunitaria y el que comenta la Torá.

### h) El rabino

Conviene ante todo recordar o precisar que *el rabino no es un sacerdote.*

El sacerdote judío o *kohen* estaba encargado primitivamente, es decir, desde los tiempos de Aarón, del servicio en el templo: sacrificios, bendición sobre el pueblo, transporte del arca de la alianza, purificación de los enfermos y de los impuros. Escogidos entre los descendientes de Aarón, los sacerdotes constituían por tanto una casta cerrada, hereditaria. Pero desde la destrucción del templo, con el destierro y la dispersión, no es posible decir con seguridad quién es descendiente de Aarón; además, las ceremonias sacrificiales han desaparecido.

Por consiguiente, es el rabino –en hebreo, maestro–, es decir, el doctor de la ley, el que representa un papel esencial en la comunidad judía cuando el retorno del destierro, tras la reforma de Esdras. Es profesor y ministro del culto al mismo tiempo. En otros tiempos, comentaba y explicaba la Biblia y el Talmud. Ha contribuido enormemente a mantener, con el respeto escrupuloso de las prácticas, la identidad de las comunidades judías dispersas a través del mundo.

Hoy el rabino tiene, por un lado, la misión de la enseñanza religiosa, tanto para los adultos como para los niños; por otro lado, representa a la comunidad ante las autoridades civiles de un país. Así ocurría con el «rabino mayor» en la España medieval.

En Francia, en 1809, Napoleón I creó el puesto de gran rabino para los jefes de cada consistorio

regional [19]. El gran rabino de Francia es elegido por una asamblea de rabinos de las diversas sinagogas y de laicos [20]. Son los grandes rabinos los que conceden el diploma de rabino con el que se coronan varios años de estudio en un seminario rabínico. Los rabinos están casados; se les invita a tener numerosos hijos, para cumplir el deber sagrado de procreación.

### i) Las cinco grandes fiestas

Van jalonando el año judío. Todas ellas son conmemoraciones destinadas a recordar ciertos acontecimientos pasados de la historia del pueblo de Israel y las intervenciones de Dios en su favor.

– *Ros Hasana* señala a la vez el comienzo del año y el recuerdo del juicio divino sobre el primer hombre, significando igualmente el de toda la humanidad. Es la ocasión para que el judío practicante se juzgue a sí mismo, que se plantee el problema de su vida y tome las resoluciones debidas. Ros Hasana es el momento de *un gran examen de conciencia*.

Con este examen de conciencia comienzan los diez días de arrepentimiento que, en el mes de Helait, van de Ros Hasana a Yom Kippur.

Prácticamente, Ros Hasana, el día del año israelita, está situado entre nuestro 14 de septiembre y el comienzo de octubre. Anunciado por el sonido del cuerno de macho cabrío, el *dhofar*, dura dos días. Este sonido recuerda el sacrificio de Isaac que, gracias a Yahvé, salvó su vida. Atestigua que Dios está presente en la vida de su pueblo.

Esto mismo significan las *tres bendiciones* de esta fiesta. La primera proclama que «Dios es Dios», la única verdad, y que él es. La segunda asegura que Dios se acuerda de su pueblo y de las alianzas que ha establecido con él. La tercera declara que Dios es el que actúa.

Los diez días que siguen a Ros Hasana, uno de los «días terribles», son los de la *penitencia*. Relacionados con el pecado simbólico del becerro de oro –negación del único Dios verdadero–, están prescritos en el Levítico (23, 23-33). Durante estos «días terribles» se piensa que el mundo entero comparece ante Dios para pedirle perdón por los pecados del año, especialmente por los cometidos contra el prójimo.

El *arrepentimiento* de los creyentes se subraya con el respeto a cinco prescripciones: el ayuno, desde una hora antes de que aparezcan las estrellas hasta el amanecer del día siguiente; la abstención de lavarse, de perfumarse, de tener relaciones sexuales y de llevar calzado de cuero.

– *Yom Kippur* es el día del perdón, el sábado de los sábados con que acaba la década penitencial. Se celebra entre el 24 de septiembre y el 12 de octubre. Es sin duda la fiesta que más se celebra, aquélla en la que muchos israelitas, incluso no practicantes, acuden a la sinagoga. Es el día de la purificación y de la extrema misericordia de Yahvé. Aquel día se suelen llevar vestidos blancos para recordar las palabras de Isaías: «Dios blanquea los pecados».

Es un día de ayuno absoluto que comienza la víspera, al ponerse el sol, y que dura hasta el comienzo de la noche siguiente. El oficio religioso, muy largo, comienza con el «Kol Nidrei» (todos los votos), fórmula que anula los juramentos hechos durante el año y que no pudieron cumplirse. En cierto modo, Yom Kippur marca un nuevo comienzo de todo. Tras la penitencia y el perdón que lo borran todo, el creyente está dispuesto a emprender un año realmente nuevo... El oficio termina con la «Neilá» (el cierre).

– *Sucot* significa la fiesta de los tabernáculos, es decir, de las tiendas. Es una vez más el recuerdo de un episodio de la historia del pueblo hebreo o, más exactamente, el de la intervención protectora de Yahvé mientras su pueblo tuvo que morar en el desierto.

Sucot se celebra a mediados de octubre y dura siete días, siendo los dos primeros días de paro. Durante esos días, los judíos piadosos tenían que dejar su casa para ir a vivir en chozas. De esta manera manifestaban que eran un pueblo en camino, siem-

---

[19] Véase el léxico del final del capítulo.

[20] Un laico escogido por la comunidad puede oficiar y dar la enseñanza religiosa en ausencia del rabino. Hay dos grandes rabinos, perteneciente cada uno a un rito: askenazí y sefardí.

pre dispuesto a seguir la llamada de Dios, sin fijarse en ningún sitio. El creyente es una persona en camino. En espera. Hoy, simplificando este rito, suelen levantar una choza simbólica, por ejemplo en un balcón o en la terraza. Es allí donde toman la comida. También se levanta una choza en el patio de la sinagoga para uso de los que no tienen la posibilidad de levantarla en sus casas.

– *Pesah*, la pascua, es decir, el paso, conmemora uno de los episodios fundamentales de la fe judía: el paso del ángel exterminador, matando a los primogénitos de Egipto, pero dejando en paz a los hebreos. Es también el recuerdo de la salida de Egipto y por tanto del paso de la esclavitud a la liberación. Así, pues, es la gran fiesta de Dios que libera a su pueblo. Pesah se celebra el 15 del mes de Nisán, ordinariamente en abril. Dura siete días; los dos primeros y los dos últimos no se trabaja.

– *Sabu'ot* corresponde a lo que llamamos nosotros pentecostés. La palabra significa «semanas», y Sabu'ot se celebra a las seis semanas, es decir, a los cincuenta días después de Pesah. Esta fiesta, llamada también «fiesta de las primicias», recuerda el don de la Torá en el monte Sinaí. Es una fiesta esencial, en cierto modo la fundamental, ya que es la de la revelación del nombre de Dios. Dura en principio dos días no laborales.

### j) Y las fiestas secundarias

Hay sobre todo otras dos fiestas, aunque de menor importancia, que marcan el año judío: *Purim* y *Hanuká*.

– *Purim* es el recuerdo de otra liberación del pueblo judío: la del persa Asuero gracias a la judía Ester, tal como se nos narra en el *libro de Ester*.

Se distingue entre el «pequeño Purim», o ayuno de Ester, y Purim, aniversario del fracaso del complot de Amán contra Ester.

Purim se celebra un mes antes de Pesah, ordinariamente en marzo. Es un día de ayuno.

– *Hanuká* es la fiesta de las luces o, mejor dicho, de la purificación del templo gracias a los macabeos. Una vez más, un recuerdo histórico: el de la liberación de Jerusalén bajo Antíoco Epífanes, en diciembre del año 164 a. C. Este había erigido en el templo –suprema profanación– la estatua de Zeus. Judas Macabeo se sublevó y, «bajo la guía del Señor», recobró el templo y la ciudad.

Antes de abrir el lugar santo al culto, se renovó todo, se ofrecieron sacrificios y se adornó el santuario con coronas de oro; la *fiesta de la dedicación* duró ocho días, bajo el sonido de cítaras y címbalos. Se volvió a encender el candelabro, y el Talmud nos cuenta que se alimentó durante toda una semana con unas gotas de aceite..., que sólo habrían podido servir para unas horas.

Por eso ahora los judíos encienden cada día durante una semana una vela o una lamparilla, puesta en las ventanas para «publicar el milagro». El más joven es el encargado de encender esa luz. Se canta alrededor de ella y se ofrecen todos regalos y obsequios [21].

Hay que decir además algunas palabras sobre esa fiesta semanal que es el sábado, el día séptimo, en hebreo el *sabbat*, día en que se «descansa».

### k) El sábado

En efecto, ese día conmemora el *descanso de Yahvé* después de los seis días de la creación. Su institución se remonta a Moisés, que lo recibió del mismo Yahvé: es el cuarto mandamiento de la ley. Tenía que ser respetado por todos los moradores de la casa, hasta por los animales. Por eso adquirió otras dos significaciones.

No solamente es imitación y obediencia, sino también consagración del tiempo, creado por Dios, que se le devuelve. Ese día forma parte de la *deuda* de los hombres con su creador. Pero es también una deuda para con los servidores y los animales. El hombre, su intendente, les debe un día de descanso.

En la ley de Moisés, ese descanso se extendía también a la tierra: era el año sabático, cada siete

---

[21] Tiene lugar en diciembre, como la santa Luz en los países nórdicos o las «iluminaciones» de la Inmaculada Concepción en Lyon, el 8 de diciembre.

años. Práctica agrícola del barbecho, era igualmente la ocasión de redistribuir la tierra: *obra de justicia*.

El sábado comienza el viernes por la tarde, al ponerse el sol, y acaba el sábado de noche cerrada. Está marcado por la *prohibición de trabajar*. El Talmud llega a enumerar hasta 39 tareas prohibidas. Hoy, en el Estado de Israel, es un día de paro; no hay transportes públicos; se cierran las tiendas, las escuelas, las oficinas.

Para el sábado, los judíos piadosos se reúnen en la sinagoga en donde tiene lugar una lectura en público del Pentateuco o de los extractos de los Profetas. Predica el rabino.

## l) Las prescripciones alimenticias

Lo mismo que el sábado, las prohibiciones y las reglas relativas a la alimentación forman parte de la existencia habitual de los judíos. Se derivan de las leyes descritas por el Levítico (7, 8-37), que definen los límites entre lo permitido y lo prohibido. Pero, más allá del ritualismo, hay que comprender su sentido profundo. La finalidad esencial es devolver a Dios lo que le corresponde, guardar la parte reservada para él, es decir, la parte sagrada, como la sangre. Socialmente, se trata de preservar la identidad del pueblo elegido. Sus prácticas alimenticias, vitales, tienen que distinguirle de sus vecinos, de los idólatras. Finalmente, hay en ello una preocupación de justicia: no hacer sufrir a los animales.

Están primero las *reglas para matar a los animales*, muy numerosas. No hay que anestesiar al animal, sino sacrificarlo con un cuchillo controlado perfectamente afilado. So pena de nulidad, la traquea y el esófago tienen que ser cortados en un punto preciso. Para ello, en París existen nada menos que treinta matarifes juramentados, controlados por comisiones rabínicas.

Todo lo que se refiere a la *carne* –criatura viva– es especialmente riguroso. Está autorizada –*kaser**– sólo la carne de los rumiantes de pie hendido (bovinos, cabras, ovejas), la de las aves de corral, pichones y palomas, la de los peces con escamas y aletas. Está prohibida la carne de los demás (camellos, liebres, puercos, mariscos, angulas...). Más severamente aún, la grasa y la sangre: «El que coma de una sangre cualquiera, será separado de su pueblo» (Lv 7, 27). Finalmente, está prohibido mezclar la carne con la leche.

Durante las fiestas se aplican unas prescripciones particulares, para recordar los orígenes. Así, en Pesah, sólo está permitido el pan ázimo, es decir, sin sal ni levadura, como en la salida de Egipto. También se prohíben entonces todo alimento o bebida fermentada.

La distinción entre *lo puro y lo impuro* explica también ciertos ritos.

## m) La purificación

Es impuro todo lo que pone en contacto con la muerte o la anuncia; igualmente, todo lo que recuerda la corrupción y, por semejanza, el cambio. Hay que preservarse de ello por los ritos de purificación.

De ahí la multiplicidad de lavatorios, baños, abluciones. Las enfermedades, las menstruaciones, el parto: ésas son las grandes causas de impureza, debido a los «derrames». Hay que purgarse de ellos con sacrificios de animales, con aspersiones de sangre o, más sencillamente, «fregándose las manos, bañándose en agua, lavando los vestidos...» (Lv 15, 5).

Hay baños rituales que marcan la víspera de la boda para las jóvenes; y otros de conversión para los neófitos, así como para el final de las reglas.

Todas estas obligaciones rituales y estas fiestas sólo pueden comprenderse en referencia con los fundamentos mismos de la fe judía: lo absoluto de un Dios de alianza, a quien el hombre se lo debe todo; la originalidad del pueblo judío, aliado y testigo de ese Dios; y la distinción entre lo profano y lo sagrado, es decir, el terreno de un Dios tres veces santo.

Las oraciones, los ritos y las fiestas jalonan la jornada y el año del creyente, recordándole su historia y su caminar incesante, bajo la mirada de

Yahvé, desde las tinieblas a la luz, desde la esclavitud a la liberación.

## 4. El judaísmo contemporáneo

Esta historia se perpetúa a través del mundo, renovada por el retorno y la instalación de numerosos judíos en el Estado de Israel. Y las dificultades y hasta los enfrentamientos que conoce la comunidad judía en la diáspora [22] y hasta en Israel dan testimonio de su vitalidad.

### a) Números y lugares

No es fácil calcular la población judía dispersa por el mundo. Por dos o tres razones. La primera es que en muchos países los judíos no son objeto de un censo particular. La segunda, que numerosos judíos «asimilados» no se proclaman judíos más que en determinadas circunstancias. Finalmente, son muchos los judíos «culturalistas» y no-practicantes.

En el año 1980, la población judía mundial se calculaba entre 15 y 20 millones, probablemente algo más de *17 millones*.

En los Estados Unidos es donde son más numerosos. De cada diez judíos, hay unos cuatro que viven en Estados Unidos. Nueve grandes ciudades americanas contarían más judíos que Israel, en donde hay 3 millones [23]. Detrás de los Estados Unidos y de Israel, el país que comprende la comunidad judía más importante es sin duda la URSS. Según la oficina judía de estadísticas, los judíos serían 2.600.000 en la Unión Soviética; la agencia Novosti habla de tres millones y medio. Un pequeño número (14.000?) viven en el Estado creado para ellos en Siberia en 1934, el Birobidjan [24].

---

[22] Véase el léxico del final del capítulo.

[23] En 1979 se calculaba en algo más del 40% la proporción de practicantes en la población de Israel. Eran casi el mismo número de judíos que vivían en New York: 2.400.000.

[24] Estado soviético creado en 1934. Tiene 92.000 km.² y está poblado por 200.000 habitantes. El yiddish era la lengua oficial hasta 1948. No cuenta más que con 14.000 judíos.

Sin contar a la URSS, Europa cobija a algo más de millón y medio de judíos. En Francia es donde son más numerosos: 650.000. Viene luego Gran Bretaña (410.000), Hungría (80.000), Rumanía (60.000). En Asia (50.000) y en Africa (160.000) es donde hay menos población judía.

### b) Organización

En *Israel*, un ministerio de Religiones controla y fomenta las actividades religiosas. Su *departamento de asuntos religiosos* organiza el culto, protege el reposo sabático y las prescripciones alimenticias, programa la construcción de sinagogas, sostiene y defiende las escuelas, instituciones y lugares santos judíos. Favorece las relaciones con la diáspora. Finalmente, es este ministerio el que registra los matrimonios celebrados por los rabinos, así como los divorcios que pronuncian; es él el que nombra los magistrados de los siete cursos rabínicos, cuyos jueces se asemejan a los jueces civiles.

La vida religiosa propiamente dicha está dirigida por el *Gran-Rabinato*, compuesto por un colegio para el rito askenazí (occidental) y otro para el sefardí (oriental). Pagados por el Estado, los rabinos son funcionarios del culto.

En fin, políticamente existen *dos partidos religiosos* cuya influencia desborda ampliamente el porcentaje de voces que obtienen (15%). El primero, «Agudat Israel», llamado integrista, milita para que «la Torá sea la ley del Estado de Israel». Más moderado, el segundo, «Mizrahi», desea que, por lo menos, «el clima cultural de Israel y su legislación estén determinados por la tradición de la Torá».

En *Francia*, el judaísmo fue oficialmente organizado por Napoleón en 1808, pero las instituciones que entonces se crearon fueron abolidas por la ley de 1905 de separación entre las Iglesias y el Estado.

Jurídicamente, el judaísmo francés depende de la «Unión de asociaciones culturales israelitas en Francia». Ha recogido la antigua denominación de «Consistorio* central». Este organismo «atiende a los intereses generales del culto, vela por la salvaguardia de las libertades necesarias, defiende los derechos de las comunidades y asegura el mantenimiento y el desarrollo de los servicios comunes»...

Está presidido por el Gran Rabino del consistorio, del que es miembro de derecho el Gran Rabino de Francia. Pero sus miembros son laicos que representan a las numerosas asociaciones culturales judías. La más importante, que reúne 55 organizaciones, es el CRIF (Consejo representativo de las instituciones judías de Francia) [25].

Unos doce consistorios locales se añaden al consistorio central: en París, Estrasburgo, Wintzenheim, Colmar, Metz, Nancy, Burdeos, Marsella, Bayona, Lyon, Lille, Vesoul... Hay 80 rabinos que animan 60 sinagogas; siete Yechivot (escuelas teológicas), sin contar a otras escuelas no rabínicas, cada vez más frecuentadas. Finalmente, en París, un tribunal rabínico («Bet Din») estudia las demandas de conversión, aprecia la observancia de la alimentación kaser, pronuncia los divorcios y dicta el derecho religioso.

☆

• *Los judíos en la España de hoy*

Tras la expulsión de los judíos en 1492, éstos –con el nombre de sefardíes– se instalaron principalmente en Palestina, Africa del Norte, Holanda, Italia, Francia y Turquía. En 1869, el rey Alfonso XII, preocupado por la persecución de las comunidades judías en el este de Europa, abrió de nuevo las puertas de España a judíos procedentes de la Rusia zarista. Al final de la primera guerra europea, se inauguró en España la Casa Universal de los sefardíes y en 1924 se autorizó a los descendientes de judíos españoles expulsados en 1492 a adquirir la nacionalidad española. No pocos se aprovecharon de esta concesión en los momentos de la persecución nazi, emigrando varios de ellos a España.

En 1948 se organizó en Madrid la primera comunidad judía y en 1967 se regularon sus derechos de culto y libertad religiosa.

Actualmente son unos 12.000 judíos los que residen en España, pertenecientes por lo general a la burguesía media. Hay sinagogas en Madrid, Barcelona, Málaga, Ceuta y Melilla, y oratorios en otras ciudades como Tenerife, Las Palmas, Palma de Mallorca y Alicante. En Madrid, la comunidad israelita cuenta además con un centro cultural, un colegio de EGB, un campo de deportes y una tienda «kaser».

Existe en Madrid un Centro de estudios judeocristianos, donde se celebran cursos de estudios bíblicos y de profundización en la temática judía; este centro publica una «Circular» mensual y la revista científica «El Olivo» como instrumentos de documentación y estudio para el diálogo entre judíos y cristianos.

### c) *Corrientes actuales*

Fue en el siglo XIX sobre todo, en la confrontación con el mundo moderno, cuando el judaísmo se dividió en corrientes opuestas que, bajo otros nombres, persisten a finales de nuestro siglo XX. Para simplificar, podemos señalar tres grandes tendencias: el reformismo, la ortodoxia y el hasidismo.

– El *reformismo* fue ante todo la idea y la obra de Moses Mendelssohn (1729-1786), continuadas por Abraham Geiger, Ludwig Philipson, Samuel Holdheim. Se trataba, en un primer tiempo, de suavizar los ritos judíos para atenuar las diferencias entre judíos y no-judíos; en un segundo tiempo, de modernizar el judaísmo hasta llegar al abandono de lo que, en el Talmud, va en contra de la vida contemporánea. Este movimiento, que no era exclusivo del judaísmo, tendía a reconciliar la fe, la cultura y la razón.

Según los diversos momentos y lugares, el reformismo fue «culturalista», «progresivo», «modernista», «liberal»... Una de sus formas extremas, la «Haskala», desembocó, a partir de la Europa oriental, en la emancipación de las masas judías y en el sionismo [26].

---

[25] En 1985 se planteó un conflicto entre el gran rabino de Francia y el consistorio, juzgado por él demasiado «liberal».

[26] El sionismo, que tuvo por padre a Theodor Herzl, es el gran movimiento de retorno a Israel nacido a finales del siglo XIX como consecuencia del pogrom. De reivindicación nacional, ha pasado a ser un verdadero nacionalismo israelí.

— La *ortodoxia* es también el fideísmo, es decir, el respeto escrupuloso de la letra de la Torá. Si había existido desde siempre, cobra nuevo impulso como respuesta a la reforma. Se convierte en una «contra-reforma», en una neo-ortodoxia, en un conservadurismo o tradicionalismo representados en Alemania por Samson-Raphael Hirsch (1808-1888). Esta tradición moderada, que se convirtió en mayoritaria en Europa y en Israel, conserva lo esencial del patrimonio espiritual de Israel y acepta el aislamiento que atestigua su fidelidad, aunque consiente en «occidentalizar» su aspecto exterior.

Quedan los intransigentes, los «opositores» (o mithnaguedim), firmemente apegados a las prescripciones minuciosas del Talmud. Están presentes en los partidos religiosos «integristas» de Israel, como el «Agudat Israel», creado en 1919.

— El *hasidismo** se relaciona de algún modo con la ortodoxia y con el tradicionalismo. Pero es anterior a ellos, ya que nació en el siglo XVII en Podolia [27]. Y se distingue de ellos por la piedad y el fervor casi místico de los hasidim. Estos, aunque observan rigurosamente los preceptos de la Torá, se niegan a encerrarse en este puro legalismo. Para ellos, lo esencial es el gozo de servir a Dios y al prójimo. El hasidismo es una espiritualidad de la alegría y de la esperanza mesiánicas. Los hasidim, especialmente diezmados por la persecución nazi, constituyen hoy pequeñas comunidades cerradas, pero fervorosas.

A pesar de estas corrientes, el judaísmo contemporáneo tiende hacia la unidad, aun cuando tenga problemas, como los tienen todas las religiones.

### d) Problemas contemporáneos

En un mundo en que la ciencia y la tecnología parecen imponerse sobre todo lo demás, en que se acerban los nacionalismos y el materialismo, las religiones han de enfrentarse con *serios desafíos.*

No solamente el judaísmo no puede librarse de ello, sino que, más aún que los demás, la importancia que concede a los vínculos entre un pueblo, una tierra y su fe agrava estos problemas. Podemos reducirlos a cuatro.

- *El primero no es nuevo.*
  *Es el de su relación con el universalismo*

En efecto, por una parte, la visión de los profetas amplía la justicia y la ley del Señor a todas las naciones de la tierra. Por otra parte, la promesa hecha a Abrahán se dirige al pueblo elegido de la tierra santa. Es en Jerusalén donde han de reunirse las naciones. ¿Significa esto que la unidad de la humanidad no puede realizarse más que en torno a Israel? La vuelta de los judíos a Palestina, la tierra prometida, y la erección de Jerusalén como capital del nuevo Estado, ¿serán el comienzo de la realización de la esperanza mesiánica, el anuncio del reino del fin de los tiempos?

Habría en esto un serio peligro de cruzada y de expansionismo, si esta actitud no se viera mitigada por dos actitudes tradicionales del judaísmo y de los judíos: el no-proselitismo y el respeto a los caminos que conducen al verdadero Dios. El judaísmo no es misionero. Cree solamente que el destino que le ha confiado Yahvé es que sea fiel. Y esta fidelidad del pueblo elegido es la que da testimonio de la verdad de Yahvé.

- *Más difícil y más agudo es hoy*
  *el segundo problema. Se refiere*
  *a la relación entre la fe y la política*

La Biblia y el Talmud no solamente dictan reglas morales, sino también deberes sociales y toda una legislación sobre la vida económica, social y hasta política. ¿Se aplican ellas solamente a los judíos? Este problema se ha hecho especialmente grave desde la creación del Estado de Israel. ¿No debería convertirse, en conformidad con la ley, en un *Estado religioso?*

Es lo que afirman, como hemos visto, los partidos llamados precisamente religiosos. La importancia de estos partidos-bisagra en las combinaciones políticas hace que muchas leyes de inspiración talmúdica se conviertan en leyes de Estado.

---

[27] Región de la orilla izquierda del Dniester, entonces en Polonia, actualmente en Ucrania.

Por el contrario, para otros –la mayoría–, Israel es un *Estado laico*, que tiene que respetar la separación entre lo espiritual y lo temporal. Los religiosos más extremistas (Natoré Karta, guardianes de la ciudad) repudian semejante Estado. Y no sólo esto, sino que lo ven como una exigencia de la democracia y hasta una necesidad de un Estado moderno. Las observancias de la ley canónica (la halaká) son incompatibles con el funcionamiento cotidiano de una sociedad vuelta hacia el futuro.

Los conflictos nacidos de este problema surgen cada día en el Estado de Israel, sin que se haya logrado encontrar una solución global definitiva. ¿No estará condenado Israel a opciones imposibles?

● *Esta opción es la de la identidad del judaísmo*

Esta opción ha dividido siempre, más o menos en profundidad, a los que se llaman fideístas y a los liberales. La cuestión está en saber hasta dónde puede llegar la religión judía en la adaptación a los tiempos nuevos sin perder su cohesión. Desde el siglo XIX, la élite, sobre todo los jóvenes, intentaron asimilarse al mundo de las naciones en que vivían. El genocidio hitleriano y la creación del Estado de Israel modificaron estos comportamientos. Muchos de los judíos «asimilados» recobraron entonces sus raíces judías. Casi en todas partes, en Francia, en los Estados Unidos, la integración no significa ya asimilación. La multiplicación de escuelas judías es un signo de esta voluntad de encontrar un equilibrio entre la «emancipación» y la fidelidad.

● *Y la de la unidad*

A ello se añade el deseo cada vez más vivo de *vivir la unidad.*

Pero tampoco esto está exento de dificultades. Dificultades dentro del mismo Israel para unir a los sefardíes* y a los askenazíes*, con sus orígenes, sus ambientes sociales, sus costumbres y sus dialectos diferentes [28]. Dificultades de guardar una relación

_____
[28] En 1985, la instalación de comunidades llegadas de Etiopía, los falachas, supuso algunos conflictos: por ejemplo, los «religiosos» de Israel exigían a los recién llegados la verdadera circuncisión.

equilibrada entre el Estado de Israel y la diáspora, entre los israelitas y los judíos de todo el mundo. Estos no pueden menos de sentirse íntimamente afectados por todo lo que amenaza al Estado de Israel, pero sienten con no menos viveza la necesidad, incluso religiosa, de que Israel viva en paz, de manera justa, con sus vecinos y con todos cuantos habitan allí. ¿Puede Israel conocer la unidad si no es fiel a la alianza con su Dios, que es también alianza de las religiones y de los pueblos? ¿No debe su testimonio permanecer fiel a la justicia del Dios justo?

## CRONOLOGIA

1760: *Abrahán* deja Sumer para ir a Canaán.

1700: *José*, hijo de Jacob, hace venir a sus hermanos a Egipto.

1312: *Moisés* hace salir a su pueblo de Egipto.

1272-1200: Conquista de Canaán. Josué reparte el país entre las 12 tribus.

1160-1020: Gobierno de los jueces.

1020: La asamblea exige de Samuel un rey: Saúl.

1020-586: *La monarquía y los profetas.*

1020-930: Reino unificado con Saúl, David, Salomón, que edifica el *templo* hacia el año 971.

930-586: Reino dividido: Judá e Israel (10 tribus); capital: Samaría.

721: Conquista de Samaría; fin del reino de Israel.

586: Nabucodonosor conquista Jerusalén. *Deportación a Babilonia.*

538: Los persas aqueménidas (Ciro) se apoderan de Babilonia; Ciro autoriza a los judíos el regreso a Palestina.

525-515: *Esdras* reorganiza la comunidad... y reconstruye el templo (Zacarías). 2.ª dedicación.

540 a. C.-125 d. C: *Epoca clásica.*

323: Judea bajo dominio egipcio (colonias judías en Egipto). Versión bíblica de los Setenta.

198: Dominación siria.

169: Antíoco IV impone la religión griega, viola el templo. Persecución.

167: Sublevación de Matatías y resistencia de los *macabeos*.

142: Jerusalén liberada. Simón macabeo consigue la independencia de Judea. Comienza una nueva dinastía. Alejandro Janeo (103-76) anexiona Galilea, Idumea, Jafa, Alepo.

63: Pompeyo hace de Judea una provincia romana. El *sanedrín* mantiene el poder religioso; el senado de Roma nombra un rey: uno de ellos, *Herodes el Grande* (37 a. C.-4 d. C.), reconstruye el templo, servido por los saduceos.

6-67 d. C.: Administración directa por procuradores: Poncio Pilato (26-36).

26: Sublevación armada de Judas el Galileo (Zelda).

66: Insurrección general bajo Nerón; Agripa huye. Gobierno fariseo en Jerusalén... Nerón y luego Vespasiano emprenden la reconquista.

Marzo 70: Sitio de Jerusalén por Tito (el 6 de agosto es incendiado el templo, pero Masada resiste hasta abril del año 73).

132: Sublevación judía por Bar Koseba (mesías, príncipe de Israel), reprimida por Adriano. Dispersión del pueblo judío.

☆

# LEXICO

*Askenazíes:* judíos procedentes de Europa, especialmente de Alemania. Su cultura y sus ritos son distintos de los de oriente.

*Azimo* (pan): del griego *a* (privativo) y *zymé* (levadura): pan cocido sin levadura, que los judíos tienen que comer en pascua, recordando la salida precipitada de Egipto.

*Bar-mitzwá:* profesión de fe solemne que hacen las niñas a los 12 años y los niños a los 13.

*Biblia:* en griego, libros. Es el libro por excelencia, el libro santo. Tiene 4 partes: la ley de Moisés (Pentateuco); los primeros profetas (Josué, Jueces, Samuel, Reyes); los profetas posteriores (Isaías, Jeremías, Ezequiel, y los doce, desde Oseas a Malaquías); finalmente, los escritos (Job, Salmos, Proverbios, etc.).

*Consistorio:* organización oficial creada por Napoleón en 1808, compuesta de rabinos y de laicos elegidos.

*Decálogo:* conjunto de los 10 mandamientos dados por Dios a Moisés en el Sinaí.

*Diáspora:* en griego, dispersión. Es el conjunto de judíos dispersos por el mundo, fuera del Estado de Israel.

*Exodo:* salida de Egipto y travesía del mar Rojo bajo la guía de Moisés (año 1312 a. C.). Segundo libro de la Biblia después del Génesis.

*Fariseos:* esta palabra significa «separado» (de los pecadores); a diferencia de los saduceos, aceptan las tradiciones (la ley oral) y el mesianismo. Piensan alcanzar la salvación por una práctica minuciosa y ostensible (en especial, el respeto del sábado).

*Filacterias:* bolsitas de cuero negro que contienen pasajes de la Biblia y que los judíos piadosos llevan alrededor del brazo izquierdo y de la cabeza.

*Génesis:* del griego, «nacimiento». En varias religiones se refiere al relato de la creación del mundo. Es el primer libro de la Biblia, que cuenta en un estilo imaginado la formación de la tierra, la aparición del hombre y la historia de la humanidad.

*Hasidismo:* en hebreo, hasid significa «piadoso». Este movimiento de piedad, muy estricto en la aplicación de las prescripciones bíblicas, nació a finales del siglo XVII en Podolia. Con su sombrero negro, su barba y sus cabellos trenzados, los hasidim son activos en el Israel contemporáneo.

*Israel:* de una palabra que significaba «Dios resiste». Es el apodo dado por el ángel a Jacob, nieto de Abrahán, después de luchar con él. Es también el nombre del pueblo judío, descendiente de Jacob, y del reino formado en Judea tras la muerte de Salomón (925 a. C.) por las diez tribus.

*Judío:* en hebreo, «yehudi», habitante de Judea. Pero la palabra tenía también el sentido de «el que da gracias a Dios».

*Kaser:* o sea, permitido. La alimentación kaser es la que está autorizada, porque responde a las prescripciones bíblicas.

*Palestina:* nombre que se dio poco antes de la era cristiana a la región costera del Mediterráneo atravesada por el Jordán. Conquistada por los hebreos tras la salida de Egipto, se distribuyó entre las 12 tribus.

*Pascua:* o pesah, quiere decir «paso». La fiesta de pascua recuerda la liberación del pueblo judío, al salir de Egipto donde estaba cautivo.

*Patriarca:* padre de familia. Es el título que se dio a los jefes de familia de donde nació el pueblo judío. La Biblia cuenta doce, desde Adán: Set, Henoc, Matusalén, Lamec, Noé, Abrahán, Isaac, Jacob, José.

*Profetas:* el profeta es el que habla «por» (pro) otro: Dios. Revela lo que está oculto a los hombres, y especialmente el designio de Dios. De este modo orienta hacia el porvenir. Los cuatro grandes profetas fueron: Isaías, Jeremías, Ezequiel y Daniel. Oseas, Amós, Habacuc, Zacarías, Malaquías, pertenecen a los llamados «profetas menores».

*Rabino:* no es un sacerdote, sino un doctor de la ley. Su función consiste en presidir las ceremonias religiosas, enseñar a los niños y comentar la Biblia y el Talmud.

*Saduceos:* de Sadoc (siglo III a. C.); secta judía apegada a la ley escrita, que rechazaba las creencias populares en los ángeles y en la resurrección. Para ellos, la riqueza es signo de la amistad de Dios; la pobreza, consecuencia de la cólera del cielo. Fueron hostiles a Jesús.

*Sefarad:* los sefardíes son los judíos procedentes de España. Se designa con este nombre a los judíos que volvieron de los países de Africa del Norte y de oriente.

*Sinagoga:* en hebreo, *Bet Kneset*, casa de reunión. Después de la destrucción del primer templo en el siglo VI a. C., la sinagoga sirve de lugar para las ceremonias y las oraciones.

*Talmud:* es la colección (procedente del siglo III d. C.) de la jurisprudencia y de las interpretaciones sacadas de la Biblia (por ejemplo, los 613 mandamientos).

*Torá:* o libro de la ley. Es el Pentateuco con sus cinco libros: *Génesis, Exodo, Números, Levítico* y *Deuteronomio.* Comprende especialmente el decálogo y los rituales sobre las fiestas y los pecados...

*Yahvé* (Yhwh): El que es. El nombre de Dios revelado a Moisés.

## Lecturas

Maimónides, *La guía de los extraviados.*

R. Aron, *Así rezaba Jesús de niño.* DDB, Bilbao 1988.

F. Castel, *Historia de Israel y de Judá.* Verbo Divino, Estella 1985.

J. Barylko, *Introducción al judaísmo.* Fleishman, Buenos Aires 1977.

P. E. Dion, *Universalismo religioso en Israel.* Verbo Divino, Estella 1976.

J. Alvarez, *Judíos y cristianos ante la historia.* Aguilar, Madrid 1972.

G. Baum, *Los judíos y el evangelio.* Aguilar, Madrid 1965.

E. Mitre Fernández, *Judaísmo y cristianismo, raíces de un gran conflicto histórico.* Istmo, Madrid 1980.

G. del Olmo, *El judaísmo.* Editorial Católica, Madrid (en prensa).

L. Baeck, *La esencia del judaísmo.* Paidós, Madrid 1968.

A. Chouraqui, *Historia del judaísmo.* Omega, Barcelona 1963.

A. Chouraqui, *Los judíos.* Mensajero, Bilbao s. f.

E. Federici, *Israel vivo.* Estela, Barcelona 1966.

W. Keller, *Historia del pueblo judío.* Omega, Barcelona 1969.

C. Rijk, *Hacia una teología cristiana del judaísmo.* Madrid 1973.

J. Toulat, *Los judíos, mis hermanos.* Estela, Barcelona.

H. Wouk, *Este es mi Dios*. Plaza y Janés, Esplugas de Llobregat 1979.

S. Alcoba, *Los judíos*. Bruguera, Barcelona 1973.

J. Caro Baroja, *Los judíos en la España moderna y contemporánea*. Istmo, Madrid 1978, 3 vols.

L. García Iglesias, *Los judíos en la España antigua*. Cristiandad, Madrid 1978.

L. Fernández, *Judíos españoles en la Edad Media*. Rialp, Madrid 1980.

# 5
# El cristianismo

Amémonos unos a otros, porque el amor viene de Dios y el que ama ha nacido de Dios y conoce a Dios (1 Jn 4, 7).

## 1. Definición

El cristianismo es la religión de los que creen que Jesucristo es hijo de Dios, muerto y resucitado, que vino a anunciar a los hombres la buena nueva de su salvación.

Este mensaje de un enviado de Dios, divino él mismo, tiene su *fuente en el libro del judaísmo:* la Biblia. Como dice Daniel Sibony [1], es un «estallido crístico» de la misma. Es entonces la afirmación de que los tiempos predichos por el Antiguo Testamento han llegado ya, de que el reino de Dios anunciado por los profetas está ya en medio de nosotros. La letra se ha cumplido, porque ella se ha encarnado en el mesías*, hijo de Dios.

Es también un «escándalo para los judíos» y para los musulmanes, que no pueden admitir que el Dios único no sea UNO, que Dios pueda tener un hijo, o que un hombre tenga la audacia sacrílega de pretender ser «hijo de Dios».

La fe judía se basaba en la palabra de Dios conservada en la Biblia. La fe cristiana tiene su fundamento en las palabras, la enseñanza, los gestos y la vida de un hombre-dios, cuya historia se nos narra en cuatro libros que tienen por autores a Marcos, Mateo, Lucas y Juan. Es la *«religión de una persona y no de un libro»* [2]. Por otra parte, los primeros creyentes, las jóvenes comunidades cristianas vivieron más de treinta años sin tener ningún texto.

Esta comunidad que se da unas reglas de funcionamiento, que va fijando progresivamente sus hábitos, sus creencias y sus ritos, es la Iglesia primitiva. A lo largo de los siglos se convertirá en una institución conquistadora, perseguida unas veces y otras poderosa, y también a veces dividida: *la Iglesia.*

Para estudiar el cristianismo, hemos de examinar sucesivamente:

• la credibilidad de los textos fundadores: los evangelios;

• la vida, la persona y el mensaje de Jesús;

---

[1] Matemático y psicoanalista nacido en 1942, autor de *L'amour inconscient* y recientemente de *Frontières du dire* (1985).

[2] B. Chenu - F. Coudreau, *La fe de los católicos.* Sígueme, Salamanca 1986, 73s.

- el credo de la iglesia y su culto; su moral;
- su historia y su funcionamiento;
- sus divisiones (herejías*, cismas):
  - el protestantismo;
  - la ortodoxia;
- el ecumenismo y los problemas contemporáneos.

## 2. La autenticidad de los evangelios

Durante bastante tiempo, en el siglo XIX, los historiadores dudaron de la existencia de un «tal Jesús» [3]. Hoy, esta existencia histórica no la discute nadie.

La atestiguan varios historiadores antiguos: Thallus, liberto de Tiberio (+ antes del 60); Flavio Josefo, historiador judío [4]; Tácito [5]; Suetonio [6]. Hubo ciertamente en Judea, bajo el principado de Tiberio, un judío llamado Jesús; lo llamaban mesías; enseñaba al pueblo y fue enviado al suplicio, siendo procurador Poncio Pilato...

Los textos de origen cristiano –el Nuevo Testamento– son fechados actualmente con precisión. Los papiros cristianos descubiertos son de la primera mitad del siglo II, es decir, anteriores a los manuscritos más antiguos de Virgilio (siglo V), que nadie discute.

La fuente verificable más antigua está constituida por las cartas del apóstol* Pablo. Dos hechos que se nos narran en los Hechos de los apóstoles permiten fecharlas: el encuentro de Pablo con el procónsul Lucio Junio Galión en Corinto, a finales del año 51, y su comparecencia ante el procurador Festo en el 59-60.

Habiendo sido crucificado Jesús probablemente el año 30, se confirma por tanto la existencia de comunidades de creyentes unos veinte años después de su muerte. Y las cartas de Pablo dan al mismo tiempo datos sobre la existencia de Jesús y sobre la fe de las primeras Iglesias cristianas [7].

La redacción de los relatos de los hechos y gestos de Jesús, es decir, de los evangelios, es posterior a las cartas de Pablo. El evangelio más antiguo es el de *Marcos*. Fue escrito seguramente en Roma, entre la persecución de Nerón y la toma de Jerusalén por Tito, es decir, entre el 64 y el 70. El texto de *Mateo*, redactado al parecer en Siria, se sitúa alrededor de los años 80-90, mientras las jóvenes comunidades cristianas se oponían a los judíos tradicionales.

*Lucas* se dirige más bien a los paganos. Dispone de los documentos escritos u orales que ha recogido. Se cree que los puso en forma después de la toma de Jerusalén, lo más tarde en el año 80. Seguramente Lucas había escrito ya bastante antes los *Hechos de los apóstoles*, probablemente antes del martirio de Pablo, hacia el año 63.

En cuanto a *Juan*, tenemos un papiro egipcio de su capítulo 18, que es seguramente de la primera mitad del siglo II; esto demuestra que el texto primitivo podría haber sido escrito hacia el año 90. Algunos exégetas lo hacen incluso remontar alrededor del año 70.

Pero el conocimiento exacto de la fecha de los evangelios, tal como han llegado hasta nosotros, es menos importante que su contenido.

¿Qué dicen entonces estos libros designados por la palabra «evangelio», buen mensaje o buena noticia? [8]

## 3. El evangelio

Se impone una primera observación: los evangelios no son *ni la exposición de una doctrina, ni una biografía*. Lo esencial no es el relato anecdótico y edificante de la existencia de un hombre extraordinario. Ni tampoco la colección de los recuerdos de algunos que lo conocieron y trataron con él.

---

[3] Los mitómanos: Drews, Couchoud.

[4] *Antigüedades judías*, XX, 1 y III.

[5] *Anales*, XV, 44.

[6] *Vida de los doce Césares*, Claudio.

[7] Etimológicamente, iglesia = asamblea.

[8] Angel significa «mensajero».

Su testimonio responde a una intención y a una petición.

### a) La intención

Es el deseo de compartir con los lectores la convicción de los redactores: ese hombre, cuyas ideas y cuyas acciones hacen revivir, es el mesías anunciado por los profetas, el hijo de Dios. Desde su resurrección, están seguros de ello: lo han visto.

Los evangelios son el despliegue de un *acto de fe*. El que Pablo proclama desde su primera carta a los Corintios (1 Cor 15): «Cristo ha vivido, ha muerto y ha resucitado».

### b) La petición es doble

Es la de los predicadores que no habían conocido a Jesús de Nazaret y que necesitaban datos, testimonios cada vez más numerosos para nutrir sus anuncios y sus exhortaciones. El evangelio es un *opúsculo misionero*.

Y es la petición de las primeras comunidades, hambrientas de saber cada vez más sobre ese Jesús a quien les presentan como Dios y salvador. Así se pasa del discurso al libro.

Esto explica que no haya más que *un solo* evangelio, es decir, un único mensaje, pero *cuatro libros diferentes* por la personalidad de sus autores y más aún por la finalidad que se asignan, por el público a quien desean convencer. Sin embargo, su primer objetivo es recordar la vida y la enseñanza de Jesús, el Cristo.

## 4. La vida de Jesucristo

Marcos ve sobre todo en Jesús a *un hombre paradójico*, al mismo tiempo obrador de milagros y «siervo doliente», un hombre que cuestiona: «¿Quién soy yo? ¿Quién dices que soy yo?».

Mateo reconoce más bien en él a *un nuevo Moisés*, que enseña y que renueva la alianza por su muerte.

Para Lucas, Jesús es aquel que, *a imagen de Dios*, amó particularmente a los pobres, a los pecadores, a las mujeres, a los marginados.

Juan, finalmente, se muestra sensible en esta vida a las palabras, a los milagros, a los gestos, a través de los cuales descubre el signo de una verdad espiritual: Jesús es *el Verbo de Dios*.

En los evangelios y en las cartas, por consiguiente, el relato no es tanto una biografía histórica como el testimonio de una creencia compartida. Lo esencial, sin embargo, está corroborado por documentos judíos y paganos. Se resumen en lo siguiente: el judío Jesús, llamado «mesías», realizaba prodigios. Fue condenado al suplicio de la cruz por el procurador Poncio Pilato, pero de su enseñanza nació una secta, la de los cristianos, que existía ya en Roma veinte años después de su muerte.

### VIDA DE JESUS

*Nacimiento:* año 6 ó 5 antes de nuestra era.

*Predicación* de Juan bautista: otoño, 27 de nuestra era.

*Bautismo* de Jesús: invierno 28.

*Pascua* en Jerusalén: abril 28.

*Jesús atraviesa Samaría:* verano 28.

*Multiplicación de los panes:* cerca de pascua del 29.

*Jesús en Jerusalén* (fiesta de las Tiendas): septiembre 29.

*Resurrección de Lázaro:* marzo 30.

*Cena:* abril 30.

*Muerte de Jesús:* 7 abril 30 (viernes 14 Nisán).

*Resurrección:* 9 abril 30.

Tradicionalmente, la existencia de este Jesús, nacido en Belén, la ciudad de David, el año 6 ó 5 antes de nuestra era, durante un censo ordenado por el emperador Augusto, se divide en cuatro períodos: la vida oculta, la vida pública, la vida dolorosa, la vida gloriosa.

— *La vida oculta* se extiende desde el nacimiento y la infancia hasta el bautismo por Juan el bautista a orillas del Jordán, en el invierno del año 28. Los episodios más destacados son la circuncisión, la presentación en el templo, la adoración de los magos, la huida a Egipto, la vuelta a Nazaret, el viaje a Jerusalén...

— *La vida pública*, muy corta (primavera 28-primavera 30), comienza realmente con las tentaciones en el desierto y luego con el milagro de las bodas de Caná [9]. Es el tiempo de las primeras visitas a Jerusalén, de la predicación y los milagros en Galilea, a orillas del lago de Tiberíades, en Fenicia y en la Decápolis.

— *La vida dolorosa* dura una semana. Después de la entrada triunfal en Jerusalén (marzo 30), un complot de los judíos, al que se adhiere Judas, uno de sus discípulos, Jesús es detenido, juzgado sucesivamente por los sumos sacerdotes y el procurador romano, y condenado a muerte por pretender ser rey de los judíos. Crucificado y sepultado en la tumba de José de Arimatea, no se encuentra en ella cuando las mujeres discípulas acuden allá después del sábado.

— *Comienza entonces una breve vida gloriosa:* aparición a los discípulos en el camino de Emaús, luego a los apóstoles en el cenáculo, en Galilea, y finalmente en el monte de los olivos, desde donde se eleva por los aires y desaparece a su vista.

## a) Su divinidad

Pero, más allá de este relato, esta vida plantea la cuestión capital: *¿es Jesús el hijo de Dios?*

La respuesta no es fácil. Si todos están de acuerdo en ver en él un modelo de perfección humana y hasta un gran profeta, un gigante espiritual o un revolucionario, la afirmación de su divinidad es discutida, no sólo por los ateos, sino por los creyentes monoteístas judíos y musulmanes y por los cristianos arrianos* del siglo IV [10].

Conviene observar también que, durante mucho tiempo, los contemporáneos de Jesús de Nazaret, sus discípulos y hasta los evangelistas, no tuvieron conciencia de haber conocido al mesías, al hijo de Dios. Fue sobre todo a la luz de la resurrección cuando se iluminaron para ellos las palabras que les había dicho en vida.

En cuanto al mismo Jesús, parece en ocasiones como si esta convicción sólo se le hubiera ido imponiendo progresivamente. Sea de ello lo que fuere, el no cristiano puede, por lo menos, concluir que Jesús fue un hombre consciente de ser el hijo único de Dios. Consciente de haber sido enviado a los hombres por su Padre, hizo que compartieran su convicción los discípulos que fundaron la Iglesia.

Para los cristianos, no cabe duda del acierto del acto de fe de los evangelistas. La cosa es más probable todavía si se tiene en cuenta que a ellos mismos les costó profesar esta fe. Escribieron sus evangelios para afirmarlo. Y ese acto de fe prologa o encuadra los evangelios.

Marcos anuncia con claridad: «Comienzo del evangelio de Jesucristo, hijo de Dios», y concluye, como Mateo y como Lucas, enviando en misión a sus discípulos «en el nombre del Padre y del Hijo y del Espíritu Santo». Juan proclama: «El Verbo era Dios; el Verbo se hizo carne y habitó entre nosotros y nosotros hemos contemplado su gloria, la gloria que recibe de su Padre, como hijo único lleno de gracia y de verdad». Y desde su carta a los Romanos, Pablo se afirma «servidor de Cristo Jesús, apóstol del evangelio de Dios y de su Hijo».

Finalmente, entre otras declaraciones, es en los momentos más solemnes de su vida cuando Jesús anuncia su filiación divina. Es la respuesta a Pedro que, en nombre de los demás, acaba de proclamar: «Tú eres el Cristo, el Hijo del Dios vivo» - «Bienaventurado eres, Simón, porque no es la carne ni la sangre las que te lo han revelado, sino mi Padre del cielo». Según Juan, en la tarde de la cena [11], como en un testamento, explica a Tomás y a Felipe: «El

---

[9] Jesús habría cambiado el agua de las tinajas en vino, por invitación de su madre.

[10] Arrio, sacerdote de Alejandría, se negó, en nombre de la

trascendencia de Dios, a creer que hubiera podido tomar un cuerpo. Por tanto, Jesús no es «hijo de Dios por naturaleza».

[11] Ultima cena de Jesús con sus apóstoles en la pascua judía.

que me ve, ve también al Padre... Es el Padre el que mora en mí y hace sus obras. Creedme, yo estoy en el Padre y el Padre en mí». Y con peligro de su vida confiesa firmemente ante el sumo sacerdote que le intima a que diga si es el Cristo, el Hijo de Dios: «Dices bien; lo soy». En este punto fundamental están de acuerdo todos los evangelistas (cf. Mt 26; Mc 14, 62-64; Lc 22, 70). Y su último grito es: «Padre, en tus manos encomiendo mi espíritu» (Lc 23, 46).

Esta es finalmente la constatación del centurión romano: «Realmente, este hombre era Hijo de Dios» (Mc 15, 39). Por otra parte, ¿no fue acaso esta pretensión blasfema la que los sacerdotes judíos quisieron castigar con la muerte?

### b) Su mensaje

Esta «buena nueva» de la paternidad de un Dios que envía a su Hijo a los hombres constituye evidentemente el corazón del mensaje de Jesús. Está implícita o afirmada explícitamente en las palabras, las parábolas y los actos de Jesús.

• *Significa ante todo
una promesa de salvación*

Jesús es «el que viene», el enviado de Dios para «curar a los enfermos» y «salvar a los pecadores». Es el mesías [12] anunciado por la Biblia, esperado para liberar a Israel de sus pecados y restablecer la justicia para los pobres de Yahvé.

«No hay salvación más que en él, porque no hay bajo el cielo otro nombre ofrecido a los hombres que sea necesario para nuestra salvación» (Hch 4, 12). Es lo que Pablo explica a los Romanos: «Dios nos atestigua su amor en que Cristo ha muerto por nosotros, cuando éramos todavía pecadores...» (Rom 5, 8).

El signo de esta salvación es la resurrección de Jesús, fundamento de la fe cristiana (cf. 1 Cor 15, 12-14): «Con él nos ha resucitado y nos ha hecho sentar en los cielos en Jesucristo». «Por tanto, ya no hay condenación alguna para los que son en Cristo Jesús. Porque la ley del Espíritu que da la vida en Jesucristo me ha liberado de la ley del pecado y de la muerte...». En adelante, «¿quién condenará? Dios justifica. Jesucristo, muerto y resucitado..., él es el que está a la derecha de Dios intercediendo por nosotros».

La salvación es *liberación del pecado y de la muerte*.

¿El destino del creyente? «Estaremos siempre con el Señor» (1 Tes 4, 17), porque «Jesús es el primogénito de entre los muertos» (Col 1, 18). La salvación es la vida eterna junto a Dios.

• *El mensaje de Jesús es también
el anuncio del reino de Dios*

Lo proclama desde su entrada en Galilea: «Se ha cumplido el tiempo, y el reino de Dios está cerca» (Mc 1, 14-15). Y continúa hablando también de él durante los cuarenta días que siguen a su resurrección (Hch 1, 3). Son numerosas las parábolas [13] que le están consagradas. El reino de Dios es semejante al «grano de mostaza que se hace árbol en donde se posan las aves»; es «la levadura que hace fermentar la masa»; «el tesoro oculto en un campo»; «la perla de gran valor»; «la red que recoge peces de toda especie»; «el campo en donde crecen juntos la cizaña y el buen grano» (Mt 13).

Todas estas parábolas manifiestan que este reino, eterno y universal, reino de verdad y de vida, reino de santidad y de gracia, reino «de justicia, de amor y de paz», es el fruto misterioso de la conversión de los corazones. «Porque el reino de Dios está dentro de vosotros». Instaurado por Cristo, construido por todos los que viven según la voluntad de Dios, «alcanzará su perfección cuando el Señor vuelva» [14].

---

[12] Mesías: en hebreo Meshia'h, en griego Christos = Ungido (de Dios).

[13] Relato imaginativo que contiene una enseñanza filosófico-moral.
[14] GS 39.

Este reino, a la vez interior y colectivo, venido y por venir, no obedece a las leyes humanas. Hecho visible por Jesucristo, esperanza de los hombres que se esfuerzan en establecerlo y obra de Dios en el mundo, se resume en el *reinado del amor*. «Viene a todas las partes en donde el pobre es tratado como un hombre, a todas las partes en que los enemigos se reconcilian, a todas las partes en que se promueve la justicia, a todas las partes en que se establece la verdad, en que la belleza y el bien engrandecen al hombre» [15].

Es el cumplimiento, en el presente y en el futuro, de la inversión de valores proclamada por las bienaventuranzas. No es la fuerza la que lo impone, sino el poder del amor. Ese es el corazón del mensaje evangélico. La revolución del evangelio. La carta magna del reino.

No es la supresión de la ley, sino su cumplimiento, su perfección. No basta con no matar, con no cometer adulterio, etc. Es preciso «amar al enemigo», «no mirar codiciosamente a una mujer», «ponerse de acuerdo con el adversario». Porque, «si vuestra justicia no va más allá que la de los escribas y fariseos, no entraréis en el reino de los cielos» (Mt 5, 20).

## CREDO NICENO (325)

Creemos en un solo Dios, Padre todopoderoso, creador de las cosas visibles y de las invisibles. Y en un solo Señor Jesucristo, hijo de Dios, engendrado Hijo único de Dios, es decir, de la sustancia del Padre, Dios de Dios, luz de luz, Dios verdadero nacido del Dios verdadero, engendrado, no creado, consustancial con el Padre, por el que todo se hizo en el cielo y en la tierra; que, por nosotros los hombres y por nuestra salvación, bajó, se encarnó y se hizo hombre, sufrió y resucitó al tercer día, subió al cielo y vendrá a juzgar a los vivos y a los muertos. Y en el

Espíritu Santo. Los que dicen: «Hubo un tiempo en que no era» y dicen que fue sacado de la nada o de otra sustancia o esencia, o que el Hijo de Dios es capaz de conversión o de cambio, son anatematizados por la Iglesia católica y apostólica.

## CREDO DE CALCEDONIA (451)

Creemos en un solo Dios, Padre todopoderoso, creador del cielo y de la tierra, de todas las cosas visibles e invisibles. Y en el único Señor Jesucristo, Hijo único de Dios, engendrado del Padre antes de todos los siglos, luz de luz, Dios verdadero del Dios verdadero, engendrado, no creado, consustancial con el Padre, por el que todas las cosas han sido hechas; que, por nosotros los hombres y por nuestra salvación, bajó de los cielos y se encarnó por obra del Espíritu Santo y de la virgen María, que se hizo hombre, fue crucificado por nosotros bajo Poncio Pilato; sufrió, fue enterrado y resucitó al tercer día según las Escrituras; subió a los cielos y está sentado a la derecha del Padre y de nuevo volverá con gloria a juzgar a los vivos y a los muertos, y su reino no tendrá fin. Y en el Espíritu Santo, Señor y Vivificador, salido del Padre, adorado y glorificado con el Padre y el Hijo, que habló por los profetas. (Creemos) en una sola Iglesia católica y apostólica. Profesamos un solo bautismo para el perdón de los pecados. Esperamos la resurrección de los muertos y la vida del mundo futuro. Amén.

## 5. Credo

Este mensaje, al que habría que añadir el «Padrenuestro» y la ley confiada a Moisés, es el que ha formulado la iglesia bajo la forma de credo y de catecismo*.

Se trata para las comunidades cristianas de expresar bajo una forma racional, aceptada por todos, lo esencial de lo que creen. Esta expresión codificada se ha ido haciendo a lo largo de los siglos en la lengua y la cultura de cada época.

---

[15] Conferencia episcopal de Africa del Norte, 1979, citada por *La fe de los católicos*.

A pesar del tiempo transcurrido, el modelo del credo sigue siendo el que elaboraron los padres de los concilios* de Nicea en el año 325 y de Constantinopla en el 381.

Los dos están centrados en la afirmación de un Dios en tres personas y de una Iglesia que lo manifiesta y le sirve. Durante diez siglos por lo menos, el *Credo*, el *Padrenuestro* y luego el *Avemaría* [16] han constituido lo esencial de lo que todo cristiano tiene que conocer de su fe.

A este resumen de la fe cristiana hay que añadir los *dogmas**, por los que los concilios y los teólogos han querido explicitarlo, teniendo en cuenta la experiencia de los cristianos y las tradiciones de las Iglesias. En el siglo XVI, tanto Lutero como el concilio de Trento (1545) creyeron que era posible fijar el conjunto de las verdades que creer en un *catecismo*.

## a) Catecismos

El más importante es el catecismo romano (1566) de san Carlos Borromeo [17]. Dio luego origen a la mayor parte de los catecismos católicos que se han conocido en las diversas naciones. Se presentaba en tres partes que, por «preguntas y respuestas», contenía «un resumen de la religión cristiana»: las verdades que creer, los mandamientos que practicar, los sacramentos que recibir.

–*Las verdades que creer:* es un «creo en Dios» o «símbolo* de los apóstoles», desarrollado por la definición de los grandes misterios: trinidad, pecado original, encarnación, redención, resurrección, divinidad de Jesucristo, ascensión, comunión de los santos, perdón de los pecados y fines últimos del hombre. Y también la Iglesia, «instituida por Jesucristo y gobernada por los obispos bajo la autoridad del papa».

– *Los diez mandamientos* de Dios y los de la Iglesia se van detallando, explicando y ordenando ampliamente en torno a la moral y a las virtudes teologales –fe, esperanza y caridad– y morales: prudencia, justicia, fortaleza y templanza...

– Finalmente, el catecismo presenta *la oración y los siete sacramentos**, «signos sagrados instituidos por Nuestro Señor... para producir y aumentar la gracia en nuestras almas». La «gracia», ese «don sobrenatural» que Dios nos concede por pura bondad, gratuitamente, como indica su nombre.

Estos catecismos diocesanos con preguntas y respuestas se inscribían en la sucesión de textos que van desde Euquerio (430) hasta Bourdoise (1612), pasando por Gerson (1403) y Erasmo (1514-1533). No eran, según la crítica de un obispo en el año 1906, más que un «compendio de teología, un residuo de enseñanza sabia». Y no sólo eso, sino que «no se oía en ellos para nada la voz de Jesús», por lo que el catecismo desbordaba y asustaba a los niños, que «sabían» las respuestas, pero no «creían».

De estas observaciones nació en Francia, hacia el año 1950, un *movimiento catequético* más preocupado a la vez de una pedagogía adaptada a la psicología infantil y de un retorno a las fuentes bíblicas [18]. Las Iglesias protestantes están viviendo un proceso similar.

## b) La fe cristiana

Los catecismos y los credos constituyen las *piedras vivas* [19] de la fe cristiana.

– Esto significa, en primer lugar, que «la fe cristiana es un *dinamismo* que se ve continuamente llevado a superarse en sus convicciones, sus realizaciones y sus expresiones» [20]. Porque si es certeza vital, la fe no deja por eso de verse cuestionada por el mundo, por los creyentes y por la fe misma.

– Esto quiere decir también que un credo no es nada si no remite a la *vida de los hombres*, de los más probados y de los más reprobados. Un credo no

---

[16] *Credo* = yo creo; *Pater* = comienzo en latín del Padrenuestro; *Ave, María* = oración a la Virgen, que recoge las afirmaciones del concilio de Efeso sobre la «maternidad divina».

[17] Cardenal arzobispo de Milán (1538-1584).

[18] Obra en gran parte del sacerdote Joseph Colomb.

[19] Título de un «nuevo» catecismo usual en Francia.

[20] En *La fe de los católicos*, 264.

es nada si no invita a compartirlo todo en una comunidad de fe. Porque «símbolo» es puesta en común. Nadie cree separado de los otros. Pero, además, el credo remite a la infinita riqueza de la vida divina; es decir, confiesa humildemente que lo que el hombre dice es siempre inadecuado frente a la verdad de Dios:

«De Dios no puede decirse nada.
Sin embargo, hay que hablar de él,
para no olvidarlo» (Gregorio de Nisa).

– Finalmente, el credo comunitario de la Iglesia, si ha de ser acogido filialmente, no es nunca el *dictado* imperativo de las «autoridades» eclesiales. Es el fruto de un intercambio y de un consentimiento entre los obispos y los fieles. Es la aquiescencia de la conciencia personal la que lo ratifica.

La fe cristiana es «misterio*» [21]. Es simultáneamente afirmación de un Dios Padre, Hijo encarnado y Espíritu, y rechazo de todas las representaciones de ese Dios. Es fe en la primacía del amor: amor de Dios a todos los hombres, de los hombres a Dios y entre sí, según la palabra de Jesús: «Amarás a Dios con todas tus fuerzas y a tu prójimo como a ti mismo» [22].

## 6. Culto

Más todavía que el credo, el culto cristiano es el *producto de una historia,* la de las primeras comunidades, tal como las evocan los *Hechos de los apóstoles* y las *cartas de Pablo,* unos 30 años después de la muerte de Jesús.

### a) Sacramentos

– En los orígenes, había dos ritos esenciales que unían a los cristianos: el *bautismo*\* y la *cena.*

– El primero no es solamente recuerdo del bautismo de Juan en el Jordán. Es sobre todo signo de la fe en la resurrección de Cristo y, al mismo tiempo, promesa del cristiano que en él ha muerto «al hombre viejo» y que en adelante «se pone al servicio de Dios» (Rom 6, 12-14). Definido por el canon 849 como «puerta de los sacramentos», el bautismo está fundamentalmente ligado a la resurrección pascual: significa la «muerte al pecado» y la fe en una vida nueva con Cristo.

– La segunda, o «celebración eucarística», recuerda la «fracción del pan» en la última cena del Señor. Pero muy pronto este «memorial» tomó el sentido de un banquete fraternal, no sólo entre los hermanos, sino con el Señor misteriosamente presente. Es una «comunión\* con el cuerpo de Cristo» (1 Cor 10, 16-17).

Transforma a los que comparten ese pan en miembros de Jesucristo llamados a vivir de su vida.

– A estos dos sacramentos fundamentales, la Iglesia, a lo largo de los siglos, especialmente entre el X y el XIII, sumó otros cinco definidos por el concilio de Trento: la confirmación, el orden\*, el matrimonio, la penitencia\*, la unción de los enfermos.

Todos ellos representan *gestos de Jesús* descritos en los evangelios y utilizan productos naturales, tradicionalmente simbólicos en la antigüedad: el agua, el aceite, el pan, el vino.

Así, la *confirmación* emplea la imposición de manos y el aceite perfumado (el crisma) con que se ungían los atletas. Es una invocación al Espíritu para que dé al cristiano la fuerza de ser libre y responsable. Confirma una conversión, un compromiso en el camino de Cristo y anima a seguirle.

También el *orden* se practica con la unción de aceite, la imposición de manos y el soplo que significa el Espíritu. Confiere al que lo recibe el poder de ejercer una función eclesiástica, un «ministerio ordenado», a imitación del de los apóstoles.

– Desde el siglo IV, por la intervención de un sacerdote, el *matrimonio* consagra el amor de una pareja. Es signo de la alianza entre Dios y su Iglesia, proclamación de que el amor humano revela el amor de Cristo al hombre... Según los ritos, el velo,

[21] Texto de los obispos de Francia, *Il est grand le mystère de la foi.* Centurion, Paris 1978.
[22] Frase recogida de la ley de Moisés; pero Jesús insiste en: «Amaos los unos a los otros como yo os he amado».

la corona, el anillo nupcial marcan esta doble alianza: la de un hombre y una mujer, y la de Dios y la humanidad.

La *penitencia* es a la vez reconocimiento de culpabilidad, certidumbre de perdón, expresión de la reconciliación del pecador con Dios y con sus hermanos. Se arraiga en la victoria de Cristo sobre las tentaciones y sobre el pecado, en sus llamadas a la conversión y en su afirmación del «perdón de los pecados» [23].

En la Iglesia primitiva, la confesión de los pecados era pública. Sólo a partir del siglo VI en Irlanda y más tarde en el siglo IX en el resto de Europa se hizo la confesión individual a un sacerdote con una absolución* personal... Actualmente, cada vez se pone más el acento en la «reconciliación» consigo mismo, con Dios y con la humanidad para un «mejor servicio de la justicia y de la paz» [24].

La *unción de los enfermos* convierte el aceite, que desinfecta y cicatriza las heridas, en signo del remedio del alma. Recuerda las curaciones realizadas por Cristo, a Dios que se compadece de los sufrimientos de los hombres y que garantiza la permanencia de la vida en el seno de las aflicciones, incluso más allá de la muerte.

- *Evolucionan las formas de los sacramentos*

Es lo que ocurre especialmente en la penitencia controvertida. El ritual de 1974 aceptaba un rito no sacramental sin sacerdote, un rito comunitario con confesión y absolución individuales, pero también colectivas; pero esto provocó o acentuó la deserción de los confesionarios. Juan Pablo II ha insistido en la vuelta a «la práctica de la confesión individual» [25]. Lo que sigue en pie es que los sacramentos, lejos de ser actos mágicos, no tienen sentido más que por la fe de una comunidad. Piden la cooperación del que los recibe y el compromiso de la comunidad para vivir su sentido. Son signos de la vida de Cristo, que transforman a los cristianos en signos vivientes del amor de Dios a los hombres.

### b) La misa católica

En la Iglesia católica, la liturgia culmina en la misa*. Celebrada «el primer día de la semana» (Hch 20, 7), el domingo, día del Señor, una especie de pascua semanal, es la reunión de los cristianos convocados por la Iglesia.

Desde los orígenes, cuando los fieles se encontraban «en la casa» de uno de ellos, practicaban la «fracción del pan» y «alababan a Dios con corazón alegre». Esta fue muy pronto la liturgia de la Iglesia, cuyo corazón era este culto dominical, llamado sucesivamente: sacrificio de la misa, asamblea dominical, celebración eucarística. Sus tiempos fuertes eran: la reunión marcada por plegarias de acogida, de penitencia y de alabanza; proclamación de la palabra (lectura del evangelio, homilía y oración universal); celebración eucarística (oración, consagración y distribución del «pan de vida», con el Padrenuestro y el rito de la paz); finalmente, bendición y despedida para que cada uno se hiciera lo que había recibido [26].

Desde el siglo XVI hasta el Vaticano II (en 1962), la misa se celebró en latín, según el rito de san Pío V. Si desde entonces se autorizan las lenguas nacionales y una elección más libre de lecturas, de oraciones y de cánticos, lo esencial queda sin cambiar. La misa comprende siempre dos partes: la primera la ocupa la liturgia de la palabra, precedida por la petición de perdón y por la glorificación de Dios; la segunda está centrada en la consagración* y la comunión enmarcadas por el credo, las oraciones del canon* y el saludo de paz.

### c) Liturgia y fiestas

Aunque es su manifestación más importante, la celebración litúrgica no agota toda la liturgia.

---

[23] Les dijo a sus apóstoles: «Recibid el Espíritu Santo; a quienes perdonéis los pecados, se les perdonarán».

[24] J. M. Lustiger, nota al sínodo de Roma 1983.

[25] *Redemptor hominis*, n. 20.

[26] Cf. E. Liégé, *L'être ensemble des chrétiens*. Centurion, Paris 1975.

«Los salmos, los himnos, los cánticos» que aconsejaba ya el apóstol Pablo siempre han formado parte de ella. Exaltaban el misterio de Jesús, Dios encarnado.

A ello se añadían numerosas y variadas *plegarias*, personales o comunitarias. Son a la vez de alabanza, de acción de gracias, de ofrenda y de petición. La primera es la que el mismo Jesús enseñó a los discípulos que deseaban saber cómo orar: «Padre nuestro...». Otras muchas, de las fórmulas que él había empleado, o bien ciertos pasajes de las cartas y de los concilios, o alabanzas compuestas por los santos, enseñadas por los catequistas, fueron puntuando la jornada y los grandes momentos de la vida de los cristianos: el *Confiteor*, actos de fe, de esperanza y de caridad, acto de contrición, el *Angelus*, oraciones antes o después de la comida, la *Salve Regina*, el *De profundis*, son otras tantas plegarias recitadas por generaciones de católicos.

La liturgia pone ritmo a la semana y al año con sus fiestas y sus colores. Su centro es la *pascua*, con los tres momentos esenciales del jueves santo (la cena), el viernes santo (la crucifixión) y la noche pascual, seguidos del día de pascua (la resurrección).

Sigue el tiempo pascual (cuarenta días) con la fiesta de la *ascensión* (vuelta del Señor a los cielos) y la de *pentecostés* (bajada del Espíritu Santo sobre los apóstoles). La pascua está precedida por un período de otros cuarenta días (la *cuaresma)*, que comienza el miércoles de ceniza: llamada a la conversión. Finalmente, la *navidad* (aniversario del nacimiento de Cristo) está preparada por el tiempo de *adviento*, espera de la venida de Jesús y de su retorno.

Pero la liturgia no se limita a recordar los acontecimientos pasados.

Los actualiza en la vida de los fieles. Es invitación a dejarse transformar por el Espíritu para convertirse en el cuerpo mismo de Cristo vivo. Otras muchas *fiestas y ritos secundarios*, más o menos localizados en el tiempo y en el espacio, han jalonado la devoción de los cristianos católicos: fiestas de la Virgen (asunción, el 15 de agosto; inmaculada concepción, el 8 de diciembre); fiestas de los santos, culto al Sagrado Corazón desde 1865; ceremonias de los funerales, visitas al Santísimo Sacramento, viacrucis; oración del «Avemaría», instituida en el concilio de Efeso en el año 421; rezo del rosario, traído por los cruzados y codificado por santo Domingo en el siglo XII; peregrinaciones...

Pero, a ejemplo de Jesús que se retiraba a orar a su Padre «en secreto», la oración personal sigue siendo la comunicación privilegiada entre el cristiano y su Dios.

## 7. Moral cristiana

Conformarse al ejemplo de Jesús es imitarle en su comportamiento. O, si se prefiere, vivir según una moral cristiana.

Pues bien, en este terreno se presentan y parecen oponerse dos actitudes.

*La primera es la de la ley.* Se inspira en el decálogo, fue concretada por san Agustín en el siglo IV y se ha inscrito durante siglos en los mandamientos de Dios y de la Iglesia.

Se distinguían entre *virtudes* teologales –fe, esperanza, caridad–, centradas en Dios; cardinales, fundamento de la moral –justicia, prudencia, fortaleza, templanza–, y morales –humildad, generosidad, castidad, sobriedad, mansedumbre, sentido del deber...

Se catalogaban igualmente los *pecados*, «desobediencia voluntaria a la ley de Dios..., por pensamientos, deseos, palabras, acciones y omisiones». El pecado mortal, cometido «en materia grave con plena conciencia», merecía las penas del infierno. El pecado venial merecía «penas temporales en este mundo o en el otro». La contrición, la confesión y el propósito de la enmienda borran el pecado, con la gracia de Dios.

El orgullo, la avaricia, la lujuria, la envidia, la gula, la ira, la pereza, esos que se llaman pecados capitales o vicios, no son más que inclinaciones a cometer el pecado, inclinaciones que se derivaban de la primera desobediencia de Adán y Eva, el pecado original.

En el catecismo francés de 1937, más de la tercera parte de las preguntas (214 entre 607) van asociadas a la moral, a los mandamientos, al pecado y a sus consecuencias. Esta *moral de prohibiciones* ha sido muchas veces criticada como «moral judeo-cristiana».

*La segunda actitud* tiene su fuente en el «mandamiento nuevo», dado por Jesús: «Amaos unos a otros como yo os he amado» (Jn 15, 12). Es la *moral del amor.*

El «sermón de la montaña» constituye su carta magna. Sin «abrogar la ley y las Escrituras», Jesús va más allá de la letra para alcanzar el espíritu. No deja de repetir a sus discípulos: «Habéis oído que se dijo a los antiguos... Pero yo os digo» (Mt 5). «Si vuestra justicia no supera la de los escribas y fariseos, no entraréis en el reino de los cielos».

Tal es la exigencia evangélica: *una llamada a la perfección del amor.* –«Sed perfectos como es perfecto vuestro Padre celestial»–. Esta llamada es repetida por el apóstol Pablo: «Aunque tuviera todos los dones... y distribuyera todos mis bienes a los pobres y entregara mi cuerpo a las llamas, si no tengo caridad, de nada me sirve» (1 Cor 13). Y también: «Ama y haz lo que quieras». «El amor es el cumplimiento pleno de la ley».

En este sentido, no hay moral cristiana. Pero la propuesta incesante de ir más lejos hacia la perfección, de «hacerse prójimo» de los más pobres, de los más extraños, es lo que constituye el alma del seguimiento de Cristo.

El Vaticano II ha vuelto a poner el acento en esta moral de las bienaventuranzas. Exige que se las encarne con audacia y discernimiento ante el reto de la sociedad contemporánea.

Desde el siglo XIX, los papas*, con sus *encíclicas*\*, se han ido preocupando progresivamente de recordar las exigencias de una *moral colectiva:* moral de justicia social (*Rerum novarum*, 1891; *Quadragesimo anno*, 1931), de desarrollo de los pueblos (*Populorum progressio*, 1967), o de los derechos del hombre (*Redemptor hominis*, 1979)... Más que nunca, la llamada a una paz, que tiene por nombre «desarrollo» y «derechos de los hombres», resuena en las declaraciones y viajes pontificios. Se hace eco de los problemas, inquietudes y aspiraciones de «los hombres de buena voluntad».

Es sin duda en el terreno de la *sexualidad* donde la moral católica está más lejos de las concepciones generalmente aceptadas por el mundo moderno. Si bien la Iglesia reconoce el valor de la sexualidad, condena sin embargo vigorosamente el aborto, el divorcio, la homosexualidad, así como la contracepción, la masturbación o las relaciones sexuales extramatrimoniales.

Pero, al mismo tiempo que recuerda estas posiciones tradicionales de la Iglesia católica, Juan Pablo II repite la admirable expresión de Pablo: «Dios es rico en misericordia» [27].

## 8. La iglesia

### a) *Su historia*

#### • *Primitiva*

La Iglesia, en su origen, no es más que la comunidad de los doce apóstoles escogidos por Jesús, separados del grupo de discípulos y de la sinagoga. Muy pronto, Simón Pedro fue considerado como el jefe de la misma [28]. Por eso se la llama «apostólica».

Desde pentecostés, creció en varios millares de convertidos, discípulos, judíos, palestinos, extranjeros presentes en Jerusalén. Debido a las persecuciones y gracias a las misiones de Pablo y de los apóstoles, treinta años más tarde se habían creado asambleas cristianas en Judea, en Samaría, en Siria, en Macedonia, en Grecia, en Egipto y hasta en Roma, donde Pedro fue ejecutado el año 65.

Hasta la toma de Jerusalén por Tito en el año 70, los cristianos seguían la liturgia del templo. Su destrucción marca la ruptura de la Iglesia naciente y del judaísmo. Sin embargo, como dice Pablo, la diversidad de estas Iglesias locales constituye ya una sola Iglesia, la Iglesia de Jesucristo.

---

[27] En Chicago, en 1979. Léase J. Delumeau, *Le péché et la peur.* Fayard, Paris 1985.

[28] Lc 22, 31; Mt 16, 18; Jn 21, 15 y Hechos.

Diecinueve siglos de una historia tormentosa le han dado su doble rostro, humano y divino, como la persona de su fundador. Ella es a la vez un «misterio» y una institución. Su carácter universal y milenario no le impide verse condicionada por las culturas, las sociedades y los regímenes políticos en los que tiene que vivir.

Su «santidad» no excluye ni sus fallos ni sus yerros.

Tiene una historia que suele presentarse en cuatro períodos.

### • El período romano antes de Constantino

Es la época que, desde Nerón hasta Constantino (60 a 311), ve a la Iglesia apostólica extenderse y estructurarse en el imperio romano, pero al mismo tiempo ésta se presenta como una secta a menudo despreciada y a veces perseguida. Por una parte, hay un «pastor» reconocido, el obispo de Roma. Clemente I (90-100) fija y difunde sus escritos «sagrados», unifica su liturgia, instituye los servicios y ministerios* en las comunidades...

Por otra parte, se eleva en nombre de su fe contra ciertas prácticas religiosas o sociales del imperio. Los cristianos, en especial, rechazan el culto al emperador y se niegan incluso a pagarle el impuesto que le debían en otro tiempo los judíos; a veces rechazan también el servicio militar. Por eso son considerados como ateos y asociales.

Este es el motivo por el que, en varias ocasiones, sobre todo en el reinado de Septimio Severo y de Diocleciano, los cristianos fueron perseguidos. Ellos, por su parte, lo aceptan con la alegría de estar así más cerca de Jesús, que se había «ofrecido como víctima por los pecados de los hombres».

Tal como se había planteado ya en el judaísmo, la cuestión de la *relación del cristianismo con la cultura* dominante de una época atormenta a los cristianos del imperio romano. ¿Hay que rechazar una civilización «impura» que, globalmente, contradice al evangelio? Eso es lo que piensan y lo que hacen los mártires. ¿Hay que intentar asimilar sus elementos «válidos»? ¿Apoyar de algún modo la evangelización en lo que se llamaría más tarde «pierres d'attente» (piedras que esperan), presentes en todas

las culturas? Es lo que dicen, a partir del siglo II, algunos pensadores cristianos. La conjunción entre su sabiduría y los deseos de un emperador condujo a la Iglesia constantiniana.

### • El período constantiniano

Algunos lo limitan al reinado de Constantino y de sus sucesores Valentiniano, Teodosio y Justiniano. Es el período que va del edicto de Milán en el 313 hasta la muerte de Justiniano en el 565. Otros piensan que esta «era constantiniana» se prolonga hasta «la separación de la Iglesia y del Estado», que comenzó a principios del siglo XX.

Es que esta entrada en el «constantinismo» es ambigua. Puede ser convergencia y una especie de simbiosis del mensaje evangélico con lo que hay de mejor y de profundamente humano en toda cultura. Pero corre el peligro de hacerse compromiso y hasta corrupción de la originalidad del evangelio con las reglas y los falsos valores de una filosofía y de una política. Así es como se define generalmente el *constantinismo*: contaminación del cristianismo por aquello que es precisamente contrario a su esencia. Jerarquización piramidal de las funciones, juridicismo moral e institucional, inclinación a la idolatría y al fasto en las ceremonias. Todos estos reproches se resumen en una prioridad concedida a la institución y a sus estructuras autoritarias.

Es verdad que, en los hechos, los edictos de Constantino y de Teodosio contribuyeron no solamente a dar a los cristianos la libertad de culto, sino a hacer del cristianismo una nueva *religión de Estado*. En adelante, estarán los cristianos, pertenecientes a la «ciudad de Dios», y los paganos, es decir, los aldeanos que están fuera. La Iglesia, ayer perseguida, se convierte en dueña de la sociedad. El imperio es un Estado cristiano. Y el emperador, el «administrador» de la sociedad, de la que la Iglesia gobierna las almas. La sociedad tiene dos cabezas: el papa y el emperador. La Iglesia es el reino de Dios ya aquí, cuyo rey temporal no es otro sino el emperador. Al convertirse, éste se ha constituido en el representante de Dios en la tierra. Reina sobre los cuerpos lo mismo que la Iglesia sobre las almas.

Entonces, los clérigos pueden consagrarse por entero a los sacramentos, al culto y a la defensa de la ortodoxia. Esta, por otra parte, tiene necesidad de ellos. En efecto, la época constantiniana es la de las grandes herejías: montanismo, macedonianismo, nestorianismo, monofisismo.

● *La Iglesia medieval*

Las invasiones, que rompen el imperio romano, acaban de destrozar la unidad de una Iglesia ya dividida entre el occidente latinizado y el oriente griego, entre Roma y Bizancio.

En occidente, tras un momento de pánico, la Iglesia latina es lo suficientemente fuerte para bautizar y asimilar a los invasores –como Clodoveo en el 496– y convertirlos en nuevos protectores suyos. Prolonga el recuerdo del imperio y de su estabilidad. En el año 800, la coronación de Carlomagno, emperador de occidente, marca esplendorosamente la supremacía del papa, pontífice y soberano de Roma. Es la Iglesia la que dirige la sociedad, y los poderes civiles están a su servicio.

Como había adoptado las estructuras imperiales, sacraliza el sistema feudal de los tres estados jerarquizados. Se hace ella misma piramidal, poniéndose en la cima gracias a su poder sacramental. Fuera de ella no hay salvación, ni hasta existencia. No hay más sociedad que la cristiana. Es lo que se llama *la cristiandad*. Es el reflejo del orden querido por Dios: el de los monjes, los caballeros y los trabajadores.

Al mismo tiempo, grandes pensadores como Agustín [29] hacen la síntesis entre las concepciones de Aristóteles y la teología cristiana. La doctrina se solidifica en torno al «pecado original», es decir, de la corrupción de la naturaleza, de la permanencia del mal vinculado al cuerpo, aun cuando la gracia –sólo la gracia de Dios– es capaz de curarlo.

De esta época quedan al menos ciertos vestigios y a veces ciertas nostalgias: creencia en el dualis-

[29] Agustín (354-430), cristiano de Numidia, hecho obispo de Hipona. Literariamente es conocido sobre todo por sus *Confesiones*, y teológicamente por su *Ciudad de Dios*. Combatió las herejías maniquea, pelagiana y donatista.
Tomás de Aquino (1227-1274), autor de una *Suma teológica* para conciliar la fe y la razón.

mo, práctica de la jerarquía y de la autoridad, inferioridad de los laicos...

• *La Iglesia de los tiempos modernos*

A partir del Renacimiento, a finales del siglo XV, los príncipes, los reyes, los filósofos, sobre todo en el siglo XVIII, y finalmente la burguesía sacuden la tutela de la Iglesia. Se dice que *la sociedad se seculariza* o que el Estado se separa de la Iglesia. El mundo económico, político, social, cultural adquiere su autonomía. La religión pasa a ser un asunto privado.

La Iglesia católica lo acepta mal e intenta una triple defensa. Primero, el endurecimiento de sus posiciones dogmáticas propias; luego, el repliegue defensivo contra el mundo, el ateísmo, el laicismo, el modernismo; finalmente, un intento de adaptación a los cambios.

El concilio de Trento (1545) señala el comienzo de un período de *fijación doctrinal*. El *Syllabus* de Pío IX (1864), condenando los «errores» de la «civilización moderna», fue su último respiro.

En ese mismo movimiento, la Iglesia creyó que se fortalecía consolidando la autoridad jerárquica que desciende del papa a los fieles, dirigidos por sus pastores, obispos y sacerdotes. El Vaticano I, al instituir la infalibilidad pontificia, señala el apogeo de este endurecimiento de *autodefensa*. Y, para el catecismo francés de 1937, la Iglesia todavía se sigue definiendo como «la sociedad de los fieles instituida por Jesucristo y gobernada por el papa, y los obispos bajo la autoridad del papa».

Finalmente, la Iglesia intentó reformarse a sí misma y *ajustarse* a los tiempos nuevos. Progresivamente fue comprendiendo que los cambios eran una llamada y una oportunidad para ella de recobrar su primera vocación: convertirse en la levadura evangélica en medio de la masa del mundo. Por otra parte, a lo largo de los tiempos, tanto en los siglos XII y XIII de plena cristiandad como en el corazón del «modernismo», algunos cristianos no han dejado de lanzar la llamada evangélica. Se han llamado Etienne de Muret, Francisco de Asís, Jacques de Vitry, Lacordaire, Lamennais, Ozanam, Chevrier, Cardijn...

Pero al mismo tiempo, como en la era constantiniana en que la Iglesia se dejó identificar con el Estado, primero imperial y luego monárquico, incluso cuando disputaba al emperador el poder, hasta el siglo XX, no siempre ha sabido resistir a la tentación de evangelizar por la política. A veces ha confundido su presencia en el mundo con la instauración de un régimen político conforme con sus principios.

Así ha ocurrido, en algunos países, con la doctrina social de la *Rerum novarum* o de la *Quadragesimo anno*, que han desembocado en partidos católicos, como la democracia cristiana.

¡Una sola fe, una sola Iglesia, un solo partido!

Sin embargo, el lento caminar del redescubrimiento evangélico llevó al «aggiornamento» del Vaticano II (1962). La Iglesia contemporánea se reconoce «pueblo de Dios», pueblo en medio del gran pueblo de todos los hombres, respetuoso de cada una de sus culturas y de la diversidad de su caminar. Pueblo él mismo unido en sus diferencias para dar testimonio del reino que anuncia.

La Iglesia renacida del último concilio no quiere más que «servir al hombre, sea cual fuere su condición, su miseria y sus necesidades. La Iglesia, por así decirlo, se ha proclamado servidora de la humanidad» (Pablo VI). Porque «el hombre es el camino fundamental del evangelio» (Juan Pablo II). Viviendo el evangelio en el mundo de este tiempo es como existe la Iglesia.

Estas reacciones sucesivas han coincidido a veces por otra parte con un momento en el que se plantean *tendencias contradictorias*. Todavía hoy hay algunos que piensan que, al querer demasiado «abrirse al mundo» actual, la Iglesia corre el peligro de seguirle o de disolverse en él. Hablan de «desviación del concilio», y hasta de «decadencia» y de una «restauración» necesaria. Otros piensan, por el contrario, que el concilio no ha dado aún todos sus frutos y que es preciso sacar de él todas las consecuencias prácticas. Este debate es uno de los principales problemas con el que se enfrenta, más bien que la Iglesia, el cristianismo contemporáneo.

## VATICANO II (1962-1965)

Es la conclusión de una larga búsqueda de los «signos de los tiempos», una nueva concentración en la encarnación.

A través de sus cuatro constituciones, sus nueve decretos y tres declaraciones (la libertad religiosa, las relaciones de la Iglesia con las religiones cristianas, y la educación cristiana) se dibuja un profundo giro.

- La *Iglesia* se define ante todo como:
  - comunidad de creyentes;
  - pueblo de Dios en el mundo de este tiempo;
  (secundariamente como institución).
- *Está al servicio* del hombre y de sus derechos a la autonomía, a la responsabilidad, a la libertad.
- *La autoridad* es un servicio.
- *La fe* es un acto libre.

### b) Su organización

Reunión de comunidades de creyentes en Jesucristo, la Iglesia es también una *institución*.

Hay mucha distancia entre aquellas pequeñas asambleas primitivas, pobres, que practicaban la ayuda mutua y que hasta compartían sus bienes, y la poderosa organización de la Iglesia católica romana. ¿Podía acaso ser de otro modo, desde que la historia ha hecho de ella una sociedad numerosa, mundial, con múltiples servicios?

Centralizado, el sistema eclesial es administrado desde la cumbre por el papa rodeado del sagrado colegio de cardenales* y de los dicasterios pontificios, subdivididos en congregaciones*, tribunales, oficios, comisiones permanentes y secretariados.

En la base, desde el Vaticano II, las Iglesias nacionales están guiadas por las conferencias episcopales. En cada diócesis*, el obispo*, asistido de un coadjutor y de un vicario* general, es responsable de unas zonas pastorales y de unos arciprestazgos que comprenden varias parroquias. Al frente de cada parroquia* hay un párroco.

- *El papa*

En la antigua Iglesia, todos los obispos eran llamados «papas», es decir, padres. Fue sólo en el siglo VI cuando este término se reservó para el obispo de Roma. Hay que decir que, desde los primeros siglos, la Iglesia de Roma tuvo conciencia de su responsabilidad particular, reconocida por ejemplo por Ireneo, Cipriano y hasta por las Iglesias de oriente. —¿Acaso no era, en la capital del imperio, el sucesor de aquel a quien Jesús había dicho: «Tú eres Pedro y sobre esta piedra levantaré mi Iglesia»?–.

Sin embargo, esta *primacía* no implicaba una monarquía papal. Hasta el siglo XI, el papa era elegido por los fieles de la diócesis de Roma, y luego por los otros obispos. A partir de 1274, fue un cónclave* de cardenales [30], recluidos en un lugar cerrado, el que escogió de entre ellos al «Santo Padre».

Anteriormente, en conformidad con las costumbres feudales que ligaban la autoridad con la posesión de un territorio, el papa se convirtió también en «soberano», el «soberano pontífice» de los Estados Pontificios (año 756). Comenzó a querer ser, no sólo cabeza de la Iglesia, sino del mundo. Y, en el siglo XIII, sometió incluso al poder real. «Lo mismo que los reyes deben seguir a los eclesiásticos, los laicos deben seguir a sus príncipes por el vínculo de la Iglesia y de su patria» [31].

En el Renacimiento llega a su punto culminante esta concepción del papa «príncipe de la Iglesia», y príncipe sin más, mecenas o caudillo militar [32]. Finalmente, el concilio Vaticano I (1869-1870) le reco-

---

[30] Son los obispos titulares de una parroquia romana; hoy todavía el nombramiento de los cardenales va acompañado de la atribución simbólica a los mismos de una parroquia romana.

[31] Cardenal Humberto, 1057.

[32] Por ejemplo, Alejandro VI Borgia (1492-1503); Julio II (1503-1513).

noció el poder ya tradicional de la *infalibilidad*. De hecho, ésta se limita a unos cuantos casos particulares de fe y de costumbres. Significa que el Espíritu asiste fielmente a su Iglesia, especialmente en los concilios.

● *Concilios y sínodos*

Un *concilio* es una asamblea de pastores legítimos de la Iglesia, llamados a regular ciertos asuntos relativos a la fe, las costumbres o la disciplina eclesiástica. Se les llama ecuménicos cuando representan a la Iglesia universal, es decir, cuando se reúnen todos los obispos. Desde el concilio de Nicea, en el 325, se cuentan 21.

No se trata ya de preguntarse si la autoridad suprema pertenece al papa o al concilio. «Ciertamente, el concilio solamente es convocado válidamente por el papa y sus decisiones son promulgadas por él. Pero es fundamentalmente el fruto de un trabajo colectivo de los obispos, ayudados por el inmenso esfuerzo de los cristianos en general y de los teólogos en particular» [33]. Desde 1967 ha aparecido otra instancia: el *sínodo*\*.

El *sínodo* es una asamblea consultiva formada por los obispos elegidos por las conferencias episcopales, los representantes de las Iglesias orientales y de los dicasterios romanos, y finalmente de religiosos y de miembros designados por el papa. Juan Pablo II veía en él «un laboratorio de comunión» y un medio de «hacer cada vez más profunda y poco a poco más orgánica la unión de la Iglesia». Todos los bautizados están invitados a participar en la elaboración de los documentos preparatorios. A él hay que añadir los *sínodos extraordinarios*, que reúnen en torno al papa a los presidentes de las conferencias episcopales; y finalmente los sínodos diocesanos.

● *Sacerdocio y ministerio sacerdotal*

El Vaticano II ha reafirmado que, por el bautismo, todo cristiano ejerce el sacerdocio\*. Pero, desde

los orígenes [34], algunos de ellos han sido ordenados para un servicio particular: un ministerio. Y un sacramento, el orden, confiere al *sacerdote* que lo recibe «un poder sagrado para formar y conducir al pueblo sacerdotal, para realizar, representando a Cristo, el sacrificio eucarístico y ofrecerlo a Dios en nombre de todo el pueblo santo» [35].

La formación de los sacerdotes, las etapas hacia el sacerdocio ministerial [36], los signos [37], han cambiado a lo largo de los siglos.

Aunque periódicamente discutida, ha permanecido en pie una obligación: la del *celibato*. A imitación de las órdenes monásticas, tomó forma en el concilio de Arles en el 314. En su carta a los sacerdotes en 1979, el papa Juan Pablo II ha insistido en este ministerio, no ya delegado por la comunidad, sino don que Dios le concede. Esto significa reafirmar la única constante del sacerdocio: Jesucristo es el único sacerdote. Es él el que bautiza, perdona o celebra la eucaristía. Entre los clérigos y los bautizados no hay diferencia de jerarquía, sino de servicio.

Es lo que ha afirmado con claridad la constitución dogmática *Lumen gentium* (1962). Define a los *laicos* como «el conjunto de cristianos que no son miembros del orden sagrado ni del estado religioso», pero que, «incorporados a Cristo por el bautismo, integrados en el pueblo de Dios... participan a su modo de la función sacerdotal, profética y real de Cristo... Ejercen por su parte, en la Iglesia y en el mundo, la misión\* propia de todo el pueblo cristiano».

Igualmente, los *religiosos* no son super-cristianos. Solamente, en algunos momentos de su historia en que la Iglesia parecía traicionar a su misión, surgieron algunos hombres y mujeres para recordarles a todos las exigencias evangélicas. A veces se retiraron del mundo, incluso en el desierto; ordi-

---

[33] Cf. *La fe de los católicos*, 324.

[34] Cf. Hch 14, 23; 1 Tes 5, 12. Carta de Ignacio de Antioquía en el año 110 donde habla de obispo, presbíteros y diáconos.
[35] LG 20.
[36] Subdiaconado, diaconado, sacerdocio ministerial.
[37] La tonsura en el 506; la sotana en el siglo XIX.

nariamente, fundaron comunidades u *órdenes* reunidas por *una regla* de vida evangélica.

Así lo hicieron Antonio, Basilio y sobre todo Benito (hacia el 530). En el siglo XIII, san Francisco, imitador de Jesucristo, recuperó el sentido de la pobreza en el gozo, de la simplicidad y de la paz. Santo Domingo fundó a los hermanos predicadores, mendicantes en aquella época (1215). Santa Teresa de Avila en el siglo XVI reformó la orden del Carmen (reformada por primera vez en 1247), centrada en la contemplación. Poco antes, Ignacio de Loyola fundó la Compañía de Jesús (los jesuitas) para sostener al papado... En los siglos XVIII y XIX nacieron otras muchas órdenes, desde los redentoristas, predicadores de Alfonso de Ligorio, hasta los salesianos de san Juan Bosco (1864) para el apostolado popular y sobre todo entre los niños y los jóvenes.

Hoy se cuentan 221 institutos religiosos masculinos, que agrupan a más de 247.000 miembros, y 1.175 femeninos con 950.000 religiosas.

Así es la Iglesia, institución organizada para el servicio de las comunidades cristianas que la componen, cada vez más diversas entre sí.

Reflejando más o menos las civilizaciones en que tuvo que dar testimonio de Jesucristo, es tanto más fiel al mensaje que transmite cuanto más se deja transformar por el Espíritu que, a lo largo de los siglos, ha soplado entre los bautizados.

# ALGUNAS GRANDES ENCICLICAS

León XIII: *Immortale Dei*, sobre la democracia y la autoridad de la Iglesia (1889).
*Rerum novarum*, sobre la condición obrera (1891).

Pío X: *Gravissimo officii*, contra la separación de la Iglesia y del Estado en Francia (1906).

Pío XI: *Casti connubii*, sobre el matrimonio cristiano (1930).
*Quadragesimo anno*, sobre la doctrina social (1931).
*Mit brennender Sorge*, sobre el nazismo (1937).

*Divini Redemptoris*, sobre el comunismo ateo (1937).

Pío XII: *Summi pontificatus*, contra los principios totalitarios (1943).
*Humani generis*, contra ciertas tesis antropológicas (1950).

Juan XXIII: *Mater et magistra*, sobre los problemas sociales (1961).
*Pacem in terris*, sobre la paz (1963).

Pablo VI: *Ecclesiam suam*, sobre la Iglesia (1963).
*Populorum progressio*, sobre el desarrollo de los pueblos (1967).

Juan Pablo II: *Redemptor hominis*, sobre la dignidad y los derechos del hombre (1979).
*Laborem exercens*, sobre el trabajo (1981).

☆

# PRINCIPALES CONCILIOS

## 1. Concilios reconocidos por casi todas las Iglesias

325: Nicea (condenación de Arrio - primer credo).

381: Constantinopla (condenación de Macedonio, divinidad del Espíritu).

431: Efeso (condenación de Nestorio: María, madre de Dios).

451: Calcedonia (condenación del monofismo [1]).

553: Constantinopla II (confirmación de los cuatro concilios).

680: Constantinopla III (condenación del monotelismo [2]).

787: Nicea II (condenación de los iconoclastas).

---

[1] O sea, la de una sola naturaleza en Cristo. En Calcedonia se afirma la doble naturaleza, humana y divina, de Cristo.

[2] Herejía según la cual en Jesucristo no habría más que una voluntad, la divina.

## 2. Tras la ruptura entre occidente y oriente

869: Constantinopla IV
1123: Letrán I
1139: Letrán II
1179: Letrán III
1215: Letrán IV
1245: Lyon I
1274: Lyon II.
1311: Vienne

1414: Constanza
1431: Basilea-Ferrara-
-Florencia
1512: Letrán V
1545: Trento
1869: Vaticano I
1962: Vaticano II

## 3. Concilios de algunas grandes definiciones católicas

*Letrán II* condena la simonía, la usura, aconseja la continencia de los clérigos*.

*Letrán IV* define la transubstanciación*.

*Lyon II* intenta una aproximación a los griegos.

*Trento* reforma la Iglesia (esbozo en Letrán IV), define el pecado original, la justificación, los sacramentos.

*Vaticano I* define las relaciones entre la fe y la razón, proclama la infalibilidad del papa.

*Vaticano II* afirma la colegialidad del episcopado, proclama la apertura al mundo, la libertad religiosa.

# 9. Herejías y cismas

### • *Herejías*

Muy pronto las comunidades cristianas se dividieron debido a las discusiones sobre la persona de Cristo, sobre su reino, sobre la imagen de Dios. Aquello dio origen muchas veces a doctrinas más o menos duraderas que los obispos, los padres de la Iglesia o los concilios refutaron o condenaron como herejías.

Debido a nuestra opción de exponer aquí sólo las religiones contemporáneas, me limitaré a enumerar las principales herejías históricas. Llevan el nombre de: gnosis, mandeísmo, maniqueísmo, arrianismo, nestorianismo, monofisismo... Algunas de ellas siguen vivas, bien en Iglesias actuales —como la Iglesia copta de Egipto o la Iglesia armenia,

heredera del monofisismo [38]–, bien bajo la forma de sutiles contaminaciones dentro del propio catolicismo –como en ciertas tendencias cátaras o jansenistas [39]–.

### • *Cismas*

Más tarde, ciertas cuestiones de ritual o de disciplina eclesiástica provocaron divisiones en la Iglesia primitiva. A través de crisis más o menos largas y más o menos graves, estas divisiones desembocaron en cismas, es decir, en una ruptura duradera con la Iglesia anterior. Así, se produjo en occidente un cisma entre el papado instalado en Avignon y el instalado en Roma, con Clemente VII, en 1378, que se prolongaría hasta el año 1417.

Pero los dos cismas más importantes salieron de la crisis entre el occidente y el oriente, entre Roma y Bizancio, y de la protesta de Lutero contra los escándalos de la Iglesia en el siglo XVI.

El primero dio origen a la ortodoxia.

El segundo está en el origen de la Reforma, primero protestante y luego anglicana.

### a) *La ortodoxia*

Comenzada ya en el siglo IV, agravada a lo largo de los siglos XI y XIII, la crisis oriental desembocó en una separación definitiva después de la conquista de Constantinopla en 1453. Se debe a causas simultáneamente culturales, teológicas y políticas. Hay dos fechas que marcan la ruptura:

*1054,* cuando, tras el fracaso de un intento de conciliación, el legado romano excomulgó al patriarca* de Constantinopla, Miguel Cerulario;

---

[38] Los coptos rompieron con Bizancio en el concilio de Calcedonia (año 451), por razones de disciplina eclesiástica. La lengua litúrgica se deriva del Egipto faraónico. Son actualmente 13 millones de fieles que dependen del patriarca de Alejandría, Chenuda III.

[39] Los cátaros, los «puros», creían en un dualismo, muy presente en el espíritu de algunos católicos; el rigorismo jansenista ha marcado por mucho tiempo al catolicismo francés.

*1204*, después del saqueo de Constantinopla durante la cuarta cruzada.

*Tres motivos de disputa*, de valor desigual, estuvieron en el origen de las Iglesias ortodoxas orientales.

### • Los ritos

El primero es el de *los ritos*, que no hizo más que preparar el terreno del cisma.

En la Iglesia primitiva, los ritos eran diversos según cada país: galicano, bizantino, copto... Sin embargo, no empleaban más que dos lenguas litúrgicas: el *latín* en occidente, con Roma, y el *griego* en oriente, en las iglesias de Antioquía, de Jerusalén y de Constantinopla.

Con el imperio bizantino, el rito de Constantinopla acabó imponiéndose y, con él, sostenido por el emperador, la primacía de su patriarca. Por eso, a lo largo de los siglos IV al VIII, la Iglesia de Constantinopla rompió cinco veces con Roma.

### • La doctrina

La segunda *oposición, doctrinal*, encierra un malentendido: la famosa disputa del «Filioque». Se abrió en el 794, cuando Carlomagno pidió que se integrara en el credo de Nicea (325) la fórmula «Filioque» con la expresión: «Credo in Spiritum Sanctum qui ex Patre *Filioque* procedit» (el Espíritu que procede del Padre y del Hijo).

Al principio, las Iglesias se opusieron con argumentos que no dejan de tener peso. El primero es que el equilibrio de la Trinidad queda roto en detrimento del Espíritu, reconocido como tercera persona divina en el concilio de Constantinopla (381). El segundo es precisamente que la formulación del «filioque» va contra la prohibición de modificar el credo de Nicea [40]. Finalmente, el «filioque» está en desacuerdo con Jn 15, 26; de hecho, la traducción satisfactoria debería haber sido: el Espíritu Santo que procede del Padre y es enviado al Hijo.

Tras un compromiso con León III en el 810, la ruptura en este punto quedó consumada en el siglo XI. Para la Iglesia de oriente, hay una relación mutua entre el Espíritu y el Hijo y no dependencia del primero respecto al segundo.

### • El poder

La tercera divergencia se refiere al *poder*. Se enfrentan entre sí dos tesis: la tesis tradicional en la Iglesia oriental, según la cual «el rango de los obispos en la jerarquía se determinaba por el rango civil de las ciudades cuyo título llevaba». –Por otra parte, el concilio de Nicea reconocía la autoridad excepcional de los obispos de Roma, Alejandría y Antioquía; el de Constantinopla admitía la de su obispo: por tanto, a partir del momento en que Constantinopla pasó a ser la capital del imperio, su obispo tenía que pasar a ser jefe de la cristiandad–. Pero la tesis que hacía del obispo de Roma el primero entre sus iguales no procede de la situación de la ciudad, sino de la preeminencia de Pedro, cabeza de los apóstoles.

Con momentos de paroxismo y momentos de tregua [41], el conflicto se prolongó hasta la toma de Constantinopla por los turcos en el año 1453. En efecto, la ruptura quedó consumada cuando Mahoma II eligió como patriarca a un anti-unionista, Gennadios Scholarios. La Iglesia griega recibió entonces la jurisdicción sobre todos los cristianos del *imperio turco*, cuyas fronteras se confundían en el siglo XVII con las del *patriarcado de Constantinopla*.

*Sólo se le escapó Rusia*, que en 1589 obtuvo que Moscú, la «tercera Roma», fuese erigida como patriarcado independiente. Fue el príncipe Vladimiro [42] el que, después de haberse hecho bautizar para casarse con la princesa bizantina Ana, impuso el cristianismo al pueblo ruso. Dependiendo de Constantinopla, que nombraba al metropolita de

---

[40] Prohibición que se votó en Constantinopla en el 381 y que se repitió en Éfeso el 431.

[41] Paroxismos en tiempos de Focio (863-867) y en 1204, cuando la cuarta cruzada; treguas en el concilio de Lyon (1274) y en el de Florencia (1439).

[42] Vladimiro, gran duque de Rusia, muerto en 1015 y considerado como santo.

Kiev, la Iglesia rusa siguió por tanto el cisma bizantino.

A mediados del siglo XVII, la reforma del patriarca Tikhon desembocó en otra escisión *(raskol)*: la de los «viejos creyentes» (Starovery). Pero los zares no cesaron de imponer su poder sobre la Iglesia rusa. Así, en 1721, Pedro el Grande sustituyó el patriarcado por un *Santo Sínodo* de ocho a diez miembros nombrados por él. Tan sólo en 1917, el concilio panruso restableció el patriarcado. Después de muchas persecuciones y de la expropiación de la Iglesia, en 1927 el gobierno soviético concedió un estatuto legal a la Iglesia ortodoxa sinodal, frente a la cual se mantenían una Iglesia patriarcal popular y varias Iglesias disidentes, entre ellas la Iglesia sinodal ucraniana.

La guerra patriótica contra Alemania acercó a la Iglesia y al Estado. En 1943, el metropolita* Sergio Starogrodskij [43] fue reconocido como patriarca. Desde 1945, la Iglesia ortodoxa rusa, separada del Estado, es reconocida por él, pero sometida a él. Su jefe es el patriarca de Moscú [44], que la representa ante las autoridades y ante las otras Iglesias. Sus comunicaciones y convocatorias de obispos tienen que pasar por el ministerio de Asuntos Extranjeros.

Está asistido de un *sínodo*, formado por los tres metropolitas de Kiev, Leningrado y Kruty, y por tres obispos elegidos. La autoridad suprema es un concilio –el Sobor–, compuesto de clérigos y laicos. Las 73 diócesis corresponden a las regiones administrativas. Dos academias de teología (Zagorsk y Leningrado) y tres seminarios aseguran la formación del clero, cuya función se limita estrictamente al culto.

Los edificios religiosos, y hasta los vasos sagrados, todo pertenece al Estado, que los presta cuando se lo piden. Los recursos financieros de la Iglesia, sometidos al control del gobierno, se derivan de las donaciones de los fieles y de la venta de cirios y de pan bendito.

---

[43] Jefe de la Iglesia patriarcal, es decir, opuesta a la Iglesia sinodal oficial.

[44] Desde 1971, Su Santidad Pimeno.

– *Otras Iglesias ortodoxas*

Desde 1595, la historia de las Iglesias ortodoxas siguió a la de las *independencias nacionales*. Así se fueron separando sucesivamente del Fanar (Iglesia de Constantinopla):

- la Iglesia ortodoxa servia (1829);
- la Iglesia ortodoxa griega (1850);
- la Iglesia ortodoxa búlgara (1870);
- el patriarcado chipriota (1878);
- el patriarcado de Alejandría (1899);
- el patriarcado de Antioquía (1899);
- el patriarcado de Jerusalén (1908);
- la Iglesia ortodoxa de Rumanía (1925);
- finalmente, la Iglesia de Albania (1925).

– *Originalidad de las Iglesias ortodoxas*

Lo que caracteriza religiosamente a la tradición ortodoxa es la atención que dirige de forma privilegiada a tres aspectos de la fe cristiana: la resurrección, la Trinidad, el Espíritu Santo.

♦ *La resurrección*

No es casual que la pascua sea la mayor fiesta ortodoxa. Ese día, los fieles llenan las iglesias y se saludan gozosamente: «Khristos voskresse» - «Voistinu voskresse» (¡Cristo ha resucitado! - ¡En verdad, ha resucitado!).

Es que, para los ortodoxos, la pascua es realmente el paso de la muerte a la vida. No es el aniversario de la reanimación de un cadáver, sino el signo de la victoria de Cristo sobre la muerte. Y por eso mismo, es la certeza de vida para todos los hombres. Con Cristo, y por él, el cristiano participa de la vida divina.

Y la Iglesia entera es sacramento de resurrección. El lugar donde sopla la vida eterna. Una vida que no puede ser sino trinitaria:

La ortodoxia ha de dar testimonio de que la verdadera liberación del hombre no consiste sólo en cambiar la decoración externa, sino en llevar a los hombres a redescubrir el gozo de la resurrección en todo su alcance, es decir, en un servicio que abrace también a la sociedad (Asamblea general de Syndismos, Boston, julio 1971).

♦ La Trinidad

La Trinidad es realmente el corazón de la fe cristiana. Es lo que la distingue de las otras religiones. Y no es mera coincidencia que el icono más célebre de la ortodoxia represente a los tres huéspedes misteriosos de Abrahán [45], o que los rusos se signen con tres dedos.

Dios no es el «soltero único de los mundos». Un Dios solitario encerrado en su omnipotencia. Tampoco es una divinidad con dos caras: bendición por un lado y maldición por otro. Es uni-trinitario.

Fórmula de fe difícil, y hasta imposible de comprender. Pero la única que se aproxima a la verdad de un Dios-relación. Un Dios amor. Un Dios vida. Porque la vida es la resolución infinita y universal de todas las contradicciones, mientras que la muerte está al final de todas las contradicciones.

El Dios trinitario de la ortodoxia es la unidad viva que reina entre las personas del Padre, del Hijo y del Espíritu. Creer en la Trinidad es creer también en la superación de la oposición mediante la comunión del amor.

Es finalmente creer que, bajo el movimiento del Espíritu, el propio hombre dividido, pero a imagen de Dios, es uno. En la medida en que, por la resurrección de Cristo, se convierte en dios, es una persona. Y, más allá, el hombre total, la humanidad reconciliada consigo misma, «lugar de Dios», es una. «Incorporados» a Cristo, todos «somos miembros unos de otros».

La fe ortodoxa en la Trinidad es rechazo de excomunión. La Iglesia es comunión, a imagen misma de la Trinidad.

♦ El Espíritu Santo

Sólo el Espíritu Santo da este conocimiento. El es efectivamente la luz que revela el verdadero rostro del mundo, del hombre y de Dios. El es el fuego del amor que purifica nuestra visión uniéndonos al objeto de nuestra contemplación.

Por el Espíritu que sopla sobre ellos, los fieles ortodoxos se convierten en cuerpo de Cristo, portadores del Espíritu. Esta presencia del Espíritu los hace testigos de la verdad. El Espíritu es algo más que un «don». Es «dador» de vida. Vive en el corazón del hombre para hacerlo hijo de Dios. Un santo. Y la Iglesia es así el templo del Espíritu Santo en cada uno de sus miembros. Esto explica la función de los laicos en la Iglesia ortodoxa: participantes del sacerdocio universal y co-celebrantes de algún modo de la eucaristía* por el Espíritu Santo. Son el pueblo de Dios. El pope es solamente aquel que recoge las súplicas de los fieles y atestigua la realidad de la venida del Espíritu sobre el pan, el vino y el pueblo. De esta certeza nació una Iglesia a la vez una y plural.

– Relaciones con el catolicismo

Separadas de Roma, a la que por otra parte casi nunca estuvieron unidas, las Iglesias ortodoxas han conocido varios intentos de aproximación a la Iglesia católica romana.

En el pasado, estos intentos tuvieron lugar con Miguel VIII Paleólogo después del concilio de Lyon en 1274 y del de Florencia unos 200 años más tarde [46].

Mucho más recientemente, algunos gestos espectaculares han manifestado un anhelo común de encuentro:

– el 5 enero 1963, en Jerusalén, el abrazo entre Pablo VI y el patriarca de Constantinopla, Atenágoras I;

---

[45] En el icono de «la Trinidad» de Andrés Rubliev (1411-?).

[46] Los griegos que se habían inclinado por la unión se retractaron al volver a oriente.

– en diciembre de 1965, en la clausura del Vaticano II, se levantaron las excomuniones mutuas del año 1054;

– en septiembre de 1978, la muerte repentina del metropolita de Leningrado en brazos de Juan Pablo I en el Vaticano;

– el 30 noviembre 1979, en Estambul, la misa del patriarca Dimitrios I, a la que asistió el papa Juan Pablo II;

– finalmente, el 30 mayo 1986, la publicación de la encíclica de Juan Pablo II sobre el Espíritu Santo, *Dominum et vivificantem*. Es verdad que no dice nada de la divergencia fundamental entre las dos Iglesias –la cuestión del *Filioque*–, pero el papel que se le atribuye al «Espíritu Santo que suscita en los corazones una profunda aspiración a la santidad» es una apertura hacia una concepción común del Espíritu [47].

## b) El protestantismo

El protestantismo es en primer lugar la *protesta cristiana*, en nombre del evangelio, contra los escándalos de una cristiandad y de una Iglesia que seguían unos comportamientos contrarios a la enseñanza de Jesucristo. Este nombre sólo se le dio a la Reforma en 1529, cuando seis príncipes y catorce ciudades libres, en la dieta de Spira, elevaron una solemne protesta contra las exigencias católicas.

### • Sus precursores

Pero entre sus precursores se pueden recordar algunos antepasados muy anteriores al siglo XVI, como *Pedro Valdo* y su cofradía de los Pobres de Lyon, que difundían el evangelio en lengua popular [48].

Más tarde, fue sobre todo *el papado* el que escandalizó por su lujo, el peso excesivo de su fiscalidad y sus intervenciones políticas y militares. Desde el siglo XIV, los excesos y la corrupción de la Iglesia habían provocado en su seno no pocas críticas y *exigencias de reforma*. Las más importantes fueron las de los teólogos *Wyclif* (1320-1384), profesor en la universidad de Oxford, y *Jan Hus* (1370-1415), decano de la facultad de teología de Praga.

Los dos se opusieron a los derechos y privilegios del clero. Sobre todo, pusieron en discusión el poder del papa y del clero de interpretar la Escritura. Así, Wyclif rechazó el dogma de la transubstanciación [49], y Jan Hus, después de traducir la Biblia al checo, en su tratado *De la Iglesia* distingue entre «la institución romana, comunidad de fe fundada por los apóstoles, y la Iglesia universal, fundada sólo por Jesucristo»... Pero los dos fueron declarados herejes, y Jan Hus fue encarcelado, torturado y quemado en la hoguera el 6 de julio de 1415.

Simultáneamente, la difusión de la Biblia por la *imprenta* y el desarrollo del espíritu crítico gracias al humanismo ponían de relieve las contradicciones entre los evangelios y la vida de la Iglesia. En su *Elogio de la locura*, un gran humanista, *Erasmo* [50], de una forma irónica, opuso el comportamiento de Alejandro VI, el corrompido, de Julio II, el guerrero y de León X, el mecenas, al ejemplo de Jesucristo.

Hubo incluso varios *concilios* que reconocieron la necesidad de reformas e intentaron promoverlas (el de Constanza en 1414-1418 y el de Basilea en 1431-1449). En 1417, el papa Martín V condenó la simonía [51] y la acumulación de beneficios. El cardenal Juliano Cesarini, en 1436, en el concilio de Basilea, había proclamado la urgencia de «reformar la Iglesia en su cabeza y en sus miembros...».

---

[47] Entre los gestos de aproximación habría que citar, en 1981, el 16.º centenario del concilio de Constantinopla, en el que se suprimió el «Filioque» en la recitación común del credo niceno-constantinopolitano.

[48] Los discípulos de Valdo, los Valdenses, fueron masacrados en 1545 por orden de Francisco I. Incorporados al protestantismo desde 1532, sobreviven en los Alpes.

[49] Según este dogma, la sustancia de pan y vino se convierte en la sustancia del cuerpo y sangre de Jesucristo.

[50] Erasmo (1467-1536), de Rotterdam, enseñó por toda Europa; es el mayor de los humanistas, es decir, de los eruditos que ponían en el centro de su reflexión personal el valor supremo del hombre.

[51] La simonía es el tráfico de las cosas santas, por ejemplo de los sacramentos pagados. Un beneficio es la renta de una parroquia, de un obispado, etc., dados por el rey.

Pero las diversas exhortaciones, las reformas abortadas, las condenas por herejía no habían logrado más que hacer aparecer como más intolerable la situación de la Iglesia en el siglo XVI y más indispensable su vuelta a la «sencillez primitiva». La Reforma que va a nacer de esta doble reacción surgió casi en el mismo momento en tres lugares distintos: Alemania, Suiza y Francia.

- ### La Reforma en Alemania con Martín Lutero

La *Alemania del siglo XVI* ofrecía un terreno privilegiado para el desarrollo de las ideas reformadoras.

La Iglesia, gran propietaria de tierras, distribuía los obispados y las abadías. Con sus impuestos y colectas, Roma obtenía allí abundantes recursos. Las costumbres del clero, obispos y párrocos, andaban muy relajadas. Más que en otros sitios, la imprenta había difundido allí numerosas ediciones de la Biblia y las obras de los humanistas.

En esta situación, Lutero, joven estudiante jurista y humanista en Erfurt, entra en el convento de los agustinos en 1505 para hacerse allí «verdaderamente cristiano».

Monje escrupuloso, obsesionado por el miedo a no merecer la libre gracia de Dios, asustado por el temor a Satanás y a la justicia divina, se ve tentado por la desesperación de la «incredulidad».

Pero la lectura incesante de la Escritura –de la que era profesor– acabó convenciéndole de que «la justicia de Dios significa la justicia que Dios da y por la que el justo vive, si tiene fe». Descubre que Dios, padre de Jesucristo, es un Dios de amor. El cristiano se sabe a la vez «siempre pecador», «siempre penitente» y «siempre justo» por su fe en Cristo salvador. O mejor dicho, la «fe de Jesucristo» lo justifica. Porque es Dios el que, por su hijo, manifiesta su confianza en el hombre; y la fe del justo no es más que la acogida de esa confianza.

Esta convicción entusiasta es la que le da a Lutero el coraje de oponerse, en nombre de esta verdad de la Escritura, a la autoridad eclesiástica.

El debate explotó a propósito del *asunto de las indulgencias* en 1517.

Para terminar la construcción de la basílica de San Pedro en Roma, el arzobispo de Maguncia hizo que se vendieran «indulgencias» por toda Alemania, es decir, la posibilidad de rescatar por medio de una penitencia, aplicable incluso a los difuntos del purgatorio.

Los banqueros de Augsburgo, los Fugger –con los que estaba endeudado Alberto de Brandeburgo– se hacían cargo de las colectas. Los dominicos, entre ellos Johannes Tetzel, eran los encargados de predicar las «indulgencias».

Escandalizado, Martín Lutero protesta ante las autoridades eclesiásticas, denuncia este engaño desde el púlpito y acaba fijando en la puerta de la iglesia de Wittenberg un cartel con las 95 proposiciones que condenaban el principio mismo de las indulgencias: sólo Dios perdona y salva. Por otro lado, esto es también lo esencial de la convicción de Lutero. Las indulgencias fueron tan sólo una ocasión para publicar esas proposiciones. Los estudiantes se encargaron de difundirlas.

Aunque invitado a retractarse, Lutero apeló al papa en varias ocasiones, pero se negó a presentarse en Roma. Tras una disputa de cuatro días con el legado pontificio, y después de dos escritos [52], fue excomulgado por la bula *Exsurge, Domine*. Era el 15 de junio de 1520. Después de intentar en vano dirigirse una vez más a León X, Lutero quemó solemnemente la bula pontificia. Casi un año más tarde, el 26 de mayo de 1521, Carlos V, siguiendo la dieta imperial de Worms, ante la que compareció, lo desterró del imperio.

Entretanto Lutero había redactado y publicado los escritos fundamentales de la Reforma: *De la libertad del cristiano, A la nobleza cristiana de la nación alemana sobre la enmienda de la condición del cristiano* y *Preludio sobre la cautividad babilonia de la Iglesia*, destinados a los clérigos.

Más tarde, para replicar a Erasmo, escribió *Del siervo albedrío* (1525); contra los anabaptistas [53]: *El*

---

[52] *Del papado que hay en Roma - Del papa mal informado al papa mejor informado.*

[53] Movimiento nacido de una revuelta de aldeanos, que excluía el bautismo de los niños y deseaba una Iglesia de «puros».

*deber de las autoridades civiles de oponerse a los anabaptistas mediante castigos corporales;* finalmente, *El catecismo menor y mayor* (1529) y la célebre *Confesión de Augsburgo* (1530), seguida de los *Artículos de Esmalcalda* (1536).

### – La doctrina de Lutero

Es la que se expone precisamente en los 28 artículos de la *Confesión de Augsburgo*, que Melanchton [54] presentó a la dieta en 1530. El mismo Lutero la confirmó por la *Apología* y luego por los *Artículos de Esmalcalda*.

Está muy marcada por las experiencias y el temperamento de Martín Lutero. Sin embargo, todavía hoy estos libros siguen estando en el centro de la teología de las comunidades luteranas.

Esta teología *se basa en la Sagrada Escritura,* que es la que tiene autoridad tanto en materia de organización de las Iglesias como en materia de moral y de fe.

Todo hombre nace marcado por «la caída original» de Adán, transmitida a todos sus descendientes. Desde entonces, «ha pasado como con el árbol malo: no puede querer más que el mal». Habiéndose retirado Dios de él, todas sus acciones no pueden ser más que pecado. Privado de libre voluntad, el hombre no obra el bien o el mal más que según el designio de Dios.

Pero la muerte de Cristo en la cruz por todos los hombres asegura a todos los que creen en él el perdón y la salvación. «El justo se salva por la fe». Dios no ve los pecados de aquel que confía en su amor manifestado por el don de su Hijo.

En consecuencia, no son ni los méritos de los hombres, ni las misas, peregrinaciones y otras prácticas religiosas las que salvan al pecador. Este sólo puede reconocer la misericordia de Dios por la pureza de su vida moral, especialmente en las funciones que ejerce.

La Iglesia es una comunidad espiritual cuya cabeza es Cristo. El es su único maestro, y no un papa que no puede, por ningún título, proclamarse representante suyo.

Todos los fieles son sacerdotes. Y los ministros, delegados por la comunidad, presiden solamente la plegaria, la administración de los sacramentos y la predicación.

No hay más que dos sacramentos: el bautismo y la cena, signos que recuerdan las promesas de Dios robusteciendo la fe.

- **La Reforma en Suiza con Ulrich Zwingli (1484-1531)**

Fue en Zurich, ciudad libre, donde Zwingli estableció la primera Iglesia reformada suiza. Párroco de Glaris, luego predicador de Einsiedeln, fue en la lectura del Nuevo Testamento griego de Erasmo donde, como Lutero, adquirió la certeza de que el corazón del evangelio es la buena nueva de la paternidad de un Dios misericordioso. La lectura de las obras de Lutero no hizo más que confirmar su fe renovada. La defendió en 1523 en un gran debate frente al obispo. El gran consejo de Zurich adoptó su *programa reformador:* liturgia en lengua popular, sustitución de la misa por la predicación de la palabra, supresión de las estatuas y del órgano, secularización* de los conventos y expropiación de los bienes de la Iglesia.

Pero una importante cuestión doctrinal divide a Lutero y a Zwingli: ¿está Cristo realmente presente en el pan y el vino de la *eucaristía*? Sí, dice Lutero, aunque no se sabe cómo. Por eso, la Santa Cena transmite la vida de Jesús y crea la comunión entre los fieles –No, replica Zwingli; Jesús no dijo: «Esto es mi cuerpo», sino: «Esto es signo de mi cuerpo»; la Cena no hace más que recordar la última cena de Cristo.

Un coloquio celebrado en Marburgo en 1529 no pudo hacer otra cosa más que constatar la divergencia. Si bien todos están de acuerdo en decir que el cristiano se alimenta espiritualmente del cuerpo y de la sangre de Cristo, no están conformes en saber «si el verdadero cuerpo y sangre del Señor están

---

[54] Melanchton (1497-1560), teólogo amigo de Lutero, deseaba sintetizar las ideas de Lutero, aunque manteniendo la unidad con la Iglesia.

corporalmente presentes en el pan y el vino de la Cena».

A pesar de estas disputas, Zwingli recordó al cristianismo una exigencia siempre actual: la necesidad de *ser vivido políticamente*. Especialmente en su sermón sobre «la justicia divina y la justicia humana», pero también en sus actos, el reformador de Zurich demuestra que es en la construcción de una ciudad terrena de justicia donde el cristiano vive su fe en Cristo y el amor de Dios a los hombres.

Esta sociedad civil reformada se extendió a Berna, al cantón de Vaud y a Ginebra, donde encontró refugio Calvino. Pero la guerra contra los cantones católicos acabó con la muerte trágica de Zwingli en Kappel en 1531. La Confederación helvética seguiría dividida religiosamente durante tres siglos.

- **La Reforma en Francia con Juan Calvino** [55]

Varias analogías relacionan al *reformador francés con Lutero*.

En primer lugar, *la situación de la Iglesia*. Aunque diferentes, los abusos no son menores en Francia que en Alemania. Conciernen a las costumbres, pero sobre todo al escándalo de la distribución y acumulación de los beneficios eclesiásticos.

Después, *el papel del humanismo*. Calvino está fuertemente influido por el humanista alemán Melchor Vollmar, que le enseña el griego y el hebreo. Pero es sobre todo el ambiente de la época el que le impregna de humanismo y de reformismo. Su guía es Lefèvre d'Etaples, cuyo *Comentario a las epístolas de Pablo* (1512) y la *Traducción francesa de los evangelios* (1523) inauguran una reforma pacífica, a la que se mostró sensible incluso la corte de Margarita de Angulema.

Calvino está además cerca de Lutero por *una semejanza de vida* familiar y de educación. Como

Lutero, Calvino es hijo de una madre devota y de un padre riguroso. Como su antepasado, Calvino conoció la rigidez doctrinal en el colegio de Montaigu.

Los dos sobre todo propusieron una doctrina que coincide en lo esencial: el cristianismo no tiene más fundamento que la Escritura. Es ella la que tiene autoridad. El evangelio es el corazón de la vida cristiana. El cristiano no tiene más certeza que la seguridad de la gracia de Cristo.

– *El calvinismo*

Sin embargo, debido al contexto de Francia y de Basilea, a la influencia de Melanchton y de Zwingli, *el calvinismo difiere del luteranismo* en tres puntos importantes. Por mucho tiempo, Calvino esperó y deseó una reforma interior de la Iglesia.

De un espíritu más lógico que Lutero, Calvino centra la religión cristiana en Dios, Padre, Hijo y Espíritu Santo, soberanamente libre. Sólo de él viene la salvación. Es lo que se llama la *predestinación*. Que el pecador se salve o no, no depende del hombre, que es incapaz de ello. La libre gracia de Dios no puede venir más que de su providencia.

*No hay teología abstracta* ni intemporal, válida en todo lugar y en todo tiempo. La teología no es un absoluto, sino que es relativa: una búsqueda titubeante de la verdad de Dios, por parte de unas comunidades históricamente situadas. La teología se arraiga en la experiencia de los cristianos y alimenta su vida. Es la idea tan moderna de la libre investigación teológica.

En la misma línea del vínculo entre la teología y la historia, la originalidad del pensamiento de Calvino reside en una reflexión sobre las relaciones entre *la religión y la política*. El Estado forma parte del plan de Dios. Es uno de los instrumentos de la providencia divina. Esto significa por tanto que tiene la función de realizar la justicia en este mundo. En consecuencia, el ciudadano cristiano tiene el doble deber de sumisión a las autoridades justas del Estado, pero también el de desobedecer a un tirano injusto.

Por dos veces, las circunstancias llevaron a Calvino a poner en *práctica* esta doctrina en Ginebra.

_____
[55] Juan Calvino nació en 1509 en Noyon, donde su padre Gerardo era secretario del obispo; gozó de beneficios eclesiásticos desde su infancia. Murió el 27 de mayo de 1564.

En 1536, fue retenido por el reformador G. Farel. En 1541, fue llamado por los propios ginebrinos. En «cuatro artículos» organizó la disciplina religiosa de los fieles ginebrinos, pero también una especie de tribunal o de policía de las costumbres, que intentaba transformar a Ginebra en «ciudad-iglesia» y a los ginebrinos en ascetas. Bajo el control del Consistorio [56], Ginebra se convirtió en asilo para los reformados, algo así como la «Roma del protestantismo». Así, su amor intransigente a la verdad cambió al reformador religioso y político en inquisidor intolerante e implacable. La persecución y el martirio de Miguel Servet manifiestan que, después de haber defendido a los mártires de la Reforma, el reformador puede convertirse a su vez en verdugo de un nuevo reformador.

Queda en pie *la obra de Calvino:* los 59 volúmenes que escribió, una doctrina sólida y original arraigada en la organización de las Iglesias reformadas de Francia, orientadas hacia la unidad cristiana.

● *El protestantismo vivo*

El protestantismo no se limita a la trinidad Lutero-Zwingli-Calvino. Ni en el espacio ni en el tiempo. Bajo formas y fortunas diversas, la reforma se difundió muy pronto en los *países escandinavos* (en Suecia con Gustavo Vasa, 1527; en Dinamarca y en Noruega), en Alemania, en Suecia, en *Inglaterra* con Enrique VIII (1531), luego en Escocia (1547), en Hungría, en los Países Bajos, en Bohemia y hasta en Polonia... La emigración a los Países Bajos (1570), y luego a América del Norte (1620), marcará de puritanismo* a los futuros Estados Unidos de América.

● *Teólogos contemporáneos*

La Reforma no ha dejado de producir *teólogos famosos* que han fecundado también nuestro tiempo:

– el silesiano Friedrich Daniel Ernst Schleier-

macher (1768-1834), padre de la teología práctica, de la sociología religiosa y de la hermenéutica [57];

– el suizo Alexandre Vinet (1797-1847), portavoz de una libertad de la fe que hoy llamaríamos «laicidad» y precursor de la separación de las Iglesias y del Estado;

– el suizo Karl Barth (1886-1968), el teólogo del compromiso frente al nazismo y al stalinismo, pero hombre de diálogo, especialmente con los marxistas, militante por la paz y mensajero de la esperanza en una Iglesia pobre, servidora de la palabra liberadora de Dios;

– el alemán Rudolf Bultmann (1884-1976), el exégeta [58] que ha desmitologizado el Nuevo Testamento para hacer que hable mejor al hombre contemporáneo de las naves espaciales; al hacerlo así, ha recordado lo esencial de la fe hoy: el nacimiento de un hombre nuevo abierto al otro y al amor;

– el alemán Paul Tillich (1886-1965), emigrado a los Estados Unidos, filósofo y teólogo atento a las aspiraciones religiosas siempre presentes en el hombre que las ignora, y en busca del lenguaje que le revele en nuestro tiempo a Cristo y a Dios;

– el berlinés Dietrich Bonhoeffer (1906-1945), el resistente de Dios que quiso hasta la muerte estar al servicio de un mundo amado por Dios, ya que la Iglesia está hecha para el mundo.

● *La espiritualidad protestante*

A través de la diversidad de las Iglesias de la Reforma, la teología y la espiritualidad protestantes se ordenan en torno a dos grandes ejes:

– *El primero es la afirmación de la justificación por la fe.* Ser protestante es creer que la fe en Jesucristo, muerto y resucitado, basta para asegurar la salvación eterna. Esta salvación gratuita es un don de la fe. Y «el justo por la fe vivirá» (Pablo, Rom 1, 16-17). Pero esta gracia de la fe recibida de Dios

---

[56] Asamblea compuesta de pastores y de ancianos, elegidos de entre los miembros del gobierno. Hoy, consejo encargado de administrar la Iglesia.

[57] La hermenéutica es la ciencia de la interpretación de los signos, en este caso del mensaje de los textos cristianos.

[58] El que explica de una forma crítica los textos antiguos.

tiene que «confesarla» el creyente, es decir, proclamarla y dar testimonio de ella.

Por otro lado, la fe engendra un hombre nuevo. Un hombre que, en la historia, trabaja por la transformación de la sociedad, por la liberación continua de sus hermanos. El protestante es un cristiano cuyo culto se dirige a lo esencial: el bautismo, la cena, la alabanza de Dios, y que en su vida cotidiana «confiesa» a Jesucristo por una conformidad con el comportamiento «solidario y subversivo» de su Señor.

Así, las Iglesias de la Reforma están especialmente preparadas para establecer *un vínculo entre la fe cristiana y los problemas de nuestro tiempo*: adaptación a la diversidad de las culturas, liberación de los oprimidos, lucha contra las injusticias, el hambre, los regímenes opresores... Su vitalidad se manifiesta en las grandes conferencias ecuménicas y en la misión, que consiste ante todo en compartir la vida de los «más pequeños» y de los oprimidos...

– *El segundo eje sigue siendo la importancia concedida a la Escritura.* El Antiguo y el Nuevo Testamento son la única fuente de la verdad recibida, hacia la cual hay que volver continuamente y que siempre hay que propagar.

«Todo hay que examinarlo, regularlo y reformarlo según la Escritura» [59]. Puede decirse que todas las características del protestantismo se derivan de esta afirmación primordial.

• Traducir la Biblia, difundirla, leerla, explicarla, comprenderla, interpretarla, predicarla, traducirla en la vida personal, familiar y social: tal es la vocación de todo protestante. Todo el culto y toda la piedad protestante se centran en la Biblia. Pero la Escritura no es un manual de teología. Es reconocimiento de la acción del Espíritu en los actos de los hombres. Está hecha para ser vivida en las situaciones contemporáneas. Es entonces cuando ella les da un sentido. Es el compromiso al servicio de los oprimidos el que hace comprender el mensaje liberador del evangelio.

• Esta primacía de la Biblia va acompañada de esa libertad de interpretación que se ha llamado «libre examen». La Escritura se dirige a cada uno personalmente. Por tanto, cada uno tiene capacidad para leerla, comprenderla y vivir de ella. Frente a la Biblia, todos los fieles son iguales. La calidad de la acogida es más importante que la competencia.

De aquí se sigue que no hay ningún clero que tenga autoridad para fijar su sentido. De ahí la estructura electiva y democrática de las Iglesias protestantes que hace del pastor el presidente de la asamblea, sin excluir a las mujeres. De ahí también el lugar de la hermenéutica en la teología protestante, que no es un discurso de clérigos [60], sino fruto de un diálogo. Entre los hombres. Entre sus comportamientos y la Escritura. Cada hombre y cada Iglesia en cada generación están invitados a escuchar la palabra de Dios y dejarse interpelar por ella.

• Sin embargo, esta lectura de la Biblia no puede menos de situarse en la historia vivida de los fieles. La lectura actual es a la vez nueva y sin embargo inscrita en el contexto de las lecturas antiguas. De ahí *una tradición protestante* manifestada por las redacciones sucesivas de las «confesiones de fe» de la historia del protestantismo [61].

• Pero la Escritura no se comprende plenamente más que por su *práctica*. Viviéndola en la actualidad es como se capta su sentido y su dinamismo. Los sucesos, los hombres del pasado, de los que se sirvió el Espíritu para hablar a los hombres de hoy, invitan a buscar su palabra en los hombres y los sucesos de hoy. Está hecha para ser vivida hoy.

## 10. El ecumenismo

• *Un objetivo*

Si bien subsisten, las divisiones de las Iglesias no son aceptadas por ninguna. La unidad de la Iglesia querida por su fundador es hoy algo más que

---

[59] Confesión de La Rochelle, 1559.

[60] Reflexión e interpretación de los signos, símbolos.

[61] Desde la de Augsburgo o de La Rochelle, hasta la de Barmen en 1934, o la de la Iglesia de la India en 1947.

una aspiración. Los intentos esbozados por los concilios de Lyon (1245-1274) o de Florencia, renovados en el siglo XIX por los protestantes o por los pioneros católicos como el abate Portal, se han concretado en el ecumenismo.

Esta *palabra* viene del griego oikoumene y significa en la Biblia «tierra habitada». Tanto en Pablo como en Mateo [62], la ecumene es la humanidad en su totalidad, el mundo al que la Iglesia tiene que comunicar el mensaje de Cristo. Las divisiones de esta Iglesia en el siglo V, luego en el siglo IX, y finalmente en el siglo XVI, han puesto de relieve el divorcio entre esta misión y la necesidad de la unidad de la Iglesia.

El *fundamento* de esta unidad, indispensable para el testimonio, se encuentra en el evangelio de Juan: «Padre, que todos sean uno como tú en mí y yo en ti; que también ellos sean uno en nosotros, para que el mundo crea que tú me has enviado...» (Jn 17, 21). También está en la carta de Pablo a los Efesios: «Dedicaos a conservar la unidad del Espíritu por el vínculo de la paz. No hay más que un solo cuerpo y un solo espíritu, como no hay más que una esperanza al final de la llamada que habéis recibido...» (Ef 4, 1). Lo exige así cada vez más un mundo moderno que no puede creer a unos testigos cuyo comportamiento va en contra de su mensaje.

Por eso, después de haber estado mucho tiempo aislados, excomulgados entre sí, después de haber luchado y haberse matado a veces, después de haber intentado conquistarse recíprocamente, los cristianos desean finalmente conocerse, comprenderse y unirse. Tal es:

- *El ecumenismo contemporáneo*

«Todo lo que atañe a la renovación y a la unidad de la Iglesia como fermento del crecimiento del reino de Dios en el mundo de los hombres en busca de su unidad»: así es como se le definió en 1970, en una reunión de los responsables ecuménicos.

Este movimiento comenzó *en las Iglesias protestantes* con un intento de planificación de las actividades misioneras, en Edimburgo, en 1910. La segunda reunión no tuvo lugar hasta después de la guerra, en Suiza. De allí salieron dos organizaciones: el movimiento «Fe y constitución» (Lausana 1927) y la «Conferencia mundial del cristianismo práctico» (Estocolmo 1925). En vísperas de la segunda guerra mundial, estas dos organizaciones constituyeron de hecho un «Consejo ecuménico de las Iglesias». Durante el conflicto mundial, desde Ginebra, el pastor Visser't Hooft supo unir a las Iglesias en su ayuda a los prisioneros y demás víctimas de la guerra.

Finalmente, en 1948, el Consejo ecuménico de las Iglesias pudo celebrar en Amsterdam su primera asamblea. Participaron en ella 146 Iglesias, entre ellas 30 de Africa, de Asia y de América latina. La Iglesia anglicana tuvo allí una función importante con William Temple, G. Bell, Geoffroy Fisher y Arthur Michael Ramsay. En 1961, se adhirieron las Iglesias ortodoxas de los países socialistas. Y en 1983, en Vancouver, la sexta asamblea reunió a 301 Iglesias, procedentes de unos cien países, que representaban a 400 millones de cristianos.

El *Consejo ecuménico de las Iglesias* (COE) quiere ser «una unión fraternal de Iglesias que confiesan a Jesucristo, Dios y salvador según las Escrituras, y se esfuerzan en responder juntas a su común vocación por la gloria del único Dios, Padre, Hijo y Espíritu Santo».

La *Iglesia católica* se limita a enviar observadores al COE. Sigue sin embargo atentamente sus trabajos y sus publicaciones. Además, algunos pioneros, como el padre Paul Couturier, al instituir una «semana de oración por la unidad de los cristianos», han contribuido grandemente a hacer evolucionar las ideas de los católicos hacia una «unidad que se hará cuando Cristo quiera y por los medios que él quiera».

Se ha dado un paso importante para la aproximación de las Iglesias con la renovación bíblica, sobre todo en el Vaticano II. Gracias a Juan XXIII, 60 representantes de las Iglesias no romanas se asociaron a los trabajos de este concilio. Se levantaron los anatemas* mutuos de 1054 entre las Iglesias de

---

[62] Heb 2, 5; Mt 24, 14.

occidente y las de oriente. El decreto sobre el ecumenismo proclamó algunos principios tan nuevos que no todos los católicos los han asimilado todavía:

— la Iglesia de Cristo no es sólo la Iglesia católica romana;

— todas las comunidades eclesiales están en comunión, aunque ésta sigue siendo imperfecta;

— sólo con la reconversión de cada una a Jesucristo recobrarán su unidad.

De estas afirmaciones se deducen *algunas decisiones* prácticas:

— la creación de un Secretariado para la unidad de los cristianos para desarrollar los intercambios entre Roma y las Iglesias no romanas;

— un grupo mixto de trabajo entre el Vaticano y el COE.

Desde entonces, la colaboración se ha manifestado en una traducción común de la Biblia, la TOB *(Traduction oecuménique de la Bible)*; un servicio común para los grandes problemas de nuestro tiempo; la ACAT (Acción de los cristianos para la abolición de la tortura); la Cimade; y hasta algunas declaraciones comunes, como sobre la venta de armas (1973) o contra el apartheid (1986). La comunidad de los hermanos de Taizé es un centro privilegiado de este ecumenismo vivido, mientras que el grupo des Dombes constituye un centro de estudios doctrinales.

Las disputas sobre la gracia y la justificación por la fe y sobre el lugar particular del obispo de Roma en la Iglesia, pertenecen ya al pasado.

Mediante la construcción del reino de Dios, los bautizados se afianzan como hermanos. «Cuando se vive y se anuncia el evangelio, la comunión se da por añadidura».

Esta declaración de la «fe de los católicos» podría resumir muy bien lo esencial de lo que es el cristianismo, hoy como ayer.

## 11. Problemas actuales

### a) El ecumenismo

Es uno de los *retos* que nuestra época lanza al cristianismo. En efecto, es una exigencia de credibilidad para los no creyentes y una aspiración de cristianos cada vez más numerosos. Pero hay dos maneras de concebirlo. Dos caminos. Dos riesgos.

O bien se hace a partir de la base y de gestos concretos de unión y de acción común para vivir el evangelio. Es el camino que los eruditos llaman *ortopraxia*, y los clérigos «ecumenismo salvaje». Quienes lo fomentan con osadía esperan que, convulsionando a las Iglesias más o menos comprometidas con el siglo, se creará la Iglesia del mañana, la única Iglesia de Jesucristo.

O bien va avanzando lentamente por las discusiones de teólogos y expertos, la negociación entre las jerarquías, las relaciones prudentes entre las instituciones. Es el camino del ecumenismo oficial o ecumenismo de la *ortodoxia*. Nada de unidad en la confusión. Un verdadero ecumenismo no puede lograrse más que en la verdad de una doctrina unánimemente reconocida.

¿Ecumenismo doctrinal de las instituciones o ecumenismo vivido de los cristianos? Quizás sea éste un falso dilema. El freno y el motor son igualmente necesarios para el dinamismo.

Pero en este final de siglo se plantean *otros problemas*, si no al cristianismo, al menos a las Iglesias.

### b) El reto de las vocaciones

El más palpable es sin duda el del reclutamiento de clérigos y el aumento de su número. En otras palabras, la cuestión de las vocaciones.

Es verdad que los cristianos son aún casi la cuarta parte de la población mundial. El mundo tiene a su disposición más de 400.000 sacerdotes, la mitad de los cuales están en Europa. Hay además un millón de religiosos y religiosas.

Pero, por un lado, *esta proporción cambiará* con el mero peso demográfico que va a adquirir el Asia poco cristianizada. Y cambiará porque, a partir del año 2000, uno de cada dos católicos será latinoamericano.

¿Qué será el mundo cristiano cuando haya disminuido el número de sacerdotes, dado que en el mundo no hay más que 60.000 seminaristas? En Francia, por ejemplo, los sacerdotes son apenas más de la mitad de lo que eran a comienzos de siglo. De 507 ordenaciones en 1962, se ha pasado a 111 el último año. En Bélgica, de 129 en 1967, las ordenaciones han bajado a 41 en 1984. Los sacerdotes diocesanos, que en 1961 eran aún 10.450 en Bélgica, pasaron a 9.133 en 1971 y a 7.785 en 1980 [63]. La situación es similar entre los pastores protestantes.

Simultáneamente, las sectas, que proliferan, no han tenido nunca tantos adeptos.

Por otro lado, cabe preguntarse sobre la firmeza de las convicciones de aquellos que las estadísticas contabilizan como cristianos. En efecto, si bien el 90% de los franceses son bautizados católicos, sólo el 50% piensan que Jesús es hijo de Dios. Entre los jóvenes, el 79% se dicen católicos, pero sólo el 1% tienen como ideal vivir según el evangelio.

Estas constataciones plantean varias *cuestiones capitales*. Por ejemplo, la de la expresión de la fe en nuestros días.

### c) La expresión de la fe hoy

¿Cómo hablar de Jesucristo, hijo de Dios, muerto y resucitado en un mundo superracionalizado, en donde el cosmos pertenece a los cosmonautas y donde el hombre se ha hecho dueño de su fecundidad *in vitro*?

Y al revés, ¿cómo responder a la demanda religiosa de una parte importante de los hombres de hoy sin aceptar un retorno de lo sagrado, cercano a veces a la magia, sin caer en la efusión de la religiosidad o de un carismatismo sentimental?

¿Cómo repetir lo esencial, elocuente y vivo, del mensaje bíblico en el universo de la lingüística, de las lecturas estructurales y de los códigos informáticos?

¿Cómo guardar la especificidad de la fe cristiana, mientras que la seducción del oriente, una tolerancia próxima al indiferentismo, llevarían de buen grado a una especie de *sincretismo religioso*?

¿Cómo proclamar al Dios trinitario encarnado en Jesucristo cuando tantos espíritus contemporáneos se ven atraídos por religiones sin dios, por sabidurías sin fe o por prácticas esotéricas más o menos tranquilizantes?

Frente a las culturas antiguas o nuevas que las Iglesias de hoy dicen que quieren respetar, ¿cómo acogerlas sin asimilarlas, sin privilegiar a ninguna de ellas, o disolviendo en ella la riqueza de la historia de las demás? Juan Pablo II ha sentido bien este problema en su encíclica *Slavorum apostoli* (junio 1985): «Encarnar el evangelio en las culturas autóctonas y al mismo tiempo introducir esas culturas en la vida de la Iglesia». Concretamente, esto es muy difícil de resolver. La poligamia africana, por ejemplo, ¿forma parte de estas culturas integrables?

¿Puede la Iglesia aceptar *desoccidentalizarse* para ser verdaderamente universal? ¿Cómo *seguir siendo una en la diversidad*, no sólo de las liturgias y de los ritos, sino quizás de las teologías?

Esta cuestión incluye forzosamente la del acuerdo necesario entre la expresión de la fe como «discurso» y como práctica.

¿Cómo lanzar la llamada al desprendimiento y al compartir evangélico en un mundo del enriquecimiento de los fuertes y de la miseria creciente de los desheredados?

¿Basta quizá la proclamación de la «opción prioritaria por los pobres»? ¿Puede acaso dejar de tener consecuencias políticas esta afirmación reiterada por Juan Pablo II? Las críticas hechas a los teólogos de la liberación muestran que el Vaticano, a diferencia del Consejo ecuménico de las Iglesias, vacila aún en asumir concretamente ciertos compromisos.

En resumen, ¿cómo puede la Iglesia occidental, cercana a las clases medias, ser realmente la Iglesia de los pobres, si quiere seguir siendo también la Iglesia de todos?

---

[63] *La Belgique et ses dieux*, 221s.

En un mundo desgarrado por las divisiones sociales al menos tanto como por las oposiciones ideológicas, ¿puede la Iglesia limitarse a lanzar llamadas más o menos equilibradas a la reconciliación y a la paz? ¿Cómo convertir a todos los hombres, indiferentes muchas veces a las situaciones reales de desigualdad y de violencia?

### d) La identidad cristiana y eclesial

Todos estos interrogantes tienen un nombre: *identidad.*

Afecta particularmente esta identidad a la Iglesia católica de Juan Pablo II en dos niveles: el de la teología y el de la institución eclesial. *¿Es siempre la Iglesia dueña de la verdad?* La libertad religiosa afirmada en el Vaticano II no impide que la Iglesia católica se sienta en la obligación de mantener las verdades que se le han confiado y la tradición inscrita en los dogmas. Frente a las «desviaciones» que se refieren tanto a la fe (por ejemplo, en la resurrección) como a la enseñanza, algunos teólogos y la Congregación romana para la doctrina de la fe exigen una vuelta a las definiciones claras y sin discusión. Otros les oponen el espíritu de «invención» y de apertura al mundo del concilio. ¿Puede haber unidad de doctrina y pluralidad de teologías?

La petición hecha a los obispos franceses de que corrigieran la catequesis de *Pierres vivantes*, el silencio impuesto por algún tiempo a Leonardo Boff, atestiguan entre otros hechos la preocupación pontificia por conservar la «pureza del dogma».

Pero ¿quién define este dogma: el teólogo que aplica su inteligencia a la captación de la fe en un tiempo y en una cultura, o el pastor que enseña y guía a la comunidad? En esta profundización, ¿qué papel les corresponde a los bautizados?

Está aquí *todo el problema de la autoridad en la Iglesia.* O, si se prefiere, el de las relaciones entre los ministerios: el de los sacerdotes y obispos, el de los teólogos, el de los profetas y los laicos. Así, en 1986, al revisar el derecho canónico, el Vaticano distinguía el modo de presencia en el mundo de los sacerdotes y de los fieles, prohibiendo por ejemplo toda función política a los religiosos de Nicaragua. ¿Cuál es además el lugar de las mujeres en la Iglesia? ¿Estarán condenadas –¿y por qué?– a ejercer en ella ciertas funciones sin tener acceso a los ministerios ordenados?

¿Cuáles son igualmente los límites de la *autonomía de las Iglesias locales?* Por ejemplo, ¿qué autoridad y qué libertades deben tener las conferencias episcopales nacionales? ¿Son realmente responsables del anuncio del evangelio a sus pueblos? ¿Qué vinculación tienen con la Iglesia universal? ¿Cómo se realiza la unidad en la diversidad necesaria de las pastorales? ¿Y puede haber una diversidad de pastorales en una teología uniforme?

Graves y profundas cuestiones. Todas ellas se reducen a ésta, verdaderamente universal: *¿qué es la Iglesia?* ¿La reunión de comunidades diversas de cristianos, o una institución jerarquizada que gobierna a las Iglesias locales?

Es verdad que estas concepciones no son tan exclusivas. Y no es sólo ahora, cuando la Iglesia ha estado en busca de una comunión entre Iglesias hermanas, a la vez libres y deseosas de estar de acuerdo entre sí en lo esencial. Pero ¿quién y cómo define lo esencial? ¿Sólo en la cumbre, o en un diálogo fraternal entre la base y la cumbre?

Frente a lo que puede dar la impresión de ser fuerzas centrífugas, y también para atestiguar mejor su unidad, la Iglesia de Juan Pablo II parece ceder a veces a la tentación de consolidar esta unidad por una «homogeneidad cultural y doctrinal», mediante una recentración muy cercana a la centralización. Como toda institución, ¿no es la Iglesia al mismo tiempo una ayuda necesaria y un obstáculo a la comunidad?

## LEXICO

*Absolución:* perdón de los pecados por el sacerdote, en el catolicismo.

*Anatema* (excomunión, exclusión): un acto solemne por el que se expulsa de la comunidad a los que han sido juzgados infieles, herejes.

*Apóstol* (del griego, «enviado»): los discípulos de Jesús fueron apóstoles cuando él los envió a predicar la «buena nueva». Al principio eran doce; a ellos se añadieron, tras la muerte de Judas, Matías, Bernabé y Pablo.

*Arrianismo:* herejía de Arrio, sacerdote de Alejandría, en el siglo IV. Para Arrio, Jesús no es hijo de Dios «por naturaleza, sino por adopción».

*Bautismo* (del griego, «baño»). Es un rito de purificación por inmersión en el agua. Practicado por la secta judía de los esenios, fue recogido por los cristianos. Significa: muerte al pecado y renacimiento, pero también entrada en la Iglesia. El catolicismo practica el bautismo de los niños.

*Canon:* se designan con este término los libros reconocidos oficialmente por las diversas Iglesias como «inspirados». Es también el conjunto de reglas (en el sentido latino) de la disciplina de la Iglesia católica. Finalmente, es la parte principal de la misa.

*Cardenal:* miembro del sagrado colegio que elige al papa... y nombrado por él. En su origen, un cardenal era el titular de una iglesia de Roma.

*Carisma* (del griego *charis* = gracia, don gratuito): es el don de Dios a una persona para que cumpla una tarea (predicación, testimonio, caridad, enseñanza...) al servicio de la comunidad.

*Catecismo:* manual de base que enseña las verdades que creer, los mandamientos que practicar, los sacramentos que recibir. La Iglesia lo fijó en el concilio de Trento. Lutero redactó también un catecismo «menor» y otro «mayor». Hoy son numerosos... y diversos.

*Clérigo:* el conjunto de clérigos forma el clero, o sea, los miembros de la Iglesia encargados de funciones especiales en unión con Cristo y con el papa (celebrar la eucaristía, perdonar los pecados...).

*Comunión:* en sentido amplio, es la participación en los dones de la Iglesia (enseñanza, sacramentos) y la aceptación fiel de sus reglas. Se extiende a los santos. Ser excomulgado es ser expulsado de la comunidad. Más particularmente, es el acto de recibir el cuerpo de Cristo bajo la forma de hostia*.

*Concilio:* reunión de los obispos convocados (por el papa) para fijar las grandes definiciones y orientaciones de la Iglesia. El primero tuvo lugar en Nicea el 325; el último en el Vaticano (1962-1965).

*Cónclave:* reunión de los cardenales encargada de elegir un papa.

*Congregación:* una especie de asociación de sacerdotes, de religiosos o religiosas para una obra común y una regla particular (por ejemplo, la congregación de los Paúles o de las Hermanas de la Caridad). El congregacionalismo es una teoría protestante según la cual la comunidad local (congregación) es más importante que la Iglesia.

*Consagración* (de «sagrado»): es el acto por el que una persona o una cosa se hacen sagradas, distintas de las demás, puestas aparte por Dios. Se consagra un obispo, una iglesia. En un sentido particular, es la acción del sacerdote en la misa, cuyas palabras transforman el pan y el vino en cuerpo y sangre de Cristo.

*Curia* (del senado romano): desde el siglo XVI, es el conjunto de las administraciones centrales de la Iglesia católica. Desempeña las funciones de gobierno, con diversos ministerios, dirigido cada uno por un cardenal. El Vaticano II promovió una descentralización de esta pesada burocracia.

*Diócesis:* circunscripción administrativa de la Iglesia católica, al frente de la cual se halla un obispo.

*Dogma* (en griego, la palabra significa a la vez: crear y decidir): es la expresión de una verdad que creer, tal como fue formulada por el papa o el concilio. Ofrece una base de acuerdo. Es una etapa en el conocimiento de las verdades de fe.

*Ecumenismo:* el término tiene al menos tres sentidos: en primer lugar, la reunión de todos los que están dispersos (un concilio es ecuménico); luego, el movimiento que desde el siglo XIX se esfuerza por acercar a las Iglesias separadas; finalmente, el Consejo ecuménico es la «asociación fraternal» de las Iglesias salidas de la Reforma.

*Encíclica:* como indica su nombre, carta circular.

Es un mensaje por el que el papa puntualiza una cuestión importante de su tiempo. Una encíclica contiene así una enseñanza doctrinal que traduce las ideas del evangelio sobre un punto concreto.

*Escatología:* según la etimología, es la ciencia de los últimos tiempos, o sea el conocimiento de lo relativo al fin del mundo, la muerte, el juicio final, el más allá.

*Eucaristía:* en sentido griego, es una acción de gracias, un homenaje. En la Iglesia, es la renovación de la última cena de Cristo, de su sacrificio y del anuncio de su retorno.

*Herejía:* opinión contraria a la verdad definida por la Iglesia católica. El hereje rechaza esa verdad enseñada, sustituyéndola por su opinión personal.

*Hostia* (en latín, víctima ofrecida a una divinidad): Jesucristo es «hostia». En la comunidad católica, es el trocito redondo de pan sin levadura que simboliza el cuerpo de Cristo.

*Kerigma* (del griego, «mensaje»): proclamación del mensaje de Cristo interpelando a cada uno; es mucho más que una enseñanza o una homilía.

*Mesías:* es el enviado de Dios anunciado por los profetas de la Biblia. Para el cristiano, es Jesús, el Cristo (ungido de Dios).

*Metropolita:* en la Iglesia rusa o greco-ortodoxa, el metropolita es el arzobispo.

*Ministerio* (en latín, «servicio»): es una carga particular en nombre de Cristo, al servicio de una comunidad. En la Iglesia católica, las funciones ministeriales las cumplen los obispos y los sacerdotes.

*Misa:* es el corazón de la liturgia católica, según la cual fue instituida por el mismo Cristo en su última cena. Comprende: una petición de perdón, la proclamación de la gloria de Dios, lecturas de la palabra, el ofertorio, el canon con la consagración, y la comunión.

*Misión* (en latín, «envío»): en el cristianismo, todo cristiano es enviado a dar testimonio de Cristo. Pero las diversas Iglesias, católicas, protestantes, tienen grupos, congregaciones especialmente encargadas de esta tarea en los países «paganos».

*Misterio:* según el antiguo catecismo, es una verdad que sólo podemos comprender por la revelación de Dios. La trinidad, la encarnación, son misterios...

*Obispo* (del griego, «vigilante»): es considerado como el sucesor de los apóstoles; es el pastor supremo de la diócesis; nombrado por el papa, ordena a los sacerdotes y diáconos, administra la confirmación.

*Orden:* dos sentidos: 1) asociación de hombres y mujeres unidos por una regla y un objetivo (los jesuitas son una orden religiosa); 2) es el sacramento que, en el catolicismo, da por medio del obispo la facultad de cumplir las funciones sagradas.

*Papa:* es la misma palabra (padre) la que dio origen a papa y a pope. El obispo de Roma, elegido por los cardenales, reivindica una primacía sobre las otras Iglesias.

*Parroquia:* división territorial atribuida a un sacerdote o pastor. Las parroquias se agrupan en *arciprestazgos.*

*Patriarca:* jefes bíblicos (Noé, Abrahán...); algunos obispos de oriente (Constantinopla, Alejandría, Antioquía...).

*Penitencia:* es el dolor por haber pecado y el deseo de convertirse. En la Iglesia católica, es un sacramento por el que el fiel pecador se reconcilia con Dios.

*Purgatorio:* representa una prueba purificatoria después de la muerte, un paso de purificación entre la muerte y la plenitud de la vida eterna bienaventurada. Antiguamente se le representaba como un infierno temporal.

*Puritanismo:* originalmente, secta presbiteriana de Inglaterra y Escocia, que protestaba contra la libertad de costumbres del siglo XVII. Dio cierto espíritu de rigor moral a la América llamada «puritana».

*Sacerdocio:* es el ejercicio de una función sagrada. En el cristianismo, todos los bautizados participan de la función sagrada de atestiguar de Jesucristo. Para los católicos, algunos tienen una función (un ministerio particular), gracias al sacramento del orden.

*Sacramento:* según el antiguo catecismo, es «un signo sagrado que produce o acrecienta la gracia divina». Es el rito que marca una relación espiritual con Cristo y santifica al que lo recibe. Los católicos distinguen siete sacramentos.

*Secularización:* viene de la palabra «siglo». Es el fenómeno que encarna los principios religiosos en la vida concreta de la sociedad. Algunos temen que este movimiento dé más peso a los valores sociales que a las virtudes cristianas.

*Símbolo:* es un signo de reconocimiento por la reunión de dos mitades partidas. Hace una síntesis entre dos realidades: visible e invisible. El signo de la cruz es el símbolo del misterio de la encarnación, de la redención.

*Sínodo:* asamblea de responsables religiosos. Estas asambleas existen para los ministros protestantes, los popes ortodoxos, los sacerdotes católicos. Desde 1965, hay un sínodo de obispos consultado por el papa.

*Transubstanciación:* según las teorías antiguas de la sustancia, ésta es el soporte del ser. Para la doctrina católica, la consagración cambia la sustancia del pan y del vino, que se convierten en cuerpo y sangre de Cristo, mientras subsisten las apariencias.

*Vicario* (del latín, lugarteniente): el papa es llamado «vicario de Jesucristo»; un vicario es el sacerdote encargado de asistir al obispo o al párroco y, eventualmente, de sustituirle.

# Lecturas

### a)  La Biblia

*Biblia de Jerusalén.* Desclée de Brouwer, Bilbao.

*Nueva Biblia Española.* Cristiandad, Madrid.

*La Santa Biblia. Primera edición ecuménica.* Plaza y Janés, Barcelona.

### b)  Catolicismo

A. Hamman, *La vida cotidiana de los primeros cristianos.* Palabra, Madrid 1985.

*2.000 años de Cristianismo.* Sedmay, Madrid 1979.

G. Segalla, *Panoramas del Nuevo Testamento.* Verbo Divino, Estella 1989.

J. Comby, *Para leer la Historia de la Iglesia.* Verbo Divino, Estella 1987, 2 v.

B. Chenu - F. Coudreau, *La fe de los católicos.* Sígueme, Salamanca 1986.

R. Willing, *La teología en el siglo XX.* Sígueme, Salamanca 1987.

K. Rahner, *Escritos de teología.* Taurus, Madrid 1969s.

*Nuevo Diccionario de Teología.* Cristiandad, Madrid 1986.

*Historia de los Dogmas.* Ed. Católica, Madrid 1976s.

### c)  Grandes declaraciones católicas
(PPC - Ed. Católica, Madrid)

Las cuatro *Constituciones* del Vaticano II y concretamente:

*Gaudium et spes* (la Iglesia en el mundo de hoy).

*Apostolicam actuositatem* (decreto sobre el apostolado de los laicos).

*Presbyterorum ordinis* (decreto sobre el ministerio sacerdotal).

*Dignitatis humanae* (declaración sobre la libertad religiosa).

### d)  Algunas encíclicas
(Ed. Católica, Madrid, col. Documentos)

Juan XXIII, *Mater et Magistra* (1961: sobre los problemas sociales).

Juan XXIII, *Pacem in terris* (1963: sobre la paz).

Pablo VI, *Ecclesiam suam* (1964, sobre la Iglesia).

Pablo VI, *Populorum progressio* (1967: sobre el desarrollo).

Juan Pablo II, *Redemptor hominis* (1979: sobre la dignidad y los derechos del hombre).

Juan Pablo II, *Laborem exercens* (1981: sobre el trabajo).

### e)  El protestantismo

H. Küng, *Estructuras de la Iglesia.* Estela, Barcelona 1965.

G. Tavard, *El protestantismo.* Casal i Vall, Andorra 1960.

A. D. Toledano, *El anglicanismo.* Casal i Vall, Andorra 1960.

R. Mehl, *La teología protestante.* Taurus, Madrid 1969.

J. M. Gómez Heras, *La teología protestante*. Ed. Católica, Madrid 1972.

P. Damboriena, *Fe católica e Iglesias y sectas de la Reforma*. Razón y Fe, Bilbao 1961.

K. Algermissen, *Iglesia católica y confesiones cristianas*. Rialp, Madrid 1963.

H. Grisar, *Martín Lutero. Su vida y su obra*. Madrid 1934.

R. García Villoslada, *Martín Lutero*. Ed. Católica, Madrid 1973.

H. Zahrnt, *A vueltas con Dios. La teología protestante en el siglo XX*. Hechos y Dichos, Zaragoza 1972.

## f) La ortodoxia

A. Santos Hernández, *Iglesias de Oriente*. Sal Terrae, Santander 1963.

S. Morillo, *Las iglesias cristianas de Oriente*. C.E.O.R., Madrid 1959.

M. Fietz, *Textos de espiritualidad oriental*. Rialp, Madrid 1960.

J. Alameda, *Las iglesias de Oriente y su unión con Roma*. Vitoria 1960.

A. Esteban Romero, *Juan XXIII y las iglesias ortodoxas*. Atenas, Madrid 1961.

AA.VV., *La ortodoxia griega y rusa*. Casal i Vall, Andorra 1960.

W. Vries, *La Iglesia y el Estado en la Unión Soviética*. Dinor, San Sebastián 1960.

J. Tzerbrikov, *El espíritu del cristianismo ruso*. Studium, Madrid 1954.

P. Evdokimov, *La ortodoxia*. Edicions 62, Barcelona 1962.

Y. M. Congar, *Cristianos ortodoxos*. Estela, Barcelona 1963.

V. Lossky, *Teología mística de la Iglesia de Oriente*. Herder, Barcelona 1982.

# 6

# El islam

Ninguno de vosotros será realmente creyente, mientras no quiera para su prójimo lo que quiere para sí (Hadit del profeta).

## 1. Aclaración de algunos prejuicios

E l islam* es cronológicamente la tercera y la última de las grandes religiones reveladas. Lo mismo que el judaísmo y el cristianismo, se apoya en una ley contenida en un libro: *el Corán*. Lo mismo que el judaísmo y el cristianismo, tiene su profeta: Muhammad o Mahoma.

Pero la ley islámica abroga a las que la precedieron: la ley de Moisés que fundamentaba la alianza con Israel, y la ley de Jesús, hijo de Dios. Al venir detrás de las otras dos religiones reveladas, el islam pretende rectificarlas y perfeccionarlas. Quiere ser un retorno a la religión primera, auténtica, desfigurada por los judíos y los cristianos. Por esta razón, si es verdad que hay muchos puntos de convergencia entre las tres religiones, éstas siguen siendo irreconciliables. La profundidad de este divorcio no impide por ventura que haya un diálogo dinámico y fecundo entre creyentes.

Actualmente, sin embargo, y a pesar de una rica civilización pasada, el islam y lo que se llama su «despertar» suscita en los occidentales algunas inquietudes y hasta una franca hostilidad.

Esta hostilidad se ve a menudo fomentada por la ignorancia y los prejuicios. Por ello no será inútil comenzar con algunas puntualizaciones.

### a) El islam no se confunde con el mundo árabe

Es verdad que nació en tierras de Arabia; el profeta hablaba en árabe, y el Corán está escrito en árabe, aunque fuera un árabe primitivo. Pero ¿acaso se dice que el cristianismo es galileo porque Jesús viviera en Galilea y hablase en arameo?

Mas la *vocación universal* del islam –como la de toda religión– lo impulsó rápidamente a extenderse por Africa, por Asia y por Europa. Y actualmente, de los 750 millones de musulmanes* repartidos por el mundo, sólo 125 son árabes: *uno de cada seis*.

Muchos de nuestros compatriotas se sentirían embarazados y luego extrañados si se les preguntase la lista de los cinco mayores Estados de población musulmana. Ninguno de ellos es árabe: Indonesia (140 millones), Pakistán (80 millones), Bangladesh (80 millones), la India (70 millones) y la URSS (45 millones). Las dos terceras partes de los musulmanes del mundo viven actualmente en Asia: cuatro veces más que en los países árabes.

## b) El islam no es la religión del fatalismo

Se tiene ordinariamente la idea de que la sabiduría musulmana se expresaría en fórmulas como «¡Inch Allah!, ¡Mektub!», que se traduce por: «Es la voluntad de Dios, o sea, el destino, contra el que no se puede hacer nada».

Pero precisamente «voluntad de Dios» y «destino» son dos nociones sumamente distintas. La misma palabra islam significa *sumisión;* el musulmán es aquel que se somete a la ley de Dios. La obediencia a Dios es ciertamente la actitud fundamental del «creyente». Creer se dice «imán», un término relacionado con el hebreo «amén». Obedecer a Dios es creer:

— Creer ante todo que *Dios está con nosotros,* «más cerca de nosotros que nuestra vena yugular», como dice el Corán; el que se fía de Dios no tiene nada que temer.

— Creer es también estar cierto de que todo cuanto acontece, por venir de Dios, no puede más que ser bueno para el hombre, a pesar de las apariencias en contra. No se pueden plantear cuestiones a Dios. Hay que *aceptar* todo lo que él envía.

— Creer es finalmente *seguir la ley de Dios;* una ley que indica con precisión el valor de cada una de las acciones humanas. Por consiguiente, no se puede creer sin obrar, sin obrar bien.

De este modo, el fiel musulmán no es fatalista, sino *paciente* [1], *obediente* y *activo* en presencia de Dios. La paciencia, más exactamente «sabr», es una de sus grandes virtudes. Pero su sumisión no es resignación. Es adhesión a la voluntad divina. Su «mektub» es un «fiat», un «amén». «Dame a conocer, Señor, tu voluntad, para que la cumpla»...

## c) El islam no es tampoco fanatismo y «guerra santa»

Primeramente, es necesario advertir que, si hay fanatismo, no se trata de una exclusiva del islam. Por su convicción de ser la única verdadera, toda religión lleva dentro de sí la tentación de esta perversión.

El fanatismo *no está ni mucho menos inscrito en la ley del islam.* Al contrario, el Corán recuerda que no hay que convertir a nadie a la fuerza [2]. Insiste en la moderación y en la exigencia de justicia.

Históricamente, si a veces la guerra —como todas las guerras, pero sobre todo las guerras de religión— se ha hecho con ferocidad, conviene tener en cuenta dos cosas. Muchas veces ha sido obra de pueblos recién convertidos, ardientemente intolerantes y conquistadores. Y que «la conquista de Jerusalén por los musulmanes no hizo correr ni una gota de sangre, mientras que los cruzados hicieron allí millares de muertos».

En cuanto a la «guerra santa», la famosa *yihad**, está lejos de ser un combate a ciegas, en el nombre de Alá, como se dice generalmente. Como regla general, para el Corán, el valor primero es la *paz:* «Vosotros, los que creéis, entrad en la paz». Como para el cristianismo, sólo se admite la legítima defensa: «Al que os ha atacado, atacadle exactamente como os atacó, y temed a Alá. El está con los que le temen» (Corán 2, 193).

La *yihad* es ante todo un combate interior contra el mal, una resistencia a las fuerzas malignas que hay en el hombre. Es un *esfuerzo permanente* del alma por rechazar a los ídolos para seguir sólo a Dios.

Tan sólo a continuación es guerra santa contra el impío. Guerra de defensa o de conquista de la independencia, que hay que situar en el contexto histórico de la vida del profeta.

☆

---

[1] Sabr, que se traduce difícilmente por «paciencia», es la otra cara de la fe, es ella la que permite seguir los preceptos.

[2] «Busca el camino de tu Señor por la sabiduría y la buena exhortación. Discute con los adversarios de la manera más benévola» (Corán 16, 125).

Después de haber disipado estos prejuicios –más tarde veremos algunos otros–, se ve mejor cómo la ley musulmana se centra en Dios y en la ley que él dio a los hombres por medio del último de sus profetas, Mahoma.

Antes de narrar su vida y su revelación, indiquemos que los musulmanes nunca se llaman a sí mismos «mahometanos», discípulos de Mahoma (como los cristianos son discípulos de Cristo). Una vez más, lo primero y lo único en el islam es la fe en Dios.

# 2. El profeta y su revelación

## a) El país de Mahoma

Cuando Mahoma, o Muhammad, nació en el año 570 [3], la ciudad de La Meca era una ciudad comercial de unos diez mil habitantes en la encrucijada de dos imperios: al nordeste, la Persia de los sasánidas, y al norte y al oeste, el imperio bizantino, que ocupaban Egipto y Siria. Por allí transitaban las sedas de China, las especias de la India y los perfumes del Yemen, destinados a Bizancio y al resto de Europa.

La Meca era una ciudad-Estado gobernada por un consejo hereditario de diez miembros pertenecientes a las grandes familias comerciales, entre ellas la de Mahoma. Tanto como por su riqueza y su administración, la ciudad era famosa por su templo. Se trataba de la célebre Ka'ba*, de la que se decía que había sido fundada por Adán y reconstruida por Abrahán. Todos los años acudían turbas de peregrinos de toda la Arabia a venerar el templo, y especialmente su piedra negra angular o el fresco que representaba al niño Jesús y a su madre María.

Es que los mequíes, como los pueblos nómadas de alrededor, adoraban a un dios único –aunque rendían también culto a los 360 ídolos que rodeaban la Ka'ba–, conocían a Jesús y vivían como hombres justos y generosos [4].

## b) La vida de Mahoma

Muhammad ben Abdallah, hijo de Amina, pertenecía a la tribu nómada-pagana de los quray. Según la Sira*, perdió muy pronto a sus padres y fue educado por su abuelo y luego por su tío Abu-Talib. A la edad de 25 años, entró al servicio de una rica viuda, Jadiya, que le llevaba 15 años. Poco después se casó con ella y tuvo tres hijos y cuatro hijas, que fueron las únicas en sobrevivir. Caravanero como su padre, viajó entonces por asuntos de negocios por Siria, Yemen, Omán y –según dicen algunos– por Abisinia. La tradición dice que trató con monjes cristianos.

Por entonces, Mahoma había adquirido ya la fama de hombre honrado y justo, apodado Al Amin, el «digno de confianza». A este propósito, se cuentan dos anécdotas. Fue durante la reconstrucción de la Ka'ba, demolida por un incendio; los diversos clanes se disputaban el honor de transportar la piedra negra; Mahoma, designado como árbitro, tuvo la idea de hacerla llevar sobre un gran paño que cada uno sostendría por los bordes; así se hizo con gran satisfacción de los adversarios reconciliados.

La segunda historia es la de la adopción de Zaíd. Este joven cautivo había sido comprado por Mahoma, que le trataba con cariño; pero su padre logró encontrarlo tras muchos años de búsqueda y ofreció por él un rico rescate; Mahoma propuso dejarlo gratuitamente en libertad con la condición de que el joven esclavo siguiera libremente a su padre; Zaíd prefirió quedarse al lado de Mahoma, que lo adoptó como a su propio hijo.

El futuro profeta añadía una gran piedad a esta honradez y generosidad. A menudo, desde la edad de 25 años, se retiraba, el mes de Ramadán*, a unas millas de La Meca, a la cueva de Hira; allí pasaba varias semanas meditando.

---

[3] Cf. cronología en p. 181.

[4] Se cuenta que, en tiempos de hambre, los pobres encontraban socorro en La Meca.

### c) La revelación

Fue allí, durante un día de invierno, donde tuvo su primera visión. Se le apareció el ángel Gabriel, repitiéndole: «Recita: Yo soy Gabriel, el ángel que Dios envía a anunciarte que te ha escogido por mensajero encargado de llevar a los hombres su revelación». Y el primer mensaje decía: «Lee en el nombre de tu Señor, que creó al hombre de un coágulo. Es tu Señor, el más noble, el que enseña al hombre lo que no sabe».

Desconcertado e inquieto, dudando de lo que había oído, Mahoma se confió a Jadiya, que lo animó. Se lo llevó a ver a un primo suyo, anciano ciego convertido al cristianismo, Waraqa Ibn Nofal. Este, a su vez, confirmó su visión y le advirtió: «Este mensaje es parecido a la Torá de Moisés... Espera verte perseguido como todos los profetas».

Sólo algunos familiares creyeron en esta revelación: su esposa Jadija, su hijo adoptivo Zaíd, su primo Alí, su amigo más fiel Abu-Bakr y Omar [5]. Pero durante tres años, el arcángel se mantuvo invisible y mudo; las gentes se reían de Mahoma y Mahoma se desesperaba. Huyó de nuevo a la montaña en donde finalmente se le volvió a aparecer Gabriel, que le tranquilizó: «Tu Señor no te ha abandonado... ¡No oprimas al huérfano! ¡No rechaces al mendigo! ¡Y narra el beneficio de tu Señor»! (Corán 93, 3-11).

Desde entonces, afianzado en su fe, Mahoma empezó a predicar entre los habitantes de La Meca. Dos temas predominan en sus primeros sermones: el de un Dios único y justiciero al que hay que someterse, y el de un juicio último después del cual resucitará el hombre. Si la gente sencilla escuchó y siguió al profeta, los ricos mequíes se indignaron contra él y empezaron incluso a perseguir a sus primeros adeptos.

### d) ¿Influencias recibidas?

No es posible hacer aquí más que algunas observaciones sobre las semejanzas y coincidencias entre estos primeros pasos del profeta y los de Moisés y Jesús.

Como sus predecesores, Mahoma es un hombre «justo» y «piadoso». A los tres les gusta retirarse al desierto a meditar. Allí, lejos del tumulto de la gente y de la ciudad, oyen hablar a Dios. Ordinariamente es en la cima de una montaña, cerca del cielo en donde moran los dioses, donde lo encuentran: el monte Sinaí, el monte Tabor, el monte de las bienaventuranzas... Los tres habían alcanzado ya la edad madura, los 30 o los 40 años, cuando tuvieron una experiencia que desconcertó su vida hasta entonces bastante vulgar.

Al principio, todos ellos se asustan y tienen que vencer la duda y las tentaciones antes de creer en su misión. Tampoco puede decirse de ninguno que fuera «profeta en su patria». Y son los humildes, los pobres, los primeros en seguir a aquellos «pescadores de hombres», mientras que la gente distinguida, los sacerdotes, los fariseos, los burgueses, les persiguen. Finalmente, sus mensajes –con algunos matices distintos en Jesús– anuncian a un Dios justo que exige la sumisión a sus mandamientos.

De aquí han deducido algunos que, sin intención de plagio, cada uno de los fundadores se vio influenciado por los mensajes anteriores. Así, Mahoma habría conocido a algunos creyentes judíos y sobre todo cristianos presentes en La Meca.

Pero, por un lado, no puede probarse ningún contacto concreto. Y por otro, lo que caracteriza a Moisés, a Jesús y a Mahoma es, por el contrario, que cada uno de ellos renueva de forma personal los temas religiosos habituales. Puede pretenderse igualmente que sus visiones y sus doctrinas no son más que los productos del «aire de la época», de un ambiente común: civilización oral, patriarcal, cercana a la naturaleza...

Todas estas explicaciones no son de hecho más que hipótesis. No son más convincentes que la de la autenticidad de una experiencia espiritual incomunicable. Fueron precisas algunas circunstancias favorables. Pero no bastan sin duda para provocarlas. Es difícil reducir el discurso religioso a sus antecedentes psico-sociológicos. La profundidad, el vigor y la originalidad de la emoción religiosa ¿no atesti-

---

[5] Abu Bakr se convertirá en suegro suyo cuando, tras la muerte de Jadiya, Mahoma se case con su hija Aixa.

guan acaso un «motor» distinto del mundo y del individuo?

### e) Primeras predicaciones y rupturas

Sea de ello lo que fuere, ante las primeras persecuciones de sus primeros seguidores, Mahoma les aconsejó que se refugiaran junto al rey cristiano de Abisinia. Aquello no hizo más que exacerbar más aún el furor contra los discípulos que se habían quedado en La Meca. Se les apartó del comercio y de la vida social; incluso se negaron muchos a venderles alimento. Finalmente, declarado fuera de la ley por Abu Lahab [6], peligrando su vida, Mahoma huyó a Taif.

Rechazado allí, tuvo que volver a refugiarse al lado de un amigo no musulmán de La Meca. Fue entonces cuando intentó convertir más bien a los peregrinos que acudían todos los años a la Ka'ba; no tuvo mucho éxito, excepto con algunos habitantes de Yatrib. Estos, cada vez más numerosos, invitaron al profeta y a sus fieles a buscar asilo en su ciudad. Por consejo de Mahoma, éstos partieron en secreto, en pequeños grupos. El, amenazado de muerte, acabó uniéndoseles con su amigo Abu Bakr, después de varias aventuras.

Posteriormente, Yatrib tomó el nombre de Medina-al-Nabi (la ciudad del profeta), o más simplemente *Medina*. Este acontecimiento tomó también el nombre de *Hijra* o *Hégira**, o sea, la emigración, la expatriación. Fue el 12 rabi (24 de septiembre) del año 622. Esta fecha se convertiría para los musulmanes en el punto de partida de un nuevo calendario: el año 1 de la Hégira. Mahoma tenía entonces 52 años, y podía decir: «He dejado mi familia y he abandonado mis bienes por la Hégira, en el camino de Dios».

Así lo había hecho también Moisés dejando Egipto por la «tierra prometida»; y, antes de él, Abrahán, dejando Ur por orden de Dios. También Jesús había declarado de forma similar: «Ven y sí-gueme...; deja tu casa, tus hermanos o hermanas, tu padre o tu madre, tus hijos o tus campos...». Y también: «El que, habiendo puesto la mano en el arado, vuelve la vista atrás, no vale para el reino de Dios» (Lc 9, 62).

El éxodo, la ruptura, ¿no es siempre el primer paso para una experiencia religiosa?

### f) La vida en Medina

Cuando Mahoma fue acogido en Medina, la ciudad tenía dos graves problemas. El primero era el de la *inseguridad* causada por el desorden político: los clanes y las tribus se disputaban el poder y ninguna autoridad reconocida lograba establecer un mínimo de orden en el interior y de seguridad ante las tribus vecinas.

El profeta propuso a los representantes de las diversas comunidades que se entendieran para designar un jefe común. Elegido por la mayoría, él le dio a la «omma» [7] una especie de constitución para regular el funcionamiento de la sociedad, de la justicia, de la defensa. Los judíos y los cristianos tenían libertad de practicar sus creencias y se veían libres de las leyes y de las penas reservadas a los musulmanes. Fue aquel primer código práctico el que dio origen a la *sunna**.

El segundo problema, menos grave, pero más urgente, concernía a los *refugiados*. Constituían éstos los «mohajirun» (expatriados), ordinariamente desvalidos. Mahoma pidió a los ansars («sostenes») que los acogieran; cada una de las familias acomodadas formó con algunos refugiados un grupo de trabajo y de vida en común. Pero no por ello se había establecido la paz.

### g) Primeras luchas

Ya en La Meca, Mahoma había chocado con los adoradores de ídolos. En Medina tropezó con el des-

---

[6] Tío de Mahoma, que sucedió a su antiguo protector Abu Talib.

[7] O *umma*: comunidad de los creyentes.

precio de la comunidad judía. Pero sobre todo luchó contra los mequíes, a propósito del derecho de paso de las caravanas por lo que él consideraba como territorio musulmán.

Durante una de estas tensiones, se produjo, el año 2 de la Hégira, la batalla de Badr, entre unos 950 mequíes y 300 «creyentes». Derrotados, los mequíes dejaron en el campo unos 50 muertos. Alá había dado la victoria a sus fieles, que llamaron «el día decisivo» a esta fecha memorable.

Vinieron luego otros conflictos: la batalla del monte Ohod, la guerra del «foso», que eliminó a las tribus y afianzó el poder de Mahoma. Finalmente, en enero del 630 entró triunfante en La Meca, destruyó los ídolos, pero proclamó una amnistía que le valió el apoyo del pueblo convertido.

De este modo, habiendo extendido progresivamente su autoridad sobre la mayor parte de Arabia, se dirigió contra Siria y contra el imperio bizantino de Heraclio, acusado de haber dado muerte a los embajadores del islam...

### h)  Muerte de Mahoma

Finalmente, el año 632 volvió en peregrinación a la Ka'ba, según el rito prescrito por él mismo. Fue la «peregrinación de despedida». Porque unos meses más tarde, de vuelta a Medina, se vio atacado por una fiebre y murió en la ciudad que le había acogido diez años antes. Era el 13 rabi (8 de junio) del año 9. La mayor parte de estos acontecimientos y de estas prescripciones se encuentran en los textos que el profeta fue dictando durante todo este tiempo.

El Corán, libro de la nueva fe, es también el reflejo de una vida, de sus combates, y de una obra.

Al morir Mahoma, toda la península arábiga, hasta Irak y Palestina –3 millones de km.² – compartía esta fe, obedecía las leyes del profeta y miraba hacia La Meca para orar.

## 3.  El credo musulmán

¿Cuál era entonces esta nueva fe?

De hecho, no era *tan nueva*. Pretendía restaurar la religión de un Dios único, revelada ya a los judíos y a los cristianos. Pero como éstos la habían olvidado o adulterado, Dios les había enviado a Mahoma como profeta encargado de recordar a los hombres la verdad y la ley. Pero este profeta se inscribe en la larga lista de los profetas de la revelación desde Adán: Noé, Abrahán, Moisés, Jesús.

El credo musulmán es muy *simple*. No se ve entorpecido por dogmas complicados. Está contenido todo él en la sahada*, la profesión de fe inicial del Corán. Los doctores de la ley se han limitado a discernir sus principales elementos, atestiguados por la comunidad. Se resumen en *cinco artículos de fe*, que sería preferible llamar «actos de fe», ya que comprometen al fiel.

### a)  Un Dios único

Así, la afirmación primera de la unicidad de Dios está hecha inicialmente bajo forma de negación: «No hay más Dios que Alá, y Mahoma es su profeta» (Corán 7, 157). El musulmán creyente es el que niega el culto a todos los ídolos: a los que Mahoma derribó en La Meca y a todos los que renacen en cada generación. El islam es *protesta contra todo politeísmo*, incluso contra la Trinidad de los cristianos.

Ese «Dios uno», que «no tiene igual absolutamente en nada», es *Dios creador*. «Ni ha engendrado ni ha sido engendrado». Pero «su nombre está en el fundamento de la creación, es el signo que edifica lo existente». «A Alá le corresponde el acto de nombrar y de borrar». Observemos en toda creación la importancia capital de la palabra de Dios. Ella sola es creadora. Y el nombre es lo que da la vida.

Por tanto, ese Dios creador es *omnipotente*. Obra según su voluntad. «A él no se le pide razón de lo que hace». Es eterno y sobre todo *trascendente*. Alá es el totalmente otro, absolutamente distinto. «No hay nada semejante a él». Inaccesible, está más allá de toda descripción. En este aspecto no tiene sentido ninguna teología musulmana y sería incluso tan impía como la representación de Dios por imágenes.

Sin embargo, aunque distinto de los hombres, ese Dios es *misericordioso* con ellos. La misericordia es uno de los atributos por el que se le invoca más frecuentemente [8]. Pero no el único. Se han señalado 99 nombres para dirigirse a Dios: «el poderoso, el sabio, el viviente, el santísimo, el altísimo...» [9].

Finalmente, hay que repetirlo, ese Dios no ha sido «inventado» por Mahoma. Es el Dios de Abrahán, de Moisés y de Jesús, es decir, el Dios de los judíos y de los cristianos. Así, pues, a la fe en Alá, el Dios único, corresponde la creencia en los profetas.

### b) anunciado por los profetas

Todos los profetas vienen de Dios. Por tanto, es una obligación creer en todo lo que ellos dijeron en su nombre. Algunos son sus *mensajeros*, encargados de transmitir a los hombres la voluntad de Alá. Así fueron Abrahán, Moisés, Jesús y Mahoma. Otros, a veces los mismos, fueron sus *monitores:* Alá los envió para avisar a la humanidad de los castigos que habría de padecer por haber desobedecido su ley. Noé, Lot, Abrahán y Moisés pertenecen a esta familia. Hay otros tres puramente árabes: Idris, Salih y Had. Mahoma pone también entre los profetas a David, Elías, Eliseo...

El mismo, cuya venida habría anunciado Jesús (Corán 61, 6), es el más importante y el último de todos. Acaba la revelación, es su sello, el que pone el punto final, el que la cierra. Por tanto, ya no habrá profetas después de Mahoma. Todos los que pretendan serlo, serán unos impostores.

### c) manifestado por los ángeles

Por debajo de los profetas hay otros servidores de Alá: los ángeles. La palabra, de origen iranio, como lo que representa, significa «mensajero». Ocupan un gran espacio en el Corán, que hace de ellos seres alados, asexuados, creados a partir de la luz. El término que los designa, «ruh», equivale a *espíritus*, «soplos» de Dios. Se les han confiado varias misiones, que permiten clasificarlos.

En la cima de la jerarquía hay cuatro arcángeles: Gibril (o Jibril, Djibrail), Mikhail, Israfil e Izrail. Gibril, o sea Gabriel, es el Espíritu Santo («ar-ruh al qudus»), portador de las órdenes divinas. Es él, el fiel, quien vino a anunciar a Myriam (María) que daría a luz a un gran profeta; también él es el que le confirmó a Mahoma la verdad de las revelaciones antiguas. Mikhail (Miguel), encargado de los bienes de este mundo, vela por la creación. Israfil es el arcángel del juicio, que toca «los tres trompetazos» de la resurrección. Finalmente, Izrail es el arcángel de la muerte. Hay dos ángeles dedicados más concretamente a cada hombre para que le ayuden y cuenten sus buenas y sus malas acciones; son «los ángeles de la guardia» que, en el día del juicio, servirán de testigos y de abogados, frente a Munkar y Nakir, los «interrogadores del sepulcro».

Además, hay *ángeles malos*, destinados a tentar a los hombres. Su jefe Ach-chaitan (Satán) o Iblis es un ángel rebelde. Habiéndose negado a postrarse ante el primer hombre, fue echado del paraíso. Se vengó provocando la desobediencia de Adán y de Eva, desterrados igualmente [10].

Este «ángel caído» dirige toda la tropa de los *demonios*, los «jinn» (o djinns), creados de «fuego claro» y no de luz. Invisibles, astutos y malévolos, capaces de procrear y de unirse a los humanos, los tientan y los atormentan. —Se preservan de ellos por medio de talismanes.

### d) «soberano del día del juicio»

Este atributo esencial de Alá constituye el cuarto artículo de la fe islámica. Excepto los profetas y los mártires, ya en el paraíso, todo hombre será juzgado personalmente. Al final de los tiempos, en la

---

[8] Véanse en recuadro las oraciones, p. 160.

[9] El número cien, que se dejó en blanco, demuestra que él es incognoscible.

---

[10] Pero su pecado no se transmite a sus descendientes.

hora «que rompe con estrépito», tras los tres trompetazos de Israfil, todos los hombres comparecerán ante Alá. Le presentarán el libro donde están escritas sus buenas y sus malas acciones. De hecho, cada uno se verá a sí mismo en su verdad [11]. Entonces, atravesando un puente «delgado como un cabello» (la puerta estrecha), o bien caerá en el infierno, o llegará al paraíso. Así Dios hará «salir al Viviente de la muerte» y a «la muerte del Viviente» (Corán 3, 27).

Mahoma intervendrá personalmente en favor de los creyentes, ya que «lo que Dios no perdonará es que se le asocien otras divinidades». Los excluidos caerán en un *infierno* de siete pisos, un «fuego» que exhala un «hedor tórrido», un «agua hirviendo» [12]. Pero los justos, los «compañeros de la derecha» (como dice también el evangelio) irán a descansar a la sombra de los frescos jardines del *paraíso*. Ciertamente, el paraíso del islam es un lugar donde el fiel «contempla el rostro de Dios», pero el Corán lo describe como un lugar de delicias, a imagen de los deseos escuchados del hombre del desierto: arroyos de agua fresca, bebidas y manjares abundantes y exquisitos, mujeres de ojos de gacela, efebos diligentes... Sólo los místicos ven allí un verdadero encuentro con Dios. Pero cabe preguntarse por el realismo del «firdawa», ese jardín de las delicias; ¿no se tratará sólo de un simbolismo, dado que el hombre no puede imaginarse la «visión de Dios» más que por comparaciones?

### e) señor del decreto

Dios es también el autor soberano del *qadar*, esa decisión que desde toda la eternidad fija el destino del hombre. También esto es artículo de fe. Pero resulta difícil conciliar esta *predestinación* con la libertad del hombre, sin la cual Dios no puede considerarlo como responsable de sus malas acciones.

Este dilema de la omnipotencia divina y del libre albedrío del hombre no es, sin embargo, exclusivo del islam. Si el hombre es libre para obrar mal, es que el poder de Dios es limitado. Si no es libre, ¿cómo puede castigarlo Dios sin ser injusto? Pues bien, Dios es necesariamente a la vez omnipotente y absolutamente justo.

Al islam le cuesta tanto más resolver esta contradicción cuanto que afirma con mayor vigor la omnipotencia divina. «Dios perdonará lo que quiera a quienes quiera». «A Dios no se le pedirá cuenta de sus acciones; él es el que les pedirá cuenta de las suyas» (Corán 4, 52 y 21, 23).

¿Cómo afirmar al mismo tiempo que «Dios no será injusto con nadie»? Los comentaristas han discutido mucho tiempo sobre esta aparente falta de compatibilidad: unos se inclinan por el libre albedrío del hombre y otros por el fatalismo [13]. Los más hábiles pensaron que Dios sólo podía querer el bien del hombre. Y los ortodoxos acabaron diciendo: «La verdad viene de Dios; el que quiera creer, que crea; el que quiera ser infiel, que lo sea» (Corán 18, 28). De este modo, el creyente se refugia en su fe. Esta no resuelve las contradicciones, pero las acepta. Y es esta aceptación lo que constituye la fe.

## 4. El Corán

### EL CORAN

«Se copia el Corán en un libro, se le pronuncia con la lengua, se le recuerda en el corazón, pero sigue estando en el centro de Dios, sin verse alterado en su paso a las hojas escritas o al espíritu de los hombres» (Al Ghazali [1058-1111]).

---

[11] «El que haya hecho un átomo de bien, lo verá. El que haya hecho un átomo de mal, lo verá».

[12] El piso superior, la gehenna (jahannam), es una especie de purgatorio reservado a los musulmanes.

[13] También se distinguió entre los «qadaríes», que conceden más espacio al libre albedrío (que limite al qadar) y los «jabaríes», que destacan la omnipotencia divina. Los qadaríes se convirtieron luego (en el siglo VIII) en los «mo'tazilíes» (los que se apartan). En ellos se reconocen los musulmanes «modernistas».

Esta fe encierra una especie de sexto artículo: la afirmación del *carácter revelado de los libros santos*. Además del Corán, el islam reconoce que la revelación se expresó en tres libros anteriores a él: el *Zabu* de David, la *Torá* confiada a Moisés y el *Infil* (evangelio) de Jesús. Pero aquéllas fueron sólo revelaciones parciales; y el Corán es ciertamente el libro por excelencia, fuente del islam.

• *¿Qué sentido tiene esta palabra?*

Corán, o más exactamente «Kor'an», se deriva de una raíz semítica «kr», que se encuentra en el cananeo, el hebreo, el arameo (de Jesús) y el siríaco. Significa: leer, recitar. Corán (o también Al Qur'an, Alcorán) quiere decir «lectura» o, mejor aún, «recitación».

En efecto, era así como Mahoma decía o «recitaba» a su pueblo lo que le comunicaba el arcángel. Por otra parte, lo explica él mismo: «Lo hacemos así para robustecer tu corazón: lo recitamos con estribillo» (Corán 25, 34). Y así es también como lo salmodian los creyentes.

### a) ¿Qué es el Corán?

Antes de ser un libro, el Corán es una palabra. La palabra misma de Alá. Mejor dicho, según ciertos versículos y los exégetas ortodoxos, esta palabra existe antes de toda revelación. Está junto a Dios. Es la «Umm al kitab»: la madre del libro. Este arquetipo celestial es el Corán eterno, la escritura en árabe. Y el árabe es entonces como la lengua misma de Dios, la de Adán y Eva en el paraíso. De ahí que, incluso en los países en que no se habla el árabe, es en árabe como el Corán se lee o, mejor dicho, se aprende y se recita.

Esta creencia distingue muy profundamente a las relaciones del musulmán con el Corán y a las del cristiano con la Biblia. Esta ha sido solamente inspirada por Dios; pero tiene unos autores marcados por su cultura, su época, su historia y hasta su personalidad. La Biblia muestra cómo actúa Dios en el corazón y en la historia de los hombres.

No ocurre esto con el Corán, que está dictado por Alá. Es su palabra. Es literalmente *el verbo de Dios*, bajado de él. «Es la revelación que Dios hace bajar sobre Mahoma» (Corán 20, 2). O, como explica L. Massignon, el «Dictado sobrenatural registrado por el profeta amaestrado». Si hubiera que hacer una comparación con el cristianismo, se podría decir que el Corán se parece más a la eucaristía que a la Biblia. Por tanto, es intangible, «intocable».

### b) ¿Cómo fue revelado?

Tiene sin embargo una historia, que Mahoma nos ha narrado. Nos dice que «ocurre de varias maneras: unas veces, Gabriel toma forma humana y me habla como un hombre; a veces es como un ser especial, dotado de alas. Y yo conservo todo lo que me dice. Otras veces, oigo como un sonar de campanas en mis oídos y, cuando se va este estado de éxtasis, lo recuerdo perfectamente todo, como si estuviera grabado en mi memoria».

Durante la vida de Mahoma, esas palabras de Dios se conservaron de memoria. Sólo algunos compañeros del profeta escribieron ciertos pasajes en fragmentos de cerámica, en pieles o en homoplatos [14]. Fueron luego recogidos en hojas por el joven Zaíd b'Thabit, y entregados a Hafsa, la viuda de Mahoma.

Tan sólo bajo el califato de Otmán se reunieron y clasificaron, de nuevo por obra de Zaíd, las diversas versiones del texto. Esta primera «Vulgata» se conservó en Medina, mientras que se enviaron varias copias a Damasco, al-Kufa, Basora, Homs... El ejemplar más antiguo que se conserva data del 776.

Luego hubo que precisar la lengua del texto y fijar las lecturas oficiales, reducidas a siete. Algunos «transmisores» designados se encargaron de zanjar entre las prescripciones contradictorias.

Finalmente, a pesar de la gran repugnancia de los musulmanes, se tradujo el Corán. En Europa, la primera paráfrasis en latín fue la de Roberto de Ketton en 1143. Hoy hay varias traducciones en las

---

[14] Se les llama «secretarios»: Obayy b'Ka'b, 'Abdallah b'Abou-Sarh, Zaid b'Thabit.

principales lenguas del mundo, incluso el wolof y el swahili. Sin embargo, sólo es fidedigna la versión árabe.

### c) Su contenido

El Corán oficial se presenta dividido en 114 capítulos o *suras** (azoras). Zaíd las clasificó según su dimensión, de la más larga (288 versículos o *aleyas*) a la más corta (3 versículos). La primera, la «fatiha» («la que abre»), es la oración fundamental del islam. Las dos últimas reproducen antiguas fórmulas de conjuro. Para comodidad de su recitación, se dividió cada capítulo en versículos iguales.

Más que la literalidad de las traducciones, este método de composición multiplica las repeticiones, mezcla la cronología, borra el encadenamiento de las ideas. La lectura del Corán es difícil.

Lo contiene todo, pero en medio de una gran dispersión: Dios, los profetas, la moral, los principios religiosos, una legislación social, los fines últimos...

Toda una parte del Corán está dedicada a trazar la historia de los pueblos de la antigüedad en relación con los *profetas*. Narra la historia de Adán, de Noé, de Moisés, de José, y sobre todo de María, de José y de Jesús... Hay frecuentes reminiscencias de la Misná, del Talmud y de los evangelios apócrifos, especialmente de Mateo y de Tomás. Sin embargo, según el propio Corán, Mahoma ignoraba las Escrituras judías y cristianas, aunque pudo conocer ciertos pasajes en su encuentro con esclavos cristianos. Pero el Corán ignora los dogmas cristianos: el pecado original, la Trinidad, la encarnación, la redención.

Sin narrar la vida de Mahoma, hay muchos versículos que aluden a las luchas que tuvo que emprender contra los incrédulos. De ahí sin duda toda su vigorosa descripción del *fin del mundo y del juicio final*. Y simétricamente, el anuncio y la descripción de la felicidad eterna de los creyentes.

Una tercera parte forma una *especie de código* a la vez religioso, moral y legislativo. Pero, una vez más, toda esta enseñanza está dispersa por el conjunto del libro.

La moral coránica no se orienta hacia el ascetismo, sino hacia la moderación. Como la religión, se resume en una consonancia perfecta con la naturaleza y la voluntad de Alá. «Dios está con los pacientes» (Corán 2, 48). En contra de lo que piensan algunos occidentales mal informados, el Corán no es formalista. Ignorando el pecado, se limita a condenar «las torpezas tanto exteriores como ocultas (7, 33), ya que «las acciones no valen más que por sus intenciones». El mal esencial es la idolatría. El bien es «la bondad piadosa», el amor al prójimo.

Finalmente, la ley de Dios, deducida del Corán, dio origen a las prescripciones rituales, a la sunna y a la sari'a [15].

## 5. Los cinco pilares del islam

Así es como se llaman («arkan») las grandes obligaciones rituales del creyente: la profesión de fe, la oración, el ayuno, la limosna y la peregrinación a La Meca.

### a) La profesión de fe

La *sahada* es el rezo diario del credo musulmán. Proclama en árabe la fórmula que resume la alianza entre Dios y sus fieles: «No hay más Dios que Alá, y Mahoma es el profeta de Alá».

### b) La oración

La *salat** es la oración ritual. Según la tradición, tiene que hacerse cinco veces al día: entre la aurora y el salir del sol, al mediodía, hacia las 4 de la tarde, al ponerse el sol y, finalmente, una vez en la noche. Puede hacerse en cualquier parte, solo o en grupo y sin sacerdote. El viernes, al mediodía y en la mezquita, tiene una especial solemnidad. Las

---

[15] En castellano disponemos de varias traducciones del Corán, hechas algunas directamente del texto árabe y otras de versiones francesas: Bergua Ochavarrieta (Ibéricas), J. Vernet (Plaza y Janés), J. Cortés (Herder).

oraciones se eligen libremente, aunque hay algunas más privilegiadas.

Van rodeadas de gestos significativos. El primero es una actitud de ruptura con las ocupaciones y preocupaciones habituales, para dirigirse a Dios;

## ORACIONES

### La «Fatiha» (la que abre)

¡En el nombre de Dios, el compasivo,
el misericordioso!
Alabado sea Dios, señor del universo,
el compasivo, el misericordioso,
dueño del día del juicio.
A ti solo servimos
y a ti solo imploramos ayuda.
Dirígenos por la vía recta,
la vía de los que tú has agraciado,
no de los que han incurrido en la ira,
ni de los extraviados.

### Petición de perdón

Dios mío, busco refugio en ti,
en la prueba de la vida y de la muerte.
Dios mío, te pido que me confirmes en la obediencia
a tu voluntad y me guardes por el camino recto.
Te pido que me hagas agradecido a tus beneficios
y que logre que mi culto te sea agradable.
Te pido un corazón recto, una lengua sincera.
Te pido que me concedas el bien
y me preserves del mal,
que tú conoces.
Te pido perdón por las faltas que tú conoces.
Dios mío, perdóname el mal que he cometido,
el bien que he omitido, lo que he disimulado
y lo que he hecho abiertamente.
Tú lo sabes mejor que yo.
Tú que estás cercano y que te alejas.
Tú, fuera del cual no hay Dios.

concretamente, el fiel mira hacia La Meca; luego hace algunas abluciones, con agua o con arena. Finalmente, procede a una serie de inclinaciones y postraciones, asociando el cuerpo a la oración. Ruptura con el mundo, purificación, apertura y disponibilidad significada por unas actitudes, constituyen la constante religiosa de toda oración, relación con lo divino.

### c) El ayuno

El *sawm* es un ayuno mensual que, en su origen, se tenía el 10 del mes de moharram (como, entre los judíos, el 10 del mes de tisri). Después de Mahoma, se convirtió en un mes de ayuno, el mes de ramadán [16]. Este ayuno recuerda el mes de la luna nueva durante el cual Mahoma recibió la revelación divina (2, 179-183). El creyente tiene que abstenerse entonces de comer, de beber y de tener relaciones sexuales desde el amanecer hasta la puesta del sol. Más duro que la cuaresma cristiana de antaño, da lugar sin embargo a numerosas dispensas para los enfermos, los viajeros, las mujeres embarazadas [17].

El *ramadán* obtiene la absolución de todos los pecados cometidos antes de comenzar el ayuno. A pesar de las perturbaciones económicas que supone actualmente en una sociedad moderna, es una de las prescripciones mejor observadas, ya que, por ser colectivo, afirma visiblemente la identidad religiosa y cultural del islam.

### d) La limosna

La *zakat** o limosna es la cuarta prescripción ritual obligatoria. De hecho, la palabra significa «purificación». Es que la limosna purifica de alguna manera los dones recibidos de Alá, reconociendo que todo se le debe y restituyéndole una parte de lo

---

[16] Es el noveno mes lunar y por eso se desplaza respecto al calendario solar (así, en 1978, correspondía más o menos al mes de agosto y, en 1980, entre el 12 de julio y el 12-13 agosto).

[17] Pero esta dispensa deberá compensarse, bien en otro momento o bien por medio de una limosna.

que él concede a los hombres. La zakat primitiva está constituida, por tanto, por una parte de la cosecha o del rebaño, animales, cereales, aceite. Representa en principio la décima parte de la renta, pero muchas veces sube hasta la 40.ª parte. Su producto se entrega a los pobres; la zakat tiene de este modo una función de justicia social, a la vez que una función religiosa.

Hoy, en los estados musulmanes tradicionales, se ha convertido en un impuesto en dinero sobre la renta. Pero no suprime la exigencia moral de una limosna voluntaria, la *sadaqa*.

### e) La peregrinación a la Meca

El *hayy**, la peregrinación a La Meca, es el quinto pilar del islam. Prescrita por el Corán (3, 91), tiene un doble significado. Por una parte, representa un retorno a las fuentes de la fe; por otro, manifiesta la unidad y la universalidad del islam.

Todo musulmán está obligado a hacer esta peregrinación una vez en su vida si está «en posibilidad de hacerla». Todavía hoy son cada vez más numerosos los humildes fieles que sacrifican los ahorros de toda su existencia para cumplir este mandamiento. El *hayy* va acompañado de numerosos ritos, precedidos por la abstinencia y la purificación. Está en primer lugar el «tawaf», que consiste en dar siete veces la vuelta a la Ka'ba. –En esta construcción de piedra gris se conserva la piedra negra, vestigio de un santuario elevado por Abrahán, testigo de la primera alianza–. El fiel va a beber luego al pozo de Zemzem, que el ángel le indicó a Agar y a su hijo Ismael. Lo mismo que ella, ha tenido que realizar anteriormente los siete recorridos entre las alturas de Safa y de Marwa: es el «sa'y» [18]. Los días siguientes hay que pasarlos en Mina, donde hay que arrojar al menos 49 piedras contra las tres columnas de Satán: signo de la lucha contra el mal. Y el *hayy* termina con una larga oración, en pie, en la llanura tórrida de Arafa, y, finalmente, el día déci-

mo, con la inmolación de un cordero, para recordar el rescate de Ismael [19].

Este sacrificio coincide con la celebración en todo el mundo musulmán de al-'id al-kabir, la «gran fiesta», ya que el *hayy* tiene lugar en una fecha fija, el mes de Dhu'l-hijja, 12.° mes lunar.

A estos cinco deberes fundamentales se añaden las obligaciones llamadas «de suficiencia», ya que basta con que uno solo de los miembros de la comunidad los cumpla para que se observe la obligación. Es un deber «solidario». Tal es, por ejemplo, la *yihad*, la famosa «guerra santa», dirigida contra los vecinos infieles que, habiendo sido invitados a convertirse, se niegan a ello.

Las «gentes del libro», judíos y cristianos, tienen un estatuto aparte, como ciudadanos «protegidos». Gozan de libertad de culto, pero han de pagar impuestos especiales sobre sus bienes y sus rentas, y someterse a ciertas obligaciones y prohibiciones.

#### • El culto a los santos

Finalmente, aunque no es de origen canónico, hay que decir unas palabras sobre el culto a los santos en el islam.

Los primeros que veneró el pueblo fueron los miembros de la familia del profeta y sus compañeros. Luego fueron considerados como «wali» los mártires que murieron en las conquistas o los *imanes** famosos por su piedad. Pero fue sobre todo en el Magreb, a partir del siglo XII y en el XV, donde floreció el culto a los santos conocido con el nombre de *marabutismo**.

Este culto a un santo (seyid), vagamente derivado de la mística sufí, colma para el pueblo el vacío entre un dios demasiado lejano y sus adoradores. El santo desempeña un papel de intercesor. Acerca lo sagrado a los hombres y responde así a una necesidad universal del sentimiento religioso [20]. Pero,

---

[18] Esto representa unos 15 km; Mina está a 6,6 km al este de La Meca, y Arafa a unos 13 km más al este.

[19] Hijo de Abrahán y de su esclava Agar.

[20] La raíz «rbt» (en portugués marabut, en árabe morabit) quiere decir «atar». Es lo que ocurre con la raíz de «religión».

aunque muy difundido, este culto es denunciado con vehemencia por los ulemas ortodoxos.

## 6. Una moral: la sunna

Toda la ley del islam está en el Corán. Y el Corán abraza toda la vida del hombre. Relaciones con Dios, culto, pero también higiene, urbanidad, educación, moral individual, vida social y política: no hay nada que se escape de la religión. Todo es rito, porque la omnipotencia de Dios y de su ley, el Corán, se extiende a todos los terrenos de su creación. Para un musulmán, no hay distinción entre lo profano y lo sagrado. Toda su vida está regida por el Corán.

### a) Palabras y conducta del profeta

Sin embargo, a medida que se iba extendiendo y evolucionando la comunidad, sintió ésta la necesidad de referirse, no sólo al Corán, sino a las palabras y a la conducta del profeta. Sus palabras, recogidas por sus compañeros, son los «hadits»*; su conducta es la «sunna». De este modo, la forma de obrar de Mahoma pasó a ser la de todos los musulmanes. Esta conducta modelo constituye la sunna.

Mientras vivía aún Mahoma, sus compañeros Abdullah Ibn Amr y Anas Ibn Malik pusieron por escrito algunas de las palabras y de los hechos del profeta; otros transmitieron oralmente lo que habían oído y visto. Y la comunidad, cuando tenía algún problema moral o jurídico, intentaba resolverlo preguntando cómo había actuado Mahoma en una circunstancia semejante. Pero pronto hubo que distinguir entre los hadits auténticos debidamente garantizados y los demás, más o menos añadidos e inventados. Este trabajo de recopilación y de crítica se realizó a lo largo del siglo IX.

### b) Las seis colecciones

De ahí salieron *seis colecciones oficiales:* los «Cahih» (auténticos) de Al Bukhari y de Muslim y las Sunán (conductas) de Ibn Maja, Abu-Dawud, al

Tirmidhi y an-Nasai. Se presentan en dos partes. La primera, la «Isnad», traza la serie de autoridades encadenadas que, desde la fuente, garantizan el texto. La segunda, el «Matn», es el texto autentificado.

¿Qué contienen estos volúmenes? El recuerdo de algunos grandes principios éticos, de prescripciones y prohibiciones mitad religiosas y mitad morales; un conjunto de reglas de vida social.

La *ética* se presenta menos bajo la forma de mandamientos que de invitaciones a la piedad, a la justicia y al temor del Señor (2, 172). Las grandes virtudes son la beneficencia, la justicia con los pobres y los huérfanos, la buena fe y la veracidad, la paciencia y el perdón de las ofensas... Al revés, se condena la sed de bienes de este mundo, el orgullo, la calumnia, la hipocresía, la ambición y el exceso de toda clase: la usura, el juego, el alcoholismo...

La ley distingue cinco clases de actos: los obligatorios, que se refieren generalmente al culto; los recomendados, por ejemplo algunas oraciones; los actos indiferentes; los criticables, no admitidos por el Corán; finalmente, los prohibidos, como la ruptura del ayuno.

Las *prescripciones* y prohibiciones se aplican a veces, como en algunas otras religiones, al alimento y al vestido. El Corán exige que el creyente se abstenga «de vino, de juegos de azar y de las piedras alzadas, abominaciones inventadas por Satanás». «Los animales muertos, la sangre, la carne de cerdo, todo lo que ha sido matado bajo la invocación de otro nombre distinto del de Dios, los animales ahogados, descalabrados, matados por alguna caída o por una cornada, los que han sido mordidos por una bestia feroz, a no ser que los hayáis purificado con alguna sangría..., todo esto os está prohibido». Se proscriben igualmente las imágenes y toda representación de Dios y de su profeta. Para las mujeres, el uso del velo («burga»*, tchador) es más una costumbre que una obligación coránica. Más específicamente árabe, se inspira en las recomendaciones de pudor dadas por Mahoma, que recomienda «a las mujeres que creen, que bajen los ojos» y a quienes «les quieran pedir algo», que lo hagan «a través de un velo».

Lo mismo ocurre con la circuncisión. Aunque practicada en todo el mundo musulmán, no está dictada por el Corán; es una costumbre que continúa desde la Arabia pre-islámica.

Las *grandes fiestas*, que recuerdan los momentos esenciales de las manifestaciones de Dios a los hombres, o bien episodios de la vida del profeta, son una ocasión para dar testimonio de la «umma» (unidad). Como la peregrinación a La Meca o el ramadán, muestran la unión de los creyentes entre sí y su unidad con Dios.

## 7. Una legislación: la sari'a

Aunque no se resume en este formalismo, el islam es una manera de vivir en sociedad. Por consiguiente, que está regulada por ciertos principios sacados del Corán y de la sunna, que se esfuerzan en encarnar la fidelidad al islam en una *organización social armoniosa*. La fe y la legislación son inseparables. Porque «los que no aplican la jurisdicción revelada por Dios son negadores, rebeldes, desviados». Esta jurisdicción revelada es la ley islámica, la sari'a, nombre que significa «el camino».

No veremos más que algunos aspectos de la misma: los que atañen al poder, a la propiedad, a la justicia y a la familia.

### a) El poder

*«El poder no pertenece más que a Dios»*, dice el Corán (6, 57). De este artículo esencial de la fe se derivan dos consecuencias, aparentemente y a veces concretamente contradictorias: el poder islámico es *teocrático* y sin embargo *igualitario*. Teocrático, porque quienes lo ejercen no son más que delegados de Dios. Tienen que inspirarse en el modelo que fue el profeta. Como él, son a la vez jefes espirituales y temporales. Son los *califas\**, escogidos primeramente de la familia de Mahoma, y luego elegidos o hereditarios. El califa, como «jefe de los creyentes», dirige la oración y asegura la «baraka»\* el ejército. Es también el que «manda el bien y prohíbe el mal», velando por el respeto a la sunna. Como jefe político, desarrolla las funciones de un jefe de estado, con la asistencia de un visir, de ministros y gobernadores [21].

Pero el poder es también igualitario. En efecto, el Corán recomienda a su profeta: «Consúltales en la decisión»; «que sus asuntos sean entre ellos objeto de deliberación». La consulta y la deliberación deberían entonces constituir los fundamentos del poder político. Y Mahoma, al no designar un sucesor, dejaba tácitamente que los musulmanes eligieran a uno de ellos sin imposiciones externas. Las monarquías hereditarias, y sobre todo las dictaduras de un jefe militar o religioso, que se han instituido en algunos países, parecen entonces poco conformes con los deseos del profeta. Sean cuales fueren sus formas prácticas, un régimen consultivo estaría sin duda más cerca de la ley islámica.

### b) La propiedad

También *el régimen de la propiedad es de esencia religiosa*. Sólo Dios, creador de todo, tiene la propiedad de todos los bienes. Nosotros no somos más que sus usuarios. De esta creencia se deducen dos consecuencias: por un lado, cierta colectivización de la propiedad; por otro, su limitación. La propiedad colectiva está constituida por lo que se llaman los «waqf» o «habús» (bienes de manos muertas): se trata de bienes entregados a Dios, administrados por algunos juristas, cuyas rentas se dedican a la beneficencia [22]. La limitación de la propiedad se realiza al mismo tiempo por la zakat (limosna), la prohibición del préstamo a interés, las reglas comerciales y la ayuda mutua de las corporaciones [23].

---

[21] El califa delega también sus poderes. El imán es el encargado de presidir la oración; el amir (emir), de dirigir el ejército; el amil, de recoger el impuesto. Más tarde, el gobernador acaparará el poder temporal, convirtiéndose en «sultán».

[22] Entre los incas, los budistas y en la edad media cristiana existían también estas «fundaciones piadosas».

[23] Es diferente el estatuto para los no creyentes sometidos a un tributo (por cabeza, por rentas). Hay que emplear una «justa medida» y un «justo peso», que verificará un auxiliar del cadí, el mohtasib.

### c) La justicia

También *es en Dios donde reside todo principio de justicia*. Sólo Dios es realmente justo, porque es inaccesible a la pasión. Pero ha dado a los creyentes una regla para que eviten la parcialidad: la *penalidad*: «Tenéis en la penalidad una garantía de seguridad, ¡oh gente dotada de cerebro!». Se trata de hecho de la ley bíblica del talión. Pero conviene comprender atentamente que esta ley constituye un inmenso progreso sobre la violencia del más fuerte o los excesos de la venganza. Efectivamente, establece penas minuciosamente codificadas y proporcionadas a las faltas. Cuando se evoca la barbarie que supone cortarle la mano al ladrón, se olvida que es preciso cumplir 26 condiciones para que la sentencia sea justa [24].

El encargado de hacer justicia es el cadí, nombrado por el califa y elegido entre los creyentes mejor considerados por su competencia jurídica y también por sus cualidades morales.

### d) La familia

*La ley del islam regula finalmente la vida familiar*. Desde el nacimiento, fija las reglas tradicionales: sacrificio del cabello, imposición del nombre, educación en casa y en la escuela coránica (para los niños)... Prescribe igualmente los ritos funerarios: rezo de la sahada [25], limpieza del cadáver, cortejo, sepultura sobre el lado derecho, con la cabeza en dirección a La Meca... Dispone igualmente cómo ha de ser la herencia, con una distribución minuciosa de las partes de la sucesión del difunto.

Pero conviene que nos detengamos en la *condición impuesta a la mujer*, objeto de numerosos prejuicios. Es verdad que, en varios puntos, es «inferior» a la del hombre. Por ejemplo, su testimonio en el juicio vale sólo la mitad que el del hombre. La niña carece de instrucción y se reserva para las tareas de la casa con vistas al matrimonio. Jurídicamente incapaz, es sustituida entonces por un tutor matrimonial, obligada eventualmente a soportar la poligamia... Sin embargo, conviene corregir esta primera constatación con tres observaciones. Primero, el islam ha mejorado la situación de la mujer en relación con el pasado ante-islámico [26]. De hecho, Mahoma autorizó solamente y limitó la poligamia ya existente, aconsejando: «Si tenéis miedo de ser injustos, no os caséis más que con una sola...». Si el marido puede repudiar a su mujer, ésta también puede hacerlo pidiéndoselo al cadí. En segundo lugar, el profeta mismo dio ejemplo de un profundo respeto a las mujeres. Hecho raro en la época, una de sus esposas, Hafsa, sabía leer y escribir. Entre sus compañeros se contaban veinte mujeres juristas. El Corán declara: «Las mujeres tienen tantos derechos como deberes con sus maridos» (2, 28). Y en uno de sus últimos sermones antes de morir, el profeta daba este consejo: «¡Oh pueblo! En verdad vuestras mujeres tienen derechos sobre vosotros. Aseguradles el mejor trato...». Finalmente, muchos aspectos de la inferioridad de la condición femenina no son propios del islam. No es él el que inventó el gineceo, el harem* o el velo que se le atribuye. Tampoco en el judaísmo la mujer tiene derecho a leer y estudiar la Torá. Sin hablar de los teólogos católicos que negaban un alma a la mujer, baste recordar los textos de san Pablo sobre «la sumisión de las mujeres a sus maridos» y la necesidad de que se cubran en el lugar santo, para reconocer que el islam no tiene el monopolio del desdén por las mujeres. El espíritu de la ley musulmana, si se vuelve a él por encima de las costumbres fijadas, es más bien liberal.

---

[24] Sin hablar de la «legítima defensa», que se aplica hoy para un caso de robo y hasta para un intento de introducirse en una casa ajena.

[25] Hoy se la recita al oído del recién nacido, para que se haga musulmán.

---

[26] Recordemos que, antes de Mahoma, la costumbre exigía enterrar a las hijas con vida inmediatamente después de nacer, si eran primogénitas.

## ALGUNAS SURAS SOBRE LAS MUJERES

Ordena a las mujeres creyentes que bajen sus ojos y observen la continencia, sin dejar ver de sus adornos más que lo que es exterior, cubriendo sus senos con un velo.

Si queréis pedir alguna cosa a las mujeres del profeta, pedídsela a través de un velo.

### Sobre el adulterio

Castigaréis al hombre y a la mujer adúlteros con cien latigazos a cada uno.

Los que presentan una acusación contra mujeres honestas sin poder proponer cuatro testigos, serán castigados con ochenta latigazos.

Si, como dice el Corán, «Alá dio nobleza a los hijos de Adán», dio a los intérpretes de la ley sabiduría y equidad para encontrar en cada caso una solución «elegante» *(ihsan)*.

Aunque destinada a moralizar el poder y a establecer una organización social armoniosa, un Estado fiel a los principios del islam, la sari'a no ha logrado evitar sus divisiones. Y en primer lugar, a propósito de la sucesión del profeta.

## 8. Divisiones y unidad del islam

### a) Divisiones religiosas

Sobre la sucesión del profeta, después de su muerte, los musulmanes se separaron: unos admitían la tradición, la sunna, mientras que otros eran partidarios de Alí, primo y yerno del profeta. Los primeros son los sunnitas (o sunníes), los otros los chiítas (o chiíes), que tanto han dado que hablar desde que accedieron al poder en Irán en 1979.

* *El sunnismo es ampliamente mayoritario*

Son sunnitas casi el 90% de los musulmanes, especialmente en Indonesia, en Pakistán, pero también en China, en Egipto, en Marruecos. El sunnismo es en cierto modo la ortodoxia del islam. Sus adeptos se someten no sólo al Corán, sino a la tradición basada en los gestos y las palabras de Mahoma y a las costumbres de la comunidad musulmana. Para ellos, esta «sunna» permite interpretar y adaptar el Corán a las situaciones de todas las épocas.

Reconocen la legitimidad de los cuatro primeros califas, Abú Bakr, Omar, Otmán y Alí, escogidos por la «sura», la asamblea. El califa, a la vez jefe espiritual y temporal encargado de hace respetar el derecho coránico, debe ser elegido.

* *El chiísmo representa menos del 9% del mundo musulmán*

Son numerosos en Irán, pero se les encuentra igualmente en la India, en Pakistán, en Afganistán, en el Yemen y en Irak [27]. Pero entre los chiítas iraníes existen también matices y hasta divisiones.

Sin embargo, lo esencial de la doctrina chiíta es el rechazo del califato electivo en beneficio del califato hereditario. Pero como Alí [28] fue depuesto y su hijo Hussein asesinado en el 680 en Kerbela (Irak), los chiítas esperan desde entonces su vuelta que, al final de los tiempos, inaugurará el reino de la justicia. Hasta entonces confían en los *imanes*, que guardan los secretos de Mahoma y son depositarios de la luz divina.

A esta divergencia sobre el origen del poder, se añade entonces para el chiísmo cierta concepción *mesiánica*. El imán que ha de volver se confunde con el mahdi, el mesías del juicio final: para los

---

[27] Son unos 86 millones, de ellos 7 en Afganistán.

[28] Hijo de Fátima, se casó con la hija del último rey sasánida. Así, la oposición chiísmo / sunnismo corresponde también a una oposición persas / árabes.

sunnitas, será Mahoma; para los chiítas, Alí o alguno de los suyos [29].

Además, en contra del islam sunnita, el chiísmo concede un gran valor al sufrimiento. Debido al martirio de Hussein, que se conmemora cada año, cultiva la idea de una «pasión» necesaria y liberadora. Al mismo tiempo, y en parte debido a su historia, se muestra especialmente sensible a la suerte de los desfavorecidos y a la justicia social.

• El jariyismo*

Nació también de las disputas sucesorias tras la muerte de Alí, a quien los jariyíes se muestran incondicionalmente fieles. Austeros e interpretando literalmente el Corán, los jariyíes siguen siendo partidarios del califato electivo del más digno. Pero, muy minoritarios, viven sobre todo en Africa del Norte, en Zanzíbar y en Omán [30]. Se les llama a veces los puritanos del islam.

b) Los ritos

— El rito malekita es sin duda el más formalista. Es el que más atiende también a la tradición. En efecto, se refiere a las costumbres de Medina tal como fueron interpretadas por Malik (713-795), de quien toma su nombre, en «El Mowatta». Impregna de sacralidad el conjunto de la vida jurídica y social, sobre todo en Africa del Norte donde está más extendido.

— El rito hanafita es también específico del Africa del Norte, en las regiones bajo la influencia de la ocupación turca: Túnez, Bizerta, Mahdia, Argel, Tlemcén...). Heredero de las prácticas del imán Abu Hanifa, busca las soluciones de sentido común en la interpretación jurídica de la sunna.

— El rito chafeíta se basa en el acuerdo unánime de los «doctores», lo cual es difícil, ya que el islam no conoce el concilio, como el cristianismo. Los chafeítas se refieren a la jurisprudencia de un ilustre doctor, Allah Ibn Idris Chafei (767-821), que vivía en Palestina. El chafeísmo está extendido por Egipto, parte de Arabia y la costa oriental de Africa, el Chad, Malasia...

— El rito hanbalita es obra de Ibn Hanbal (855). Sumamente rigorista, interpreta al pie de la letra la sari'a. Perseguido, dio lugar al wahabismo y dominó en Palestina, Siria, Omán...

Estos ritos, que constituyen los cuatro ritos ortodoxos del islam, son sobre todo de tipo jurídico. No alteran el dogma: «Lo que es recibido por toda la comunidad musulmana como verdadero y justo».

c) El sufismo* es el misticismo musulmán

La palabra viene de «suf», vestido de lana blanca. Los primeros sufíes, a finales del siglo VIII, iban vestidos así. Pero esto significaba además su deseo de pureza. Los sufíes eran los que, fieles al Corán, se esforzaban en vivir la pobreza, la ascesis y la pureza, estando en la primera fila de los que conocen a Dios [31].

Ciertamente, es una herejía para un musulmán pretender conocer a Dios, el incognoscible. Por eso, por otra parte, el sufismo fue mal visto y perseguido muchas veces. El más célebre de los sufíes fue al-Halladj, crucificado en Bagdad el año 922 [32]. Sin embargo, los sufíes creen y afirman que existe un cierto modo de conocimiento, el sueño místico o el éxtasis, simbolizado por el vino. Esta experiencia espiritual, gracias al desprendimiento total, permite descubrir a Dios en el corazón del alma humana. Y este descubrimiento es amor.

Lo expresaba maravillosamente al-Halladj, cuando decía:

---

[29] Los chiítas o chiíes se dividen a su vez según el último imán al que se refieren. Los que creen en el duodécimo, Mohammad, (desaparecido) en el 873, son los «duodecimanos», en Irán; otros se detienen en el séptimo, Ismail, hijo de Ja'far, los ismailitas.

[30] Djerba en Túnez, el oasis de Mzab en Argelia.

[31] «Suf» puede significar también «rango», «fila».

[32] Fue objeto de la tesis de Louis Massignon.

«Me he convertido en aquel que amo
y aquel que amo se ha convertido en mí.
Somos dos espíritus
infundidos en un mismo cuerpo».

O también, Hasán al-Basri, en el siglo VIII:

«El que conoce a Dios, lo ama;
y el que conoce al mundo, renuncia a él».

Los sufíes se apoyan en ciertas suras o hadits del profeta, como: «Estamos más cerca de él que la vena del cuello» (L. 16); «El que conoce a su alma, conoce a su Señor»; «Sé en este mundo como un extraño, o como un pasajero...».

Los grandes maestros del sufismo, después de al-Halladj y de Hasán al-Basri, fueron el gran poeta Mutanabbi en el siglo X, al-Ghazali (o Algazel, + 1111), Omar al Khayyam (poeta persa, siglo XII), Ibn al-'Arabi (+ 1240)... y todavía hoy, el marroquí al-'Alawi, el pakistaní Mohammed Ipbal o el libio Ahmad Zarruq...

Sometido a las reglas jurídicas del islam, el sufismo no siempre ha sido apreciado sin embargo por la ortodoxia musulmana. Dio origen a numerosas cofradías, que a veces degeneraron en grupos esotéricos. Pero estas desviaciones no le ha impedido ser un fermento en el islam.

## d) El marabutismo y el culto a los santos, un islam popular

Particularmente extendido por Africa del Norte, árabe tanto como bereber, mezcla ciertos restos del culto antiguo con la piedad musulmana [33]. El marabut* («al-marabit», morabito, almorávide) [34] es un campeón de la fe, una especie de santo, a veces ermitaño, hombre de oración, buen conocedor del Corán, famoso por su profunda piedad. Su prestigio hace que le consulten los doctores de la ley y que lo

tomen por árbitro y juez. Su influencia se extiende a toda una tribu e incluso a toda una región. A su muerte, se le levanta una tumba, llamada igualmente marabut, adonde acuden en peregrinación.

El poder del marabut, su «baraka», sigue unida a ese lugar, y se espera que pueda producir milagros. Por eso, los musulmanes estrictos, como los reformistas, han luchado contra el marabutismo.

## e) El reformismo

Como en la mayor parte de las grandes religiones, dos grandes tendencias han desgarrado el islam. Se enfrentan una contra otra. Mientras que la primera, modernista, intenta adaptar la religión antigua a las mentalidades, los descubrimientos y las costumbres de la época, la segunda rechaza todo lo que es nuevo, para refugiarse en el pasado. Acomodarse a los tiempos o permanecer estrechamente fiel a los orígenes: esa es la cuestión.

Esta última corriente es la que se llama «reformista», a veces «fundamentalista», y que es simplemente *retorno a las fuentes* («salafiya») [35].

- • *El wahabismo fue la primera, en el siglo XVIII*

En efecto, fue obra de Mohammed ibn Abd al-Wahhab (1703-1791). En la línea del rito hanbalita, emprendió una lucha contra todas las innovaciones introducidas tanto por los marabuts como por los chiítas o sufíes: el culto de los santos y otras supersticiones, búsqueda del éxtasis, cofradías... Predicaba el retorno a una fe depurada y la aplicación estricta de la sari'a.

Su encuentro con el emir* Ibn Sa'ud permitió la aplicación de su doctrina a la Arabia saudita, que se convirtió en una especie de teocracia basada en el respeto a la ley coránica. Este wahabismo, que permite la emancipación nacional, llevó al nacimiento de la Arabia saudita, donde sigue siendo la doctrina oficial.

---

[33] En algunas cofradías que se reúnen en la zauia, al borde del agua, se invoca a los genios de las aguas, las serpientes, cuya aparición marca el éxtasis, el encuentro con Dios.

[34] O «marbut»: unido a. Primeramente fue una especie de monje guerrero, retirado a un rincón del Sahara.

[35] Salaf = fe.

Más o menos suavizado y adaptado a las mentalidades locales, el wahabismo se difundió por Pakistán, con Mohammed Iqbal (1873-1938), por la India, con Ahmad khan Bahadur (1817-1898), por Indonesia y hasta por Africa.

- ● *Los hermanos musulmanes constituyen la rama activista del wahabismo*

Esta asociación político-religiosa nació en 1929 por iniciativa de un profesor egipcio, Hassán al-Banna. Inspirado por la salafiya, H. al-Banna quería fundar una sociedad islámica que tuviera como ley el Corán. Religiosamente, rechazaba todas las herejías introducidas en el islam, lo cual se traducía, en el terreno moral, en la abolición de la prostitución, la prohibición de la usura y de las escuelas mixtas, la organización de la zakat, la supresión de la propiedad privada.

Pero, políticamente, los hermanos musulmanes querían sobre todo destruir en los países islámicos toda influencia occidental, fuente de ateísmo y de corrupción. La nueva sociedad que predicaban estaría basada en el Corán, la verdadera constitución. El jefe de Estado habría de ser elegido por la sura, consejo de la comunidad, que habría de controlarlo a continuación.

En 1948, el rey Faruk decretó la disolución de los hermanos musulmanes, y H. al-Banna fue ejecutado (12-2-1949) como réplica al asesinato del primer ministro. Se convirtió entonces y sigue siendo el «jeque-mártir». Los hermanos tomaron su revancha en 1952 participando, con los «oficiales libres», en el derrocamiento de Faruk [36]. Luego se vieron muchas veces perseguidos y reducidos a la clandestinidad, disueltos por Nasser en 1954. Pero su influencia creció y se han manifestado violentamente con motines, como el de 1981 [37], atentados, asesinatos... Se les ha imputado el del presidente Sadat.

---

[36] En la película *Alexandrie, pourquoi?* (1978) se ve a Al-Banna recibir, en 1940, a dos jóvenes oficiales, Gamal Abdel Nasser y Anuar El-Sadat.

[37] En el Cairo, contra los coptos; en 1974, contra la escuela militar del Cairo; en 1977, el asesinato del antiguo ministro de asuntos religiosos. Entonces fueron colgados cinco dirigentes..., lo cual provocó nuevos atentados.

Su ideal es un gobierno según el Corán, es decir, elegido por los representantes de la comunidad islámica, la sura, que debería promulgar leyes islámicas: prohibición de las escuelas mixtas, de la prostitución, de la usura, limitación de la propiedad, derecho penal inspirado en las penas coránicas (por ejemplo, latigazos por el adulterio, amputación de la mano por un robo...). Al final de los años 80, los hermanos musulmanes ejercen una influencia importante, no sólo en Egipto, sino en la mayor parte de los países musulmanes, incluso en Afganistán. Se reclutan especialmente entre los medios intelectuales y entre la juventud.

- ● *La salafiya es una corriente más amplia y más matizada*

Nacida a mitad del siglo XIX, bajo el impulso del iraní Jamal al-Din al-Afghani, une el deseo de depuración con el de adaptación. Si teológicamente predica la eliminación de toda superstición y el restablecimiento de la fe original, intenta igualmente tomar todo lo que hay de positivo en la ciencia occidental.

La salafiya se apoya en las distinciones tradicionales entre la fe ('aqida), el culto ('ibadat) y la moral (akhlaq), que deben seguir siendo intangibles, por un lado, y la vida social (mu'amalat), capaz de modificaciones, por otro. Así, pues, no se puede cambiar el credo, pero es posible reducir de cinco a dos las oraciones de cada día. No se puede faltar al respeto a la mujer, pero esto no obliga a llevar obligatoriamente el velo...

Mohammed 'Abduh (1848-1905) en Egipto, Rashid Ridha (+ 1935), Ben Badis, el jeque Ibrahimini y otros han difundido la salafiya por Egipto, el Magreb, la India... Han aportado a la vez el «espíritu del islam», con su profundización, y un cierto modernismo: crítica histórica, creación de universidades modernas [38].

Este movimiento de apertura (ijtihad) ¿es compatible con la obligación coránica de no cambiar en

---

[38] Por ejemplo, la universidad de Aligarh en 1887, las de Alejandría, Damasco, El Cairo (Rashid Ridha).

nada la enseñanza del profeta? Los más rigurosos, los «integristas», rechazan vigorosamente esta eventualidad. Los partidarios de la salafiya se esfuerzan por esta conciliación. Los más inquietos dicen que esto es a la vez posible e indispensable: son los «modernistas».

• *El modernismo*

El intento más importante en este sentido es el de Mustafá Kemal, llamado Atatürk. Intentaba simultáneamente modernizar su país, Turquía, y secularizarlo, es decir, separar la Iglesia del Estado.

La modernización afectó tanto a la vida política y social como a las costumbres. Fueron suprimidos el califato y el cargo de gran muftí* (1922), las escuelas coránicas, los conventos; se transformaron las corporaciones; el derecho europeo sustituyó al derecho coránico y el alfabeto latino ocupó el lugar del árabe, mientras que los hombres y las mujeres tenían que adoptar las formas occidentales de vestir (1926)... La secularización hizo de la religión un «asunto privado».

Sucesivamente fueron aceptando estas transformaciones las repúblicas musulmanas soviéticas y, bajo otra forma, el Irán del sha, Egipto, Siria, Argelia, Túnez.

Todo esto no se llevó a cabo sin reacciones. Los gobiernos tuvieron que volver a veces sobre sus decisiones. Incluso en Turquía volvió a introducirse la enseñanza religiosa en las escuelas. Y es sabido que el derrocamiento del gobierno del sha por los ayatollahs* iraníes ocasionó una renovación y un contagio de lo que suele llamarse «integrismo». El modernismo y el fundamentalismo se exacerban entre sí. Cada uno es una reacción provocada por el otro.

La reacción ha sido tanto más viva cuanto que algunos modernistas han llegado más lejos en su empeño de adaptación a occidente. Como otras religiones, el islam no podía menos de *encontrarse con el socialismo*, bajo sus diversas formas. Algunos creyeron poder descubrir en el Corán, con su sentido profundo de la solidaridad, su preocupación por los pobres, por la comunidad, por la igualdad, ciertas convergencias con el socialismo. Creyeron que el carácter inalterable de los textos sagrados no su-

ponía necesariamente la prohibición de su interpretación y el fixismo de la sociedad musulmana [39]. Y se vio nacer, sobre todo por los años 60, numerosos partidos socialistas o comunistas en Indonesia, en Sudán, en el Magreb, y en otros países musulmanes... Condenados por los tradicionalistas, se vieron muchas veces aniquilados.

Sin embargo, contra este modernismo es contra el que, desde hace algunos años, casi por todas partes, se han sublevado los llamados «integristas».

*f)* *El integrismo musulmán*

Este término suele tener un sentido peyorativo. En efecto, alude a la corriente que, en la Iglesia católica, se opuso a veces de forma muy violenta a la tendencia llamada «modernista» del siglo XIX. Subrayaba la autoridad del magisterio romano con tal que repitiese «íntegra», de forma ortodoxa, la doctrina tradicional exaltada por Pío IX y Pío X [40].

También se habla de «fundamentalismo»; acabamos de ver los diversos aspectos que encierra esta palabra. Sin embargo, recuerda la historia de la reforma protestante; por eso los especialistas prefieren respetar la originalidad del fenómeno social musulmán hablando de *radicalismos islámicos*.

Radicalismo, porque es un empeño por volver a las raíces del islam. Y radicalismos en plural, ya que este movimiento no tiene nada de monolítico. La historia religiosa y la historia civil han dado efectivamente origen a *corrientes doctrinales muy diferentes*. Hay algo más que matices entre los «hermanos musulmanes» que acabamos de mencionar, el «jomeinismo» y el «gadhafismo».

Los tres no tienen *en común* más que su origen y su objetivo final. Su origen es el wahabismo, tal como fue impulsado y concebido desde el siglo IX

---

[39] «No hay nada que impida a un creyente ser socialista militante, ya que islam y socialismo se preocupan ambos por liberar a los hombres de la servidumbre» (Alí Yata, 1968).

[40] Todavía hoy los discípulos franceses de mons. Lefebvre ordenan sacerdotes en desacuerdo con los obispos designados por Roma, apelando a san Pío X.

por el gran jurista Ibn Hanbal y luego, en el siglo XIV, por Ibn Taymiyah.

Su objetivo es la vuelta al Corán y su encarnación en la sociedad. Se confunde con una reivindicación profunda de la identidad islámica.

## • El jomeinismo

Constituye la personalización de un chiísmo popular y clerical que triunfó con el derrocamiento del sha de Irán en 1979. Religiosamente se caracteriza por la omnipotencia de un moralismo estrecho. Están rigurosamente prohibidos y perseguidos el alcohol, la prostitución, la homosexualidad y hasta el cine. En Teherán, reina el Orden Moral de los mollahs. Políticamente, es la tiranía de un gobierno islámico basado en la saría. Como la ley que hay que aplicar es la ley de Dios, los que la conocen son por consiguiente los mejor capacitados para decirla y dictarla. Los ayatollahs, dignos y competentes, representan de alguna manera al imán oculto, y hablan en su nombre. Les pertenece el verdadero poder. Hay efectivamente un gobierno de clérigos, en donde es muy difícil distinguir entre lo espiritual y lo temporal.

Este radicalismo puritano, clerical y totalitario tiende a difundirse por varios países musulmanes, sobre todo no-árabes: Pakistán, Afganistán...

## • El gadhafismo

Ocupa un lugar en los radicalismos islámicos en la medida en que este gobierno se inspira en dos grandes principios coránicos, y desempeña una función importante en la estrategia mundial de los años 80, y más aún en la idea que se ha hecho de él.

Pero los dos grandes ejes de las ideas del coronel Gadhafi, la fidelidad a las leyes del Corán y la realización de la comunidad islámica, difieren de los de los chiítas. El presidente de Libia no es, por otra parte, muy ortodoxo para numerosos religiosos musulmanes, ni siquiera para los ulemas* libios. Sin embargo, para él el Corán es prioritario, texto divino, fuente auténtica del islam. Pero él está lejos de ser un incondicional de la sari'a. Al contrario, es muy «modernista» no sólo en la adaptación de su país a las innovaciones occidentales, sino en la creación de un tipo de sociedad y de gobierno original[41].

No obstante, la gran idea islámica de Gadhafi es la unidad del islam, y más aún la del mundo árabe, por obra del Corán. Y ha intentado realizarla varias veces creando uniones efímeras con sus vecinos: la República Arabe Unida (con Siria y el Yemen en 1958), la Unión de Repúblicas Arabes (Egipto, Siria y Libia en 1972), la República Arabe Islámica (con Túnez en 1974), últimamente con Marruecos...

Coincide además con el radicalismo iraní por su oposición sistemática a occidente. ¿A qué se deben este radicalismo y esta oposición?

## – Sus causas son doctrinales e históricas

El Corán contiene en sí mismo gérmenes de radicalismo –lo cual no quiere decir fanatismo–. ¿Acaso no es la expresión directa del creador? Ese creador, Dios único, exclusivo, ¿no exige el rechazo absoluto de la increencia y de los ídolos? Lo esencial, muchas veces repetido, de la fe islámica, ¿no es el «retorno final» de la humanidad hacia ese creador? De ahí a pensar que la misión de los musulmanes es reducir a todos los pueblos a la fe primitiva, a las maneras de vivir del profeta, no hay más que un paso: el paso que dan los «radicales».

La historia, tanto la pasada como la contemporánea, acentúa esta tendencia. Hay que volver al «islam puro», que se ha visto contaminado por el colonialismo y la occidentalización de las maneras de vivir. Hay que volver al islam, porque, tras el fracaso de las grandes ideologías liberales y socialistas, es el único que tiene soluciones para el futuro. Hay que volver al islam original, porque se ve amenazado a la vez por el laicismo, las desviaciones oscurantistas de las cofradías, Israel y occidente, las tentaciones de la modernidad... Este radicalismo, búsqueda de identidad y de arraigo, está quizás influido finalmente por un cierto milenarismo, la entrada en el siglo XV de la Hégira.

---

[41] Diferente de la democracia occidental y del comunismo, basada en los «comités populares» (cf. *Libro verde).*

Es algo de todo esto lo que traducen la vuelta exigente a las prohibiciones y a las obligaciones rituales, la propaganda en las universidades, los comportamientos y las ideas xenófobas, y hasta los atentados y los actos de violencia. Amplificadas por los medios de comunicación social, estas actitudes se aprovechan de las dificultades políticas, económicas y sociales de los diversos gobiernos [42].

### g) La aspiración a la unidad

La idea de unidad es esencial en el islam.

Es doble, por así decirlo. Por una parte, Dios es único y UNO. Esta fe fundamental es la que separa a los cristianos y a los musulmanes. Para éstos, la encarnación de Dios es una blasfemia y la Trinidad una impostura sacrílega. Por otra parte, esta unicidad de Dios fundamenta la unidad de los creyentes. Lo mismo que Dios es uno, sus fieles tienen que formar una comunidad unida, a pesar de sus diferencias de ritos, de doctrinas, de nacionalidades y de políticas.

#### • La umma

Esta comunidad está inscrita en el Corán, que proclama: «Los creyentes son todos hermanos». Frente al libro sagrado, «todos los pueblos no forman más que una sola nación», ya que sus fieles están ligados por una igualdad y una fraternidad absolutas.

La umma se manifiesta por la adhesión a los ritos principales del islam: liturgia en árabe, rezo de las oraciones, ayuno del Ramadán, celebración de las grandes fiestas anuales. A ello se añade muchas veces el respeto de algunas costumbres importantes: calendario islámico, prohibición de alcohol y de carnes no rituales... Estos signos atestiguan una unidad ideal y profunda que supera todas las tensiones de los cismas políticos y religiosos. Vemos así con sorpresa cómo los enemigos políticos se abrazan públicamente. No se trata de hipocresía, sino de un reconocimiento de esta umma, por encima de todos los enfrentamientos y enemistades.

La umma tiende además a exteriorizarse por la obediencia a ciertas reglas jurídicas comunes relativas al estatuto de las personas [43], el sistema de impuestos y de intercambios... Se expresa en los acontecimientos graves que afectan a la comunidad musulmana mundial.

#### • La Organización de la conferencia islámica

La Organización de la conferencia islámica (OCI) fue creada en mayo de 1971, como consecuencia de la cumbre islámica extraordinaria celebrada en Rabat en septiembre de 1969 para examinar las consecuencias del incendio criminal de la mezquita* de El Aqsa de Jerusalén. La segunda cumbre de jefes de Estado y soberanos islámicos se celebró en 1974, en Lahore (Pakistán), y la tercera en enero de 1981, en Taif (Arabia saudita), donde se decidió que las conferencias en la cumbre se celebrasen en adelante cada tres años. La cuarta cumbre tuvo lugar en Casablanca (Marruecos), en enero de 1984.

La OCI cuenta con 44 miembros, más la OLP, que goza del mismo estatuto que los demás participantes. De esos Estados, 23 están situados en Africa, 20 en Asia y 1 en Europa (Turquía); 23 miembros de la OCI pertenecen a la Liga árabe.

Los miembros de la Organización son los siguientes: Afganistán (suspendido en enero de 1980), Arabia saudita, Argel, Bahrein, Bangladesh, Benin, Brunei, Camerún, Comores, Chad, Djibuti, Egipto, Emiratos árabes unidos, Gabón, Gambia, Guinea, Guinea-Bissau, Burkina-Faso, Indonesia, Irak, Irán, Jordania, Kuwait, Líbano, Libia, Malasia, Maldivas, Mali, Mauritania, Marruecos, Níger, Omán, Pakistán, Qatar, Senegal, Sierra Leona, Siria, Somalia, Sudán, Túnez, Turquía, Uganda, República árabe del Yemen, República democrática del Yemen y

---

[42] Por ejemplo, de la rebelión de La Meca en noviembre de 1979, de la oleada de violencias en Alepo (Siria) en marzo de 1989, en Assiut (Egipto) en 1981, en Gafsa (Túnez)...

[43] Los creyentes no-musulmanes gozan de la seguridad individual, pero han de pagar un tributo.

OLP. Esta aspiración a la unidad se concretó en la *Conferencia islámica*. Fue precisamente el incendio de la mezquita de Al Aqsa lo que, en diciembre de 1969, provocó la primera cumbre de jefes de Estado musulmanes en Rabat. Se reunieron entonces 44 Estados, la cuarta parte de las naciones representadas en la ONU. Se propuso mejorar la cooperación y la ayuda mutua entre los países islámicos, resucitar y dar a conocer el patrimonio del islam. Para alcanzar estos objetivos generales se crearon organismos especializados: un Banco islámico de desarrollo, un fondo de solidaridad islámica, una agencia internacional de prensa, un centro de arte y de estudios de la civilización islámica...

Instalada al principio en El Cairo, la sede de la OCI se trasladó a Djeddah cuando Egipto se vio excluido de ella después de los acuerdos de Camp David. Desde 1970, todos los años, la conferencia de ministros de Asuntos extranjeros se reúne en una ciudad diferente. La Conferencia suprema de jefes de Estado, después de Rabat sólo se ha celebrado dos veces, en Lahore (Pakistán) en 1974, y en Taif (Arabia saudita) en 1981. Pero se celebró una sesión excepcional en Islamabad después de la invasión soviética de Afganistán. Esta fue condenada por unanimidad, y el nuevo Afganistán quedó «suspendido», mientras que se lanzó una llamada para «sostener material y moralmente al pueblo afgano».

Así se afirma como una constante la solidaridad islámica por la liberación de los pueblos musulmanes, sometidos a cualquier tipo de colonialismo. Se impone sobre todo, al menos en palabras, respecto al pueblo palestino contra el «peligro sionista».

Nasser, Sadat, Gadhafi, cada uno a su modo, van recogiendo la antorcha de la unidad islámica. Y estas ambiciones rivales son a su vez nuevas fuentes de división [44].

---

[44] Una de las más importantes concierne a la relación entre islamismo y arabismo. No hay que confundir la «Conferencia islámica» con la «Liga árabe». Pero el coronel Gadhafi intenta difundir un islamo-arabismo que pone más bien al islam al servicio del pan-arabismo. Las siete «federaciones» que lleva intentando crear desde 1969 han sido otros tantos fracasos.

- *La declaración islámica universal de los derechos del hombre*

En 1981, el Consejo islámico proclamó una «Declaración islámica universal de los derechos del hombre», que fija para todos los gobiernos islámicos una especie de código común de la umma. Redactada en referencia con la fe musulmana, intenta echar un puente entre las concepciones occidentales y la tradición islámica. Este intento de compromiso no es más que uno de los problemas planteados al islam por el mundo contemporáneo.

## 9. Problemas contemporáneos

Antes de ver algunos de estos problemas, conviene constatar el contexto en el que se plantean a partir de los años 60. Según la mirada que se dirija sobre ellos, se hablará de la ascensión del islam o de la renovación islámica, de «la gran fiebre del islam» o «despertar del islam».

### a) La ascensión del islam

Aparece, ante todo, por el lugar que ocupan los países musulmanes *en nuestras informaciones diarias*. Tanto si se trata de la «revolución iraní» con sus «excesos», como de las guerras del Próximo Oriente (en el Líbano, entre Irak e Irán), de las sublevaciones y de las guerrillas musulmanas en Filipinas o en Afganistán, o bien de los atentados cometidos por grupos chiítas, palestinos o cualquier «yihad islámica», no hay un solo día en que el mundo musulmán no esté presente en los telediarios de la actualidad occidental. Parece como si este mundo se hubiera vuelto «loco» y amenazara la tranquilidad de nuestro universo. Su «fanatismo» hace olvidar y oculta la mayor parte de las veces a ese «islam pacífico», que también está muy vivo. Porque lo cierto es que se percibe un despertar islámico.

- *Signos de este «despertar»*

◆ El primero es el *impulso de la práctica religiosa*.

Se observa, por ejemplo, una mayor asistencia a las mezquitas y un mayor número de mezquitas construidas. Estos últimos años se han edificado un millar en Egipto; en Uzbekistán se han abierto 65. Se multiplican en Pakistán, en Africa...

El éxito creciente que se palpa en la peregrinación a La Meca no se debe sólo al progreso de los transportes. El número de africanos musulmanes que cumplieron el *hayy* en 1978 fue superior al número total de peregrinos en 1954: aquel año fueron 164.000; veinte años más tarde, alcanzaban casi el millón.

♦ El segundo signo es el *número de conversiones.*

Afectan a las masas africanas, incluso entre pueblos que hasta ahora habían resistido a la penetración del islam. Así, el número de mossis islamizados pasó de 150.000 en 1956 a 1.200.000 en 1972. En numerosos países, como Egipto, o en países laicizados como Túnez, los recién convertidos se reclutan en gran parte en los ambientes intelectuales, entre los estudiantes. Esta ola de conversiones alcanza también a occidente; todos conocemos convertidos célebres, como Garaudy, Vincent Monteil, Maurice Béjart, Chodkiewicz [45], Guy Pépin [46]... Según los mejores especialistas, se calcula en 20.000 el número de «nuevos musulmanes» franceses desde 1980.

El reclutamiento tiene lugar en todos los ambientes, tanto obreros como intelectuales, y hasta en algunos sacerdotales [47].

• *El islam en Francia*

En primer lugar, algunas cifras. Desgraciadamente, son discutidas: entre un mínimo de 2 millones y un máximo de 6 [48]. Esta diferencia se explica

[45] Les Editions du Seuil.

[46] Convertido en Ahmadu, ex-campeón europeo de halterofilia.

[47] Dos sacerdotes; el 55% son mujeres, según M. Serain, secretario del episcopado para las relaciones con el islam.

[48] En 1984, según M. Najmouddine Bammate (profesor de etnología en París VII): 6 millones. Según Bruno Etienne (investigador de la universidad de Aix): de 4 a 5 millones.

por la dificultad de contabilizar a los practicantes habituales, a los que –por ejemplo con ocasión del Ramadán– manifiestan su adhesión al islam, y a la masa de inmigrados más o menos recientes, naturales de los países islamizados.

Esta última cifra es más fácil de precisar: el 38% de los extranjeros residentes en Francia proceden de países musulmanes: el Magreb, Turquía, Pakistán, Senegal y otros Estados africanos... Francia contaría entonces por lo menos con 1.800.000 fieles de Alá. Pero la identidad musulmana y la práctica religiosa son dos realidades distintas.

Más generalmente, la comunidad musulmana en Francia se calcula en 2.300.000. El islam es así la *segunda religión de Francia*, por encima del protestantismo y del judaísmo. Este grupo confesional ha crecido desde hace veinte años con la llegada de los antiguos «harkis» y la de las familias de trabajadores magrebíes y africanos. Pero también aumenta por la natalidad y el alza de conversiones.

Esta renovación se ha manifestado además, aunque discretamente, en la *ampliación del número de lugares de culto*. Entre 1979 y 1984 se ha más que duplicado el número de mezquitas. Oficialmente, en 1983 se contaban 438 salas de oración, distribuidas por 60 departamentos. París figuraba a la cabeza con 51 oratorios, seguido por la región Seine-Saint-Denis con 43, y luego el Nord y Rhône con 36 cada uno. El número real debe acercarse al millar, contra 300 en 1980. La gran mezquita de París se ha agrandado para que pudiera acoger a un triple número de creyentes. La Liga islámica mundial, Arabia saudita, Libia, los Emiratos, Egipto, más las colectas en Francia, han proporcionado los fondos para ello [49].

En torno a estos lugares de culto se abren *escuelas coránicas*, adonde acuden los niños el miércoles y el sábado. En los alrededores se abren carnicerías especializadas, librerías y tiendas. Hay inspectores que recorren Francia para verificar que la carne destinada a los creyentes está debidamente sacrificada según los ritos, mientras que una especie de «capellanes» visitan a los hermanos en los hospitales y en las cárceles.

Estos últimos tienen mucha tarea que realizar, ya que, como en otras partes, los musulmanes de Francia son «distintos».

– *Una comunidad compleja*

En el contexto mundial y en la vida política francesa de los años 80, el movimiento más aparente es el *integrismo*. Las mezquitas pueden ser focos de propaganda político-religiosa. Y el régimen del imán Jomeini tiene «liberados» permanentes que se esfuerzan por penetrar en las comunidades y difundir allí obras sobre la revolución iraní. Sin embargo, parece ser que este «integrismo», muy minoritario, afecta sobre todo a los ambientes estudiantiles. Su influencia parece reducida. Coincide con la de otros gobiernos que utilizan igualmente a los imanes: Argelia, Marruecos, Túnez, Arabia saudita. Y choca sobre todo con el *tradicionalismo apolítico*. No hay que olvidar que más del 95% de los musulmanes de Francia son sunnitas.

Las corrientes más comunes son las mismas que en los países musulmanes de donde proceden los inmigrados: el marabutismo entre los africanos y algunos magrebíes, el modernismo entre los tunecinos, el sufismo entre los argelinos.

El movimiento actual está destinado sobre todo a *revivificar la fe* y las virtudes musulmanas. Algunos verdaderos misioneros, como los de «Fe y Práctica», intentan «llevar a sus hermanos por el camino recto». Oración, lectura del Corán, retorno a los valores familiares y sociales: tal es su mensaje. La renovación del islam en Francia es sobre todo religiosa. Y el éxito de un retorno a la fe, afianzando una identidad profunda, a menudo vacilante, podría ser un factor de seguridad para todos.

● *El islam en España*

Los musulmanes que residen en España, dejando aparte los núcleos de Melilla y Ceuta, suelen ser de origen extranjero. En primer lugar, obreros magrebíes, especialmente de Marruecos, cuyo número oscila entre 100.000 y 150.000, la mayor parte de

---

[49] 15 millones de francos anuales; 6 millones para la mezquita de Mantes-la-Jolie, que cuenta con 6.500 obreros magrebíes.

ellos en situación anómala de residencia y de trabajo, indefensos ante los explotadores y sin posibilidad de organizarse religiosamente; se encuentran principalmente en Cataluña, Madrid, Bilbao y Málaga. Aparte de ellos, se encuentran actualmente en España unos 6.000 estudiantes árabes, en su mayoría musulmanes, procedentes sobre todo del Medio Oriente (unos 2.000 palestinos), aunque también marroquíes y saharauis. Asisten principalmente a las facultades de medicina (80%) y farmacia, aunque cada vez encuentran más dificultades en su acceso a la universidad. Son pocos los que, bien financiados y en centros bien montados y reconocidos por el Gobierno, acuden a cursos de temas hispano-árabes para posgraduados. Ultimamente, sobre todo en Andalucía, ha habido algunas conversiones al islamismo y se advierte una intensa propaganda en este sentido.

Hasta hace poco sólo existían en España dos mezquitas: la de Marbella, creada en 1981, y otra en Pedro Abad, a 32 km de Córdoba, perteneciente a la Comunidad Ahmadia. Los jóvenes asociados a los «Estudiantes musulmanes» suelen habilitar uno de sus centros para la oración de los viernes. En Madrid, una sala del Instituto de Estudios Islámicos, que depende del Gobierno egipcio, sirve de mezquita para los residentes en Madrid. Acabadas ya las obras, está a punto de inaugurarse la mezquita árabe de la M-30, que será el edificio religioso más grande del islam en occidente (según El País, 6.8.89). En Barcelona y en Las Palmas, los obispos respectivos han puesto a veces a disposición de los musulmanes diversos locales de sus diócesis. En la actualidad se proyecta la construcción de varias mezquitas en los principales núcleos con población musulmana.

La Asociación Musulmana en España tiene como órgano de expresión cultural la revista «Al-Islam», editada en Madrid. En 1968 se creó la AIC (Asociación para la amistad islamo-cristiana) para crear un clima de amistad entre musulmanes y cristianos; entre sus mejores logros figura el Primer Congreso Internacional Islamo-Cristiano de Córdoba.

• *Razones de este «despertar»*

Las necesidades y el deseo de una identidad cultural están en el fundamento de este «despertar del islam», tanto en Europa, como en Africa o en la URSS. Esto se debe a numerosas razones:

Está ligado desde luego al *movimiento de independencia*. El reencuentro con la fe antigua o con una nueva fe forma parte del rechazo de la cultura y de la religión traídas por los colonizadores, franceses o rusos. Se trata de liberarse de todo lo que, traído por occidente, iba en contra y sigue todavía atacando al mundo dependiente de ayer.

En este rechazo, el islam *representa una barrera contra el modernismo*, al que se atribuye la perversión de las tradiciones sociales y de los valores ancestrales y la corrupción de la juventud.

El islam es aceptado con mayor facilidad porque *presenta una enorme simplicidad de fe, de doctrina y de práctica*. No hay dogmas complicados ni misterios incomprensibles. Tampoco es necesario, para adherirse al islam, rechazar unas costumbres profundamente ancladas, como la poligamia restringida. No hay clero ni iglesia que se impongan. Para ser musulmán, basta con una esterilla para orar y saber pronunciar la sahada. Finalmente, esta simplicidad del acto de fe le confiere una plasticidad favorable a las adaptaciones. Un negro puede hacerse musulmán sin abandonar el fondo primitivo de sus creencias.

*Posee* muchas veces, en Africa por ejemplo, *las mismas costumbres que las de las culturas locales:* circuncisión, poligamia... Como las tradiciones negro-africanas, tiene un contenido y unas prácticas sociales *basadas en la comunidad* más que en el individuo. –Por tanto, convertirse al islam no exige ninguna renuncia cultural–. Además, esta fraternidad responde totalmente a la necesidad actual de un mundo desamparado, dividido, en donde el aislamiento acecha a los individuos.

El islam tiene además la *oportunidad de sobrevenir en un momento en que se esclerosan las religiones tradicionales*. Así ocurre con el animismo africano enfrentado con la urbanización. Pero ocurre algo parecido con las Iglesias cristianas de dogmas vacilantes, de comportamientos a veces contradictorios, unas veces demasiado «modernistas» y otras demasiado «integristas».

El islam, finalmente, en contra de la imagen que transmiten algunos medios de comunicación occidentales, *aparece como tolerante*. No tiene para el convertido eventual las exigencias y urgencias del catolicismo romano.

Añadamos que *las comodidades de las comunicaciones modernas facilitan su expansión*. El avión y el transistor desempeñan en favor suyo la función que tuvieron en la Edad Media y en el Renacimiento las peregrinaciones y la Biblia impresa.

Sin embargo, estos factores de avance no son únicamente oportunidades de progreso.

## b) El islam en la encrucijada

### • Los riesgos son los de todas las religiones

El «radicalismo» puede derivar en *cerrazón* y en *fatalismo* retrógrados. El «despertar» puede adormecerse en el confort de un moralismo estrecho. La búsqueda de identidad puede derivar hacia una xenofobia anti-occidental. Y, como se ve muy bien desde la revolución iraní, pero no sólo en Irán, la renovación es «invocada y hasta utilizada» por regímenes tiránicos, por dictaduras militares o pseudo-revolucionarias. ¿No es éste el caso del Sudán, incluso después de la eliminación del Pt Nemeyri, en Pakistán, en Libia?

Hay una *desviación política*, tanto más real cuanto que está inscrita en la confusión coránica entre lo espiritual y lo temporal. Los hermanos musulmanes se ven unas veces halagados y otras perseguidos, según ayuden a tomar el poder o lo critiquen por ser demasiado «laico» [50]. Como ayer los reyes catolicísimos o los príncipes protestantes, algunos regímenes sienten la tentación de servirse de la religión para dar solidez a la unidad nacional naciente o precaria. La unificación por la sari'a: tal

era la política del general Mohammed Zia Ulhac en Pakistán.

Esta tentación nacionalista puede incluso desembocar en una especie de *nuevo mesianismo universal: el panislamismo*. Para los que ceden a ella, el islam sería un modelo para el mundo. La aplicación de la sari'a debería resolver todas las dificultades nacidas del capitalismo o del socialismo. Su encarnación en un estado –Irán– anuncia el alba de la islamización mundial. Es la utopía de la reconciliación definitiva entre la religión y el Estado, la fe y el mundo. Esa sería la «revolución islámica»: paz y justicia para el universo entero.

En contra de este expansionismo de la huida hacia adelante, otros sienten la tentación de *replegarse en el moralismo*. Los ritos, las prohibiciones y las prácticas sirven para tranquilizarlos. El formalismo y hasta la piedad se convierten en un refugio en un mundo secularizado que ignora, desprecia o ridiculiza las prescripciones y las virtudes predicadas por el Corán.

Más profundamente, el islam conoce el problema de toda religión tensa *entre el espíritu y la letra*.

¿Hay que ser fiel al espíritu desencarnándose y perdiendo sus raíces y su asentamiento popular? ¿Hay que ser fiel a la letra a costa de traicionar el espíritu? Esta tentación es quizás aún mayor para los adeptos de un Corán del que no se puede cambiar ni una sola palabra.

Es la cuestión esencial de *la adaptación al mundo*.

¿Cómo conservar la identidad cultural y religiosa del islam en una sociedad tan diferente de la que conoció el profeta? ¿Cómo vivir la sunna y la sari'a en el mundo de las megápolis, de los jets y de los ordenadores, un mundo en perpetua y rápida transformación? ¿Cómo adaptar el islam a los sistemas económicos dominantes, la ley del mercado o de la planificación centralizada? Y sobre todo, ¿tiene que hacerlo?

Están los *modernistas*, que creen que el islam es asunto privado. La vida social y política tienen que ser laicizadas. Tienen que abrirse a los comportamientos, a las doctrinas y a las técnicas contemporáneas. La democracia representativa, la integra-

---

[50] Es lo que ocurrió en Egipto.

ción de las mujeres en la sociedad y sus tareas más modernas, la ciencia y sus aplicaciones: nada de todo eso contradice al islam. Es la llamada que lanza, por ejemplo, Abdus Salam [51] «por un renacimiento de la ciencia en el mundo islámico».

Es lo que han hecho o intentan hacer algunos países como Argelia, Túnez y hasta Marruecos, Egipto, y más aún Irak, que tienen que enfrentarse con las críticas y protestas, y a veces las revueltas y motines, de los radicales, especialmente de los hermanos musulmanes, pero también de los grupos pro-iraníes, como el PRI en Marruecos.

Algunos incluso llevan esta adaptación al mundo moderno hasta adoptar las ideologías más progresistas. Hay, si no un islam socialista, al menos *musulmanes socialistas*. Pretenden, como Alí Yata, que «nada impide a un creyente ser socialista militante, ya que tanto el islam como el socialismo se preocupan de liberar a los hombres de la servidumbre». Sin embargo, a los partidos marxistas o comunistas les cuesta mucho trabajo hacerse aceptar por sus compatriotas musulmanes, incluso en países laicizados como Marruecos.

Están, por otra parte, los *conservadores*, que se encarnan en monarquías más o menos teocráticas: Jordania, Arabia saudita... Han hecho de la sari'a el pilar de la legislación, lo cual no impide la invasión del modernismo traído por los petrodólares. Por eso temen la actividad de los fundamentalistas, sostenidos desde Teherán.

Las divisiones políticas contemporáneas que oponen, con las armas en la mano, a grupos contra grupos en el Líbano, llegando incluso a guerras encarnizadas –como entre Irak e Irán– demuestran que estos problemas no son solamente especulativos.

• *Las oportunidades*

Radican en el esfuerzo emprendido por numerosos musulmanes por hacer que el islam evolucione y pueda vivir en el siglo XX sin disolverse en él y sin conquistarlo. La universalidad del mensaje islámi-

co no significa ni mucho menos que quiera imponerse al resto del mundo. Pero el mundo tiene necesidad de su «exigencia espiritual», que constituye el fundamento de todas las religiones. Habib Chatti, tunecino, que fue secretario de la Conferencia islámica, representa muy bien esta tendencia cuando escribe: «Unirse para enfrentarse mejor con los imperativos de la vida moderna y para servir mejor al género humano, establecer el diálogo entre todos los hombres, sin distinción de razas, de culturas y de ideologías, para permitirles conocerse mejor, reconocerse mejor tanto en su identidad profunda como en sus diferencias legítimas».

Los *pesimistas* piensan que el islam, que «asocia indefectiblemente los problemas religiosos y las cuestiones políticas», es incompatible con el occidente democrático y cristiano. Tienen miedo de que éste se vea algún día sumergido por la irresistible marea de un panislamismo duro y conquistador.

Los *optimistas* están convencidos de que el verdadero islam no es el de los «radicales» que parecen tener el viento en popa. La crisis que está atravesando el mundo islámico no es más que una crisis de crecimiento, más allá de la cual un islam maduro podrá aportar al mundo las riquezas de su fe y de su cultura. Esta madurez depende, en parte, de la actitud que se tome ante él.

## 10. Islam y cristianismo

Desde hace algunos años se habla mucho en Francia de *diálogo islamo-cristiano*.

Son fáciles de comprender las razones para ello: el «despertar» del islam, la presencia en Francia de una comunidad musulmana importante, las relaciones a veces conflictivas entre franceses e inmigrados más o menos islamizados, curiosidad por las otras culturas, evolución del ecumenismo hacia una apertura a las religiones salidas del mismo tronco: todo ello ha tenido su influencia en proporciones variables. A ello se ha añadido la aportación de especialistas prestigiosos, como Massignon, Louis Gardet, Vincent Monteil..., o de amigos cristianos del islam, como Michel Lelong.

Con el entusiasmo de los neófitos, algunos pien-

_____
[51] Pakistaní, premio Nóbel de física en 1979.

san que este diálogo no solamente es indispensable y útil, sino además fácil y convergente, dado que los puntos de acuerdo serían numerosos e importantes. Sin embargo, si es verdad que existen concordancias en algunas creencias y no pocos valores comunes, las divergencias no son menos fundamentales. Y un diálogo auténtico tiene que saber discernir y reconocer las unas y las otras.

### a) El diálogo es posible

Se basa en un *largo contacto histórico* que se ha ido haciendo a través de batallas, de cruzadas y de reconquistas, pero también de intercambios culturales enriquecedores.

Se basa más aún en algunos *artículos de fe comunes*: la creencia en un *Dios único*, creador de todas las cosas, trascendente y misericordioso. Ese Dios ha revelado a los hombres su existencia y su ley por medio de los *profetas*. Envía a sus ángeles para guardarlos y advertirles... Vendrá a juzgar a los vivos y a los muertos, abriendo a los unos el paraíso y a los otros el infierno.

Los *valores morales* predicados por el islam no son diferentes de los que propone el evangelio. Todos ellos se resumen en el término de «justicia». El musulmán, como el cristiano –y como todo hombre realmente religioso–, debe ser veraz, fiel a sus compromisos, acogedor y atento con los pobres, dándole a cada uno lo que se le debe y moderando sus deseos...

Todo esto crea *una fraternidad* que permite mejor aún el diálogo cuando los cristianos y los musulmanes pueden encontrarse en *tareas comunes*: lucha contra la degradación de las costumbres, el sufrimiento humano, el racismo, las injusticias y todo lo que amenaza a la dignidad y a los derechos del hombre. Tales son los caminos de una aproximación ya muy avanzada.

Todo esto facilita el encuentro en el plano propiamente religioso. Pero no acaba con algunos obstáculos esenciales.

### b) pero difícil

El primer obstáculo y el más grave es que *cada uno tiene la certeza de poseer la verdad.*

Los cristianos creen, y es éste el fundamento mismo de su fe, que Jesucristo ha venido a revelar la verdad definitiva, que él es la verdad. Para los musulmanes, por el contrario, el cristianismo ha desfigurado la enseñanza de la Biblia y traicionado la de Jesús. No es posible acuerdo alguno si los cristianos no reconocen que Mahoma vino precisamente a establecer el mensaje de Dios en su autenticidad. Para los cristianos, el islam debería admitir que Jesús es el que cumplió las promesas de los profetas. Según los musulmanes, el cristianismo no es más que «un camino hacia el islam». Cada uno pretende estar al final del camino de la revelación.

*¿Adoran por lo menos al mismo Dios?* No lo parece. El Dios de los cristianos es un Dios trinitario y un Dios que se hizo hombre. Un Dios en tres personas es más que un dogma; es en cierto modo la definición misma del Dios cristiano: relación significa amor. Su encarnación en Jesús, hijo del Padre, es como otra manera de afirmar que Dios es amor. Ese es el corazón de la fe cristiana.

Todas estas afirmaciones son para el musulmán escándalo, sacrilegio, herejía. Dios es uno y trascendente. No puede ser conocido, ni encarnarse, ni sufrir y morir en una cruz. Eso sería rebajarlo. La muerte y la resurrección del Hijo de Dios, fundamento de la fe cristiana, son para el islam nociones inconcebibles, en contradicción con su concepción misma de Dios.

Trinidad, encarnación, redención: cualquier diálogo religioso con el islam tropieza con estos tres «misterios» cristianos.

También hay *concepciones diferentes sobre las relaciones entre la religión y la sociedad.* Es verdad que el cristiano no es indiferente a la vida social, pues es en la sociedad civil donde tiene que vivir los valores evangélicos que proclama. Pero, aun cuando, en el curso de la historia, sus preferencias se hayan inclinado por tal o cual tipo de sociedad, su fe no se confunde con ninguna de ellas. Toda sociedad tiene que ser interpelada en nombre del evangelio. Y éste tiene que vivirse en cualquier sociedad, incluso

| Cristianismo | Islam |
|---|---|
| *Fundamento:* La palabra de Dios <br> «... Evangelio de Jesucristo, Hijo de Dios...» (Mc 1, 1). | La palabra de Dios <br> El Corán... «Libro que Alá envió a su apóstol...» (4, 135). |
| *Creación:* «Al principio creó Dios el cielo y la tierra... Luego plantó un jardín en Edén y puso allí al hombre...» (Gn 1, 1 y 2, 8). <br> «Al principio era el Verbo y el Verbo estaba junto a Dios y el Verbo era Dios...» (Jn 1, 1). | «Creó siete cielos superpuestos... Creó a Adán, el padre de los hombres, a su imagen». <br> «El nombre está en el fundamento de la creación, el signo que edifica lo que existe. A Alá le corresponde el acto de nombrar y de borrar». |
| *Dios:* «Creo en un solo Dios, Padre todopoderoso, que creó...» (Credo de Ireneo, siglo II). <br> «Bautizando en el nombre del Padre y del Hijo y del Espíritu Santo» (Mt 28, 19). <br> «Que todos sean uno, Padre..., como nosotros somos uno» (Jn 17, 21-22). <br> «El Espíritu de verdad que procede del Padre» (Jn 16, 4). <br> «Ni engendrante ni engendrado» (Conc. de Letrán, 1215). <br> «Dios es amor» (1 Jn 4, 7). | «No hay más Dios que Dios... Di: «El, Alá, el único. Alá, el solo...». <br> «Todo perece, excepto su rostro. No hay nada semejante a él...». <br><br> «El viviente, el poderoso, el sabio, el misericordioso». <br> «No ha engendrado ni ha sido engendrado» (2, 3). <br> «No tiene igual». |
| *Jesús:* «El es mi Hijo muy amado en el que me complazco» (Mt 3, 17). <br> «Vi y atestiguo que es el Hijo de Dios» (Jn 1, 34). <br> «Nadie sabe quién es el Hijo sino el Padre, ni quién es el Padre sino el Hijo» (Lc 10, 22). <br> «Tú eres el Cristo, el Hijo del Dios vivo» (Mt 16, 16). <br> «Y Jesús, lanzando un gran grito, expiró» (Mc 15, 37). <br> «Resucitó...» (Mc 16, 6). <br> «El Señor Jesús fue llevado al cielo y está sentado a la derecha de Dios» (Mc 16, 19). | «El mesías, Jesús, hijo de María, es sólo el apóstol de Dios. Su Verbo puesto por él en María y un Espíritu que emana de él» (4, 7). <br> «Yo curaré al mudo y al leproso. Yo haré revivir a los muertos con el permiso de Dios» (3, 49). <br><br> «No lo mataron, ni lo crucificaron, sino que sólo se lo pareció» (4, 157). <br><br> «Dios lo elevó hacia él» (3, 158). |
| *María:* «Madre de Jesús» (Mc 3, 31; Jn 2, 1). <br> «Bendita tú entre las mujeres» (saludo del ángel). <br> «María siempre virgen» (Mt 1, 23; Lc 1, 34). | «¡Oh, María! Dios te ha escogido y purificado... Te ha elegido sobre todas las mujeres del mundo» (3, 42). <br> «Señor, ¿cómo voy a tener un hijo, si ningún mortal me ha tocado?» (3, 47). |

| Cristianismo | Islam |
|---|---|
| *Juicio:* «Vendrá a juzgar a los vivos y a los muertos» (Credo). | Dios es el «soberano del día del juicio» (1, 6). |
| «Enjugará toda lágrima... Ya no habrá muerte. No habrá lamento, ni grito, ni sufrimiento, porque el mundo antiguo ha pasado. Y el que está sentado en el trono dice: ¡He aquí que lo hago todo nuevo!» (Ap 21, 4-5). | «Hace salir al vivo del muerto» (3, 27). |
| «Los ángeles separarán a los malos de los justos y los echarán al horno de fuego» (Mt 13, 13-49). | «Guárdanos del tormento del fuego» (3, 190). |
| «No es Dios de muertos, sino de vivos» (Mc 12, 27). | |
| «... los cabritos a su izquierda... Alejaos de mí, malditos, al fuego eterno» (Mt 25, 41). | «Los compañeros de la izquierda se hundirán en un viento tórrido y un agua hirviendo» (6, 27-42). |
| «... a los de su derecha: Venid, benditos de mi Padre; entrad en posesión del reino que se os ha preparado desde la creación del mundo» (Mt 25, 34). | «Los compañeros de la derecha descansarán a la sombra de los jardines, servidos por huríes de grandes ojos» (2, 20-24). |
| «Después de la resurrección de los muertos, serán como ángeles del cielo» (Mc 12, 25). | |
| *Pecado y salvación:* «Al que blasfeme contra el Espíritu, no se le perdonará jamás» (Lc 12, 10). | «El mayor pecado: dar asociados a Dios». |
| «... Lo mismo que el pecado entró en el mundo por un solo hombre (Adán) y por el pecado la muerte... (también) la justicia de uno solo (Jesús) pasa a todos los hombres para la justificación de la vida» (Rom 5, 12...). | «Los condenados, los impíos que han tomado su religión como distracción y juego y a los que ha engañado la vida inmediata...» (7, 51). |
| *Moral:* «Amaos unos a otros con amor mutuo... Sed constantes en la prueba, perseverantes en la oración. Cumplid con los deberes de la hospitalidad. Bendecid a los que os persiguen. Llorad con los que lloran... No os toméis la justicia por la mano... Si tu enemigo tiene hambre, dale de comer; si tiene sed, dale de beber...» (Rom 12, 9-21). | «En verdad, Dios no ama a los que cometen injusticias» (2, 189). |
| | «No oprimas al huérfano ni rechaces al mendigo». |
| | «Por amor a Alá, da de tus posesiones a tu prójimo, a los huérfanos, a los pobres y a los que piden; redime a los cautivos; da limosna; sé paciente en los tiempos duros y en los tiempos de violencia» (2, 172). |
| *Estado:* «Dad al César lo que es del César y a Dios lo que es de Dios» (Mt 22, 21). | Los *hadits* están en el origen de la *sunna* y de la *sari'a* (legislación): |
| «Dadle a cada uno lo debido... Que cada uno se someta al poder que manda» (Rom 13, 1-7). | «Los pobres tienen derecho a una parte igual en la fortuna de los ricos». |
| | «No os entreguéis a la usura...». |
| | «Al ladrón le cortaréis las manos...» (5, 42). |

atea. No hay «política» (cristiana) sacada de la historia sagrada. La religión y el Estado están separados.

Como hemos visto, no sucede lo mismo con el islam, que es a la vez «religión, comunidad, cultura, civilización». El Corán, a diferencia del evangelio, es a la vez un texto sagrado, una doctrina y una legislación. Todo musulmán tiene la obligación de someterse a las reglas sociales del Corán. Allí está su salvación, puesto que no hay más moral que la obediencia a la ley religiosa, tanto jurídica como ritual.

¿Cómo dialogar entonces con una cultura distinta, si ésta está tan inmutablemente fijada en una tradición? ¿Cómo evolucionar juntos, si el otro se niega a toda evolución?

Afortunadamente, las cosas, como hemos visto, no son tan sencillas ni tan inalterables. Si los hombres religiosos son ante todo y sobre todo buscadores de Dios, no es posible que Dios no les haga encontrarse en el camino que conduce a él.

## CRONOLOGIA

570: Nace Mahoma en La Meca, en la tribu de los qurays.

595: Matrimonio con Jadiya, una rica viuda.

609: Aparición del ángel Gabriel a Mahoma.

622: Exodo a Medina. El 16 julio 622 comienza la Hégira.

630: Vuelta a La Meca para la peregrinación de despedida.

632: El 6 (u 8) de junio: muere Mahoma en Medina.

646: Establecimiento del Corán por el 3.er califa Otmán.

656: Muere Otmán; se abre una crisis de sucesión.

661: Asesinato de Alí, esposo de Fátima (hija de Mahoma), en Kufa.

632-661: Estado de Medina, con los 4 califas: Abu Bakr (suegro de Mahoma), Omar (asesinado en 644), Otmán y Alí.

661-750: Imperio omeya, fundado por Mo'awiya (descendiente de Omeya, tío-abuelo de Mahoma), tras la deposición de Alí. Su capital está en Damasco. Se extiende por Asia: Afganistán, el Indo, Armenia; y por occidente: Africa del Norte, España, la Galia (732).

750: Ibn Abbas, tío de Mahoma, es proclamado califa.

750-1258: Imperio abasida: capital Bagdad; apogeo de la civilización musulmana en el Cairo, Córdoba; agitaciones sociales, luchas entre los califatos (Bagdad, Córdoba), cismas; las cruzadas cristianas (1095-1270) y la reconquista (Sevilla cae en 1248, Granada en 1492). El chiísmo (765) se divide.

1258: Conquista de Bagdad por los mongoles, que se convierten al islam.

1405: Muerte de Timur Lang (Tamerlán, un turco sunnita) y fin de su sueño de unificación. Cuatro imperios: otomano (de Asia Menor a Egipto, pasando por los Balcanes y Grecia, hasta el siglo XIX); persa (con los safávidas, chiítas, en Ispahán, de 1501 y 1736); mogol (primero sunnita, luego abierto al hinduismo y al chiísmo, bajo Akbar [1542-1605], hasta 1857); marroquí, con varias dinastías, entre ellas la alauita.

1744: Nacimiento del wahabismo (pacto entre Mohammed B., Abd-al-Wahaab y el emir Ibn Sa'ud): estricta aplicación de la ley coránica.

1844: Reforma de Mirza Ali Mohammad (chiíta) que, en Chiraz, se proclama Bab (la Puerta) que conduce al baha'ísmo (de Baha-Ollah).

1927: Fundación de los «Hermanos musulmanes» por Hassán al-Banna.

1969: Creación en Rabat de la OCI, Conferencia Islámica que comprende 45 Estados musulmanes, con sede en Djeddah.

☆

# LEXICO

*Achura:* fiesta de los muertos, en los chiítas, celebración del martirio de Hussein.

*Aid al Adhah:* fiesta del sacrificio del hijo, recuerdo de Abrahán (Aid el Kebir).

*Ayatollah:* «ejemplo de Dios», una especie de doctor en teología chiíta.

*Baraka:* poder sobrenatural, efluvio sagrado de que gozan los marabuts y que se materializa en las reliquias del santo.

*Burga:* el velo, especie de tela blanca que cubre el rostro, excepto los ojos (tchador de los chiítas), signo de protección de las mujeres, ritual no universal.

*Cadí:* magistrado encargado de aplicar la ley del islam.

*Califa:* sucesor de Mahoma, jefe espiritual, político y religioso de la comunidad musulmana.

*Chihada:* el martirio.

*Corán:* libro santo de la revelación, dictado por Dios a su último profeta Mahoma (o Mohammad). Fue fijado definitivamente después de la muerte del profeta, en el año 644.

*Emir:* jefe de los creyentes, título tomado por Omar en el 634 y llevado por los califas desde 1924.

*Fatiha:* «la que abre», primera sura del Corán. Es la oración que precede a la recitación del Corán, y marca los grandes acontecimientos: matrimonio, muerte, sepultura.

*Fiqh:* ciencia del derecho musulmán, conjunto de las obligaciones sacadas del Corán, de la sunna y de los hadits.

*Fitr:* Aid el Fitr: fiesta del final del Ramadán.

*Hadit:* palabra o gesto del profeta; una especie de proverbio que sirve de referencia para la acción. Se cuentan seis colecciones.

*Hafiz:* fiel del islam.

*Harem:* parte de la casa oriental reservada a las mujeres.

*Hayy:* peregrinación a La Meca, 5.º pilar del islam. Título que se da a los que la hicieron.

*Hégira* o hijra: emigración. Exodo de Mahoma a Medina el año 622, año 1.º de la era musulmana.

*Imán:* título adoptado por los descendientes de Alí. Laico escogido por su devoción y sus conocimientos para presidir el rezo en la mezquita.

*Islam* (de «aslam» = someterse): es la sumisión a Dios.

*Jariyismo:* los jariyíes (rebeldes) son los partidarios de Alí que se negaron al arbitraje de Adroh en favor de Mo'awiya (660). Para ellos, los primeros demócratas, el califa ha de ser escogido como el más digno y el más piadoso. Hoy son 3 millones, dispersos sobre todo por Africa del Norte.

*Kaaba* o Ka'ba: «casa de Dios», piedra sagrada de la construcción de Abrahán, o primer templo (único en el islam) levantado por el mismo Abrahán. Situado cerca del lugar de nacimiento de Mahoma, en La Meca, es el centro de la peregrinación.

*Marabut:* hombre santo, descendiente de los sufíes y heredero de su influencia espiritual; una especie de asceta.

*Mektub:* palabra que significa «escrito». Representa el destino: «está escrito».

*Mezquita:* lugar para la oración colectiva, pero también de enseñanza.

*Muftí* (de una palabra que significa «decidir»): es el que juzga y decide. Es también el jefe espiritual de una región.

*Mulud* o muled: fiesta que celebra el nacimiento del profeta.

*Musulmán:* hombre sometido a Dios y que se esfuerza en no olvidarlo.

*Nahda:* la renovación, el renacimiento islámico.

*Nia* o niyya: la intención; es lo que da valor a los gestos prescritos por el culto. Puede incluso reemplazarlos.

*Ramadán* (syam Ramadan): mes de los calores, mes noveno del año lunar, en que se prescribe el ayuno desde el amanecer hasta el anochecer. Se celebra su comienzo y su final: Aid al Fitr* o Seghir.

*Salat:* la oración ritual cotidiana; cinco veces: sobh (alba), dohr (mediodía), asr (tarde), maghreb (ponerse el sol), icha (noche).

*Sahada* o chahada: profesión de fe, testimonio público de la fe.

*Shariat* o sari'a: «el camino»: conjunto de leyes que se refieren a los preceptos del Corán y a las tradiciones sobre la vida del profeta. Es la «fuente esencial» de la legislación social de los musulmanes.

*Sira:* relato cronológico de la vida del profeta según los hadits.

*Sufismo:* un sufí (de suf = «vestido de lana blanca») es una especie de místico que busca la unión con Dios. Cofradía de tipo monástico, muy marginal en el islam. El más célebre sufí es Al Hallaj (922).

*Sunna:* palabra que significa «conducta». Es el conjunto de frases y anécdotas relativas a Mahoma y a las reglas que él prescribió. La sunna es la tradición a la que se refiere.

*Sura* o azora: capítulo del Corán, de diversa longitud, entre 3 y 285 versículos.

*Ulema:* doctor de la ley, que interpreta el Corán y está encargado de hacer aplicar las disposiciones legales.

*Umma* u omma (de umm = «madre»): es la comunidad que reúne de forma visible o invisible a todos los creyentes. Tiene un sentido a la vez místico («comunión») y político («nación musulmana»).

*Urf:* costumbre, conjunto del derecho de normas vigentes.

*Yihad* o Jihad: guerra santa, lucha contra la infidelidad y la impiedad en uno mismo y fuera de la comunidad. Victoria sobre sí mismo.

*Zakat:* la limosna legal, 4.º pilar del islam. Signo de que todo pertenece a Dios. Se calcula en el 1/40 de los bienes; lo sustituye el impuesto en los Estados modernos.

☆

## MUSULMANES EN EL MUNDO
### (1983)

| | |
|---|---|
| Europa | 10 millones |
| URSS | 60 millones |
| Mundo árabe | 125 millones |
| Africa | 100 millones |
| Asia | 450 millones |
| | 745 millones |
| Chiítas | 70 millones (Irán, Afganistán, Irak) |
| Sunnitas | 650 millones |

## Lecturas

*El Corán*, trad. Bergua Ochavarrieta. Ibéricas, Madrid 1978.

*El Corán*, trad. J. Vernet. Plaza y Janés, Barcelona 1978.

*El Corán*, trad. J. Cortés. Herder, Barcelona 1986.

*Al Quran*, trad. A. Machordón Comins, Madrid 1980.

F. M. Pareja, *Islamología*. Razón y Fe, Madrid 1954, 2 vols.

A. Khoury, *Introducción a los fundamentos del Islam*. Herder, Barcelona 1980.

C. Amigó Vallejo, *Dios clemente y misericordioso. Experiencia religiosa de cristianos y musulmanes*. Ed. Paulinas, Madrid 1981.

D. Sourdel, *El Islam*. Oikos-Tau, Barcelona s. f.

L. Gardet, *Conozcamos el Islam*. Casal i Vall, Andorra 1960.

J. A. Williams, *Islamismo*. Plaza y Janés, Barcelona 1963.

W. M. Watt, *Mahoma, profeta y hombre de estado*. Labor, Madrid 1968.

F. M. Pareja, *La religiosidad musulmana*. Ed. Católica, Madrid 1975.

I. Shah, *Los sufíes*. Caralt, Barcelona 1975.

T. Burckhard, *Esoterismo islámico*. Taurus, Madrid 1980.

Abd-el-Jalil, *Cristianismo e Islam*. Rialp, Madrid 1954.

A. Heikal Abdel Maksoul, *Conferencias sobre el Islam*. Universo, Madrid 1970.

A. Machordón Comins, *Las columnas del Islam*. Madrid 1979.

Id., *Muhammad (570-632), profeta de Dios*. Fundamento, Madrid 1978.

M. Alonso, *Teología de Averroes*. CSIC, Madrid 1947.

Averroes, *Compendio de Metafísica* (texto árabe con trad. y notas). Madrid 1919.

Algazel, *Dogmática, Moral, Ascética* (coment. de M. Asín Palacios). Zaragoza 1901.

J. Jomier, *Un cristiano lee el Corán*. Verbo Divino, Estella 1985.

J. Jomier, *El Corán. Textos escogidos en relación con la Biblia*. Verbo Divino, Estella 1985.

Concilium, n. 116.

1927: Los hermanos musulmanes en Egipto.

# Convergencias y diferencias entre las tres grandes religiones monoteístas

## Convergencias

Nacidos en el Próximo Oriente, es decir, en la *encrucijada* de Asia occidental, de Africa y de la Europa mediterránea, el judaísmo, el cristianismo y el islam tienen en común el hecho de ser religiones monoteístas.

Adoran a un mismo *Dios, único y trascendente.* Ese Dios habló a los hombres por medio de los *profetas.* Los más importantes de esos mensajeros de Dios, que son en cierto modo sus fundadores, son Moisés, Jesús y Mahoma.

Estas tres grandes religiones, a la vez reveladas y proféticas, han recibido igualmente de Dios *una ley,* unos mandamientos, unas prescripciones. Al desobedecer a esas leyes, sus fieles tienen un sentimiento de pecado. Pero esperan en un *más allá,* en donde se castigarán las faltas y se recompensarán los méritos: un cielo y un infierno, un reino de justicia. Después de un juicio, comenzará para los elegidos un mundo nuevo en el que resucitarán y vivirán eternamente.

Las tres finalmente han llevado a la fundación de unas *instituciones* más o menos estructuradas, con un *clero,* o al menos unos hombres especializados en el culto, y una doctrina fijada por unos doctores de la ley o teólogos. Los rabinos, los sacerdotes, los pastores, los popes, los imanes enseñan, transmiten el mensaje y la tradición, presiden el culto y sirven en cierto modo de intermediarios entre el pueblo de los creyentes y Dios.

## Y diferencias

Pero también hemos visto que sus concepciones de Dios y el fundamento mismo de su fe son distintos.

Simplificando hasta el extremo, podemos decir que el *Dios de los judíos es un Dios omnipotente y justiciero,* que ha hecho una *alianza* con el pueblo que ha escogido, el pueblo de una tierra y una historia en la que él interviene. Su libro, la *Biblia,* es a la vez el relato de las liberaciones sucesivas del pueblo de Dios y la colección de los mandamientos divinos. Sólo su observancia justifica al creyente.

*El Dios de los cristianos es un Dios encarnado,* muerto y resucitado, Hijo de Dios venido a la tierra para revelar el amor de Dios que *salva* a todos los hombres que creen en él. Su libro, los *evangelios,* narra las palabras y las enseñanzas de ese mesías, que es así el centro de la fe cristiana.

*Para los musulmanes, Dios es el totalmente otro,* único, trascendente e «impenetrable». El *Corán,* dictado a Mohama, el último de los profetas, es el código de prescripciones necesarias para toda la vida de la *comunidad* de los creyentes, la umma: tanto las reglas sociales, políticas y jurídicas como las normas de moral familiar e individual o las prácticas religiosas. Lo importante es la sumisión a esa ley. Esta obediencia es la que le permitirá al fiel comparecer ante Alá el día del juicio con el balance de sus buenas y malas acciones.

## Diferencias con las religiones orientales

Muy distintas son las religiones del oriente, de la India, de Ceilán, del Vietnam, de China o del Tibet. Se las llama *místicas*, ya que su finalidad no es el conocimiento de Dios, de su palabra y de su ley. –Incluso ha podido decirse que eran religiones sin Dios–. Para ellas, el mundo, la vida y por tanto la historia no son más que apariencias e ilusiones. El papel de la religión consiste en *desvelar el misterio*, es decir, el orden verdadero de toda existencia que es preciso respetar sin perturbar.

Estas religiones místicas no tienen verdaderos fundadores, sino sabios, maestros, *gurús*. Son hombres que, por caminos diversos, los de la contemplación y la ascesis, han descubierto las santas verdades que permiten escaparse del dolor de ser. Para el hombre que ha hecho este descubrimiento no hay ni felicidad, ni salvación, ni pecado. Su *liberación* consiste en captar que todas las cosas no son más que ilusión y librarse de ellas para fundirse en el orden universal.

*Ningún libro único* puede dar cuenta de este descubrimiento y de esta liberación. Es cada uno el que tiene que intentar la *experiencia*, siguiendo los ejemplos de los sabios. De aquí se sigue que el hinduismo y el budismo son sumamente benévolos y tolerantes ante las diversas etapas de la búsqueda de los demás. No conocen ni dogmas ni cruzadas.

Se comprende así cómo, en estas condiciones, las religiones místicas *no constituyen verdaderas instituciones*. Indican *caminos* que seguir, más o menos exigentes según el grado de perfección que el discípulo quiera alcanzar. Así existe en el budismo el «pequeño» y el «gran vehículo».

Pero en ninguna de ellas se trata ni de construir el Reino ni de participar en la historia del mundo y de la salvación, ni siquiera de vivir esa historia en la obediencia a los preceptos de Dios. Hay que saber permanecer *inactivo*. Y esto basta. Es verdad que todo cambia. Pero, lejos de contribuir a este cambio, el hombre sabio tiene que esforzarse en permanecer inmóvil y no violento (ahimsa). Estar en armonía con el cosmos: es el único camino para apagar dentro de sí el sufrimiento de existir.

El *único punto en común* entre el hinduismo, el budismo y las religiones proféticas es que todas exigen al hombre sencillez de corazón y *desprendimiento de sí mismo*. Con la diferencia capital de que, para los judíos, y sobre todo para los cristianos, pero también para los musulmanes, el yo es un sujeto personal, amado de Dios y que ama a Dios, mientras que, para el hinduista y el budista, cada uno no es ante todo más que la primera de las ilusiones.

# 7

# Las sectas

## 1. En busca de una definición

Cuanto más se extiende, menos fácil resulta de definir esta palabra. En efecto, queda deformada por su aparición en los grandes medios de comunicación social que dan de las sectas una imagen espectacular y dramática. Hablar de «sectas» hoy es evocar el suicidio colectivo de los 920 miembros del templo de Jim Jones [1], de los secuestros de los Moon o de los subterfugios de la «Iglesia de la cienciología». Y entonces el término tiene casi siempre una connotación peyorativa.

Esta reacción no tiene nada de extraño si se piensa que las sectas han sido bautizadas así tan sólo por los que están fuera de las mismas. Las sectas son siempre *la religión de los otros.*

### a) Dos observaciones previas

– *Siempre ha habido sectas*, es decir, pequeños grupos religiosos al margen de las grandes religiones. Lo hemos visto a propósito del judaísmo: los saduceos, los fariseos, los esenios constituían una especie de partidos político-religiosos [2]. La doble cuestión que se plantea es encontrar las condiciones favorables para su aparición y su desarrollo, y saber por qué persisten algunas de ellas.

– *Todas las religiones han producido sectas.* Al comienzo, el cristianismo fue considerado como una secta del judaísmo, la «secta de los nazarenos» [3]. El budismo fue perseguido como una secta del hinduismo, que sigue siendo fértil en nuevos brotes hasta nuestros días [4]. Del islam se dice que ha dado origen a 72 sectas. Y las Iglesias cristianas, católicas y protestantes, no han sido menos prolíficas... No siempre se sabe si tal grupo es una «capillita» interior o una «secta» fuera de la institución.

En efecto, ¿qué es lo que caracteriza al fenómeno de la secta?

¿Es su separación respecto a la unidad de una institución religiosa? ¿A partir de cuándo se puede hablar de un rechazo de obediencia a la autoridad legítima? ¿Quién señala esa legitimidad?

---

[1] En noviembre de 1975 en Guyana.

[2] En los Hechos de los apóstoles se les designa con el término griego de «hairesis».

[3] Cf. Hch 24, 5.

[4] Por ejemplo, la orden de Ramakrisna, fundada en 1897 por Vivekananda.

¿Es su afirmación de una verdad distinta de la verdad oficialmente reconocida? Pero ¿no pretende la secta, por el contrario, recobrar la pureza del mensaje primitivo? También en este caso, ¿quién define la verdad?

## b) Precisiones de vocabulario

La misma etimología es ambigua. Vacila entre «secare» (cortar) y «sequi» (seguir). Entonces, una secta sería a la vez una «sección», un «sector» separado de un conjunto más amplio, y el grupo que ha seguido a un maestro, precisamente en el origen de esa separación.

Sin embargo, la palabra está fuertemente influida por su derivado «sectario», que encierra una idea de fanatismo o al menos de intolerancia.

Podemos también aproximarnos al sentido de este término distinguiéndolo de expresiones más o menos cercanas.

— Una *orden religiosa* no es una secta. Es verdad que los fundadores de esas órdenes pudieron, al principio, aparecer como «disidentes», y hasta como una especie de «gurús». Su sensibilidad a veces desbordante, su estricta obediencia a una «regla», sus métodos de formación y casi de condicionamiento pueden darles apariencias sectarias. Pero, sean franciscanos o carmelitas, las órdenes religiosas reconocen la autoridad superior de una Iglesia por la que son reconocidas. Esta pertenencia a un grupo que las engloba las distingue de la secta que divide y se separa.

— Un *culto particular* une a los fieles en unos ritos. Y la adhesión a unos ritos distintivos es ciertamente una de las características de las sectas. Pero esto no basta para constituirlos en sectas. También en este caso la diferencia no estriba tanto en la originalidad como en la separación. La Iglesia católica romana admite en su seno una importante pluralidad de ritos [5] que conservan su lengua y su liturgia propias.

---

[5] Ejemplos: maronita, bizantino, melkita, católico-ucraniano...

— Un *partido* se parece a veces a una secta por su organización, el culto al jefe, una cierta religiosidad ideológica, un dogmatismo fanatizado y hasta una verdadera lengua litúrgica. Y, al revés, hay sectas cuyas opciones políticas parecen prevalecer sobre el discurso y las acciones religiosas. Sin embargo, la finalidad del partido político, que es la subida al poder, distingue a la secta y al partido.

— Un *clan* se parece a las sectas en la medida en que une a las familias con un antepasado común más o menos de origen divino, y en que existen sectas que coinciden con una etnia. Este es el caso en parte de los sikhs. Sin embargo, la secta apela más bien a un fundador histórico que a un patriarca, y sus adeptos se reclutan fuera de los límites de un grupo humano determinado.

— Una *herejía* nace dentro de una religión constituida destacando y aislando una parte de las verdades afirmadas por esa religión. Más gravemente, hay herejía cuando esa opinión es declarada contraria a la enseñanza tradicional. Todas las grandes religiones han tenido sus herejías (desde el arrianismo del siglo IV en el cristianismo hasta los cátaros), en la medida en que han impuesto una doctrina firme. Pero la mayor parte de las herejías son efímeras. Desaparecen, después de haber permitido incluso clarificar la fe contra la que se habían elevado. La secta es así como una herejía prolongada que hubiera logrado imponerse fuera de una religión mayoritaria e incluso contra ella. Pero muchas veces intenta ser fiel más bien a su maestro fundador que a una fe.

De este breve examen se deducen algunos rasgos distintivos, que nos orientan hacia un *esbozo de definición*.

La secta es un aspecto del fenómeno religioso, cercano a lo irracional, al profetismo y a la efusión espiritual. Es la emanación de una institución religiosa de la que surge a través de una protesta obstinada. Se separa y se opone a ella.

La secta es adhesión exaltada a una persona, al fundador venerado, cuya autoridad no puede discutirse.

De aquí se sigue que la secta tiene un carácter minoritario respecto a las grandes Iglesias. Se complace en pequeñas reuniones que ofrecen seguridad. De estos diversos caracteres se desprende cierto fanatismo, esto es, cierto apego visceral al jefe carismático y al grupo. Irracional y apasionado, se traduce frecuentemente en un comportamiento intolerante frente a las otras sociedades religiosas y en un proselitismo combativo entre los indiferentes.

*Una secta es un grupo de tendencia religiosa y filosófica, que une a sus adeptos en torno a un maestro venerado. Intenta actualmente tomar un aspecto para-científico y a menudo terapéutico. Se caracteriza igualmente por un comportamiento elitista, muy particularista y cerrado. Finalmente, manifiesta una intolerancia más o menos marcada y un proselitismo vigoroso que utiliza métodos y procedimientos propagandísticos.*

- *El fenómeno parece estar en plena expansión*

Después del libro del padre Chéry sobre *La ofensiva de las sectas,* casi no hay ningún mes en que no aparezca un artículo, un estudio o una obra sobre «las nuevas sectas» y hasta sobre «el infierno de las sectas» [6]. Actualmente, todo el mundo no sólo ha oído hablar, sino que se las ha tenido que ver con algún adepto de los «testigos de Jehová», de «Moon», de los «mormones», de los «niños de Dios» o de «Krisna».

Crece el número de sus adeptos. Según cálculos recientes, habría en el mundo unas 10.000 sectas con más de 15 millones de miembros. En Francia, el informe Vivien [7] recoge 116 oficialmente reconocidas, pero G. Picard da la cifra de 2.300. Los dos están de acuerdo en calcular el número de sus adeptos entre 100.000 y 250.000, sin contar los 500.000 simpatizantes.

Estas cifras están en plena evolución. Así, los efectivos de los «testigos de Jehová» aumentan del 15 al 20% cada año. En el espacio de 35 años se han multiplicado por 20.

En Bélgica, el número de «proclamadores» (predicadores y pioneros) ha pasado de 232 en 1940 a 20.043 en 1984, agrupados en 294 congregaciones.

Sin embargo, dejando aparte a los testigos de Jehová, las sectas y los nuevos movimientos religiosos no atraen más que a unos pocos adeptos en Bélgica [8].

Se comprende que estas transformaciones incesantes, añadiendo a ello la dificultad de dar una definición precisa de las sectas, hagan delicada su clasificación.

### c) Un intento de clasificación

Podría trazarse un *cuadro cronológico,* relativamente fácil en lo que se refiere a occidente y para el período más reciente. Tendría el interés de hacer ver una cierta coincidencia entre la aparición de las sectas y algunos caracteres generales de una época. Los siglos XII, XVI, XVIII y XIX hasta hoy parecen haber sido los grandes momentos para el nacimiento de las sectas. Corresponden a la vez a una decadencia de las grandes religiones que se alejan de sus intuiciones primeras, y a una inestabilidad cultural y política, provocada por descubrimientos y cambios importantes. Así fue el Renacimiento, y así fueron igualmente la revolución industrial y la colonización. La secta surge como una respuesta a la inseguridad.

Pero es difícil un cuadro sinóptico, aunque sólo sea debido a nuestra ignorancia en lo que concierne a las sectas hinduistas en unas épocas indefinidas. Tropieza además con ciertas diferencias profundas entre las sectas occidentales contemporáneas y las sectas africanas o islámicas de ayer o de hoy.

Una clasificación según *criterios sociológicos,* atendiendo a las categorías de adeptos, al grado de adhesión al «gurú», a los vínculos con la política, correría el riesgo de dejar escapar la originalidad de cada movimiento. Una secta es un fenómeno tan complejo que no se deja encerrar ni mucho menos en un esquema preestablecido. Una calificación de

---

[6] P. Chéry, *L'offensive des sectes.* Cerf, Paris 1961; A. Woodrow, *Les nouvelles sectes.* Ponts-Seuil, Paris 1981; G. Picard, *L'enfer des sectes.* Carrousel, Paris 1984.

[7] *Rapport Vivien* (1985) en la Documentation française.

[8] *Le Belgique et ses dieux,* 367 y 387.

apariencia científica es falsa de antemano, al estar definida subjetivamente por aquellos que bautizan como secta al grupo religioso minoritario al que no pertenecen.

Finalmente, la clasificación más simple no es quizás la peor. La secta sale siempre más o menos directamente de una de las grandes religiones. Constituye como una rama extravagante de la misma. Así, pues, será a partir de su *raíz* como intentaremos ordenar la multiplicidad de las sectas. Distinguiremos entonces las sectas de origen bíblico, las relacionadas con las religiones místicas del oriente, y finalmente las nacidas del islam.

Prescindiremos de las sectas antiguas que hoy no tienen descendientes o tienen sólo unos pocos. Y en las sectas contemporáneas sólo nos entretendremos en las que parecen tener más eco en la actualidad.

## 2. Sectas de inspiración bíblica

«Yo diría que, en cuestión de fe, el peligro para occidente no está en una progresiva marxización, sino en esas filosofías del vacío que afectan directamente a nuestra relación personal con Dios, corrompiendo a la oración misma» (R. P. Henry van Straelen, *Le Zen démystifié*).

En los primeros siglos del cristianismo aparecieron ya algunas sectas, tentadas unas veces por el sincretismo con otras religiones, privilegiando otras veces algunos aspectos del cristianismo en detrimento de otros, o queriendo más bien romper con la sociedad y realizar de antemano la venida de Cristo y de su reino. Tales fueron los gnósticos [9], los maniqueos [10], los diversos milenaristas [11]. Con el

tiempo, algunas de aquellas sectas se convirtieron en «Iglesias», perteneciendo después al Consejo ecuménico de las Iglesias [12], mientras que se siguieron formando nuevas sectas.

Se las puede agrupar en *tres tendencias principales:*

.— las orientadas hacia el fin de los tiempos, como los diversos «adventistas» del primero o del séptimo día, los testigos de Jehová, los mormones...;

— las que buscan una renovación, un despertar («reveil») de la Iglesia, basándose en un retorno, a veces literal, a la Biblia y a la oración espontánea. Así son los darbystas, los pentecostales, el Ejército de salvación y, en cierta manera, la «Asociación para la unificación del cristianismo mundial» (más conocida bajo el nombre de su fundador, Moon);

— finalmente, las sectas que desean descubrir y vivir un humanismo, más o menos de origen cristiano, pero sobre todo adaptado al mundo y a la ciencia modernas. Es el caso de la «Cienciología», de la «Meditación trascendental» o de los «Amigos del hombre».

### a) Los milenaristas

— Los *adventistas*, siguiendo a su fundador, William Miller (1782-1849), un bautista americano, esperan el retorno personal y glorioso de Jesucristo. Se fundan para ello en las profecías del libro de Daniel. Entonces se verán liberados los cristianos fieles, mientras que el cataclismo se abatirá sobre los que no creyeron en el evangelio. La Biblia fija su doctrina y sus reglas de conducta mediante un respeto escrupuloso de los diez mandamientos [13]. Su bautismo se hace por inmersión, después de proclamar su fe en el sacrificio de Jesucristo salvador. Afirman la creencia en el juicio y en la resurrección para los justos, mientras que los infieles volverán a la nada.

---

[9] El gnosticismo, nacido en el siglo I, se caracteriza por una creencia en el dualismo del mundo: el principio divino y la materia mala.

[10] El maniqueísmo fue predicado por un príncipe iraní, Mani, en el siglo III. Para él, el alma es el campo de batalla entre el Espíritu Santo y el demonio.

[11] Periódicamente, desde el siglo I, las sectas milenaristas anuncian un fin próximo del mundo, el exterminio de los malos y la salvación de un pequeño número.

[12] Tales son las Iglesias bautistas, pentecostales, apostólicas...

[13] Así, en virtud del «no matarás», se niegan al servicio militar, se abstienen del alcohol...

Los adventistas, llamados del séptimo día porque celebran el sábado, están organizados en comunidades locales agrupadas en Federaciones y en Uniones. Hay más de 4 millones de bautizados adultos en 185 países, pero solamente 35.000 en Francia, sobre todo en los territorios de ultramar. Muy activos, animan numerosos grupos de educación, de asistencia y de ayuda mutua, especialmente en el tercer mundo y con los refugiados. Publican en Francia cuatro periódicos, entre ellos: «Signe des Temps», «Vie et Santé», «Conscience et liberté».

Los primeros misioneros adventistas llegaron a España procedentes de California en 1903, abriendo una escuela en Sabadell. Actualmente cuentan con 3.500 bautizados (sólo personas mayores) y unos 2.000 comulgantes, distribuidos en 35 iglesias de varias ciudades (4 iglesias en Madrid, 3 en Zaragoza y 2 en Barcelona). Además de la divulgación religiosa de sus ideas, tienen sociedades de beneficencia y centros de formación sobre cocina sana, programas médico-sanitarios, planes para dejar de fumar, etc. En Sagunto hay un centro para estudiantes de teología.

Existen además en España otras dos asociaciones de Iglesias adventistas: la Iglesia adventista independiente (con cuatro lugares de culto y seis ministros independientes) y la Iglesia adventista del movimiento de reforma (con ocho locales y cinco ministros).

— Los *mormones* constituyen, más exactamente, la «Iglesia de Jesucristo de los santos de los últimos días», fundada por Joseph Smith en 1830 en Estados Unidos. En la colina de Cumorah, cerca de Palmyra (Estado de New York), un mensajero de Dios, Moroni, reveló a Joseph la existencia de unas placas de oro grabadas con hieroglifos. Habiéndolas descubierto, así como dos piedras que permitían descifrarlas, sacó de ellas el «libro de Mormón» [14]. Como han desaparecido las placas, no tiene esta doctrina más fundamento que el libro de Mormón, que completa la Biblia y narra cómo América se fue poblan-do a partir de Babilonia y de Palestina, con cuatro civilizaciones sucesivas, una de las cuales, la de los nefitas, habría dado origen al profeta Mormón, el autor de las placas. Después de su resurrección, Jesús habría venido a ellos para establecer allí una rama de su Iglesia.

La doctrina de los mormones se basa entonces a la vez en las Escrituras y en la revelación profética de Mormón. La salvación viene de la obediencia a la voluntad divina; la finalidad de todo mormón es contribuir con la pureza de su vida a la llegada del reino de Dios. Durante mucho tiempo, los mormones han sido conocidos sobre todo por su práctica de la poligamia, a ejemplo de David y Salomón. La abandonaron en 1890. No conservan de ello más que la exigencia de tener una familia numerosa en torno a una madre semejante a la «mujer fuerte» de la Biblia. Se caracterizan además por la creencia en los dones y manifestaciones del Espíritu Santo y en la posibilidad de un bautismo retroactivo para los difuntos [15].

Instalados en Salt Lake City, capital de su Estado (Utah) creada después de 1847, los mormones son gobernados por un presidente-profeta, asistido por dos consejeros y doce apóstoles. Todo mormón tiene la obligación de evangelizar, y por eso muchos parten en misión al extranjero durante varios años en su juventud. Según el modelo de Aarón y de Melquisedec, el sacerdocio se les atribuye en dos etapas, a los 12 y a los 18 años.

Con el pago del 10% de sus ingresos, han hecho una Iglesia mormona rica, que posee empresas, terrenos, inmuebles, compañías de seguros, estaciones de radio y televisión...

Los mormones cuentan actualmente con más de 5 millones y medio de adeptos, de ellos las tres quintas partes en Estados Unidos, en torno a 10.000 parroquias distribuidas por todos los continentes. En Francia son unos 15.000 y publican mensualmente «L'Etoile»; en Bélgica son unos 3.000.

---

[14] Las placas se descubrieron el 27 de septiembre de 1827 y la traducción se acabó en mayo de 1838; pero el mensajero recogió las placas.

[15] Por esta razón, los mormones se interesan enormemente en las investigaciones genealógicas. Actualmente han almacenado, en túneles bien preparados para ello en un cañón de Utah, microfilmes con los datos de 14.000 millones de individuos.

Su autorización oficial en España data de 1969, aunque la primera capilla no se abrió hasta el año 1977 en Madrid. Cuentan con unos 7.000 adeptos, distribuidos en varias ciudades, especialmente en Madrid, donde hay siete capillas y otras tantas ramas; hay otro medio centenar de capillas dispersas por otras ciudades, especialmente donde hay colonias de origen norteamericano.

– Los *testigos de Jehová* son sin duda una de las sectas más conocidas. Llamados primero «estudiantes de la Biblia», adoptaron su nombre actual a partir del año 1931.

Fueron fundados por el joven presbiteriano [16] Charles-Taze Russell (1852-1916) en Estados Unidos, el año 1881. El siglo XIX americano fue fértil en nacimiento de sectas. Ferviente lector de la Biblia y ardoroso propagandista de su estudio, Russell adquirió la convicción de que el próximo retorno de Cristo pondría fin al reinado del mal e inauguraría por mil años el gobierno de Dios. Este paraíso en la tierra para todos los que aceptan la soberanía divina tenía que llegar el año 1914. Pasado este año, Russell reinterpretó sus profecías, y su sucesor Joseph-Franklin Rutherford (1869-1942) lo señaló para el año 1925, aunque dándole a esta realeza de Cristo un sentido invisible y espiritual [17].

De una *interpretación literal de la Biblia*, y especialmente del Apocalipsis de san Juan, es de donde los testigos de Jehová sacan lo esencial de su fe. Creen en un Dios único, Jehová, cuya fuerza es el Espíritu Santo. –La Trinidad es una invención diabólica–. Jehová creó al arcángel Miguel, hijo de Dios, y luego en seis días de 7.000 años cada uno creó al mundo, a Adán, a Eva y a los animales. –Por tanto, las teorías de la evolución son errores, lo mismo que la divinidad de Jesús–. Jesús es un hombre nacido (el 1 de octubre del año 2 a. C.) del arcángel Miguel en el seno de María. Convertido en Cristo (mesías) el día de su bautismo, fue durante tres años y medio testigo de Jehová. Su sacrificio a Jehová lo convierte en una criatura espiritual. El 1 de octubre de 1914 inauguró en el cielo el reino nuevo y gobierna en la tierra por medio de los testigos de Jehová.

*El último milenio del día séptimo* –que no puede tardar– comenzará por la batalla de Harmaguedón, en la que Jesús derribará a los demonios y a los «reyes de la tierra», gobiernos e iglesias. Entonces comenzará el reino terreno milenario de Cristo para «la gran multitud de las otras ovejas». El «pequeño rebaño» de los 144.000 salvados que Cristo comenzó a reunir desde octubre de 1874 reinará con él en el cielo. Pero los hombres, lo mismo que los animales, no tienen un alma inmortal. Su alma es su sangre. Por eso, según la orden dada por Dios a Noé, los testigos no derraman la sangre, rechazan el aborto y la transfusión, se abstienen de comer morcilla y carne no sangrada.

Su *moral rigurosa* rechaza toda idolatría: la del dinero como la del sexo, la del ejército como la de las iglesias. Esto les lleva a rechazar las imágenes religiosas, el servicio militar y el saludo a la bandera, y desde luego el culto a los santos y las fiestas de aniversario (navidad o pascua). No usan tabaco ni droga, y beben con moderación.

Fuera del bautismo de adultos, signo de la consagración al reino, la única conmemoración colectiva es una especie de cena, una vez al año, pero donde sólo los 144.000 salvados pueden comulgar. Los testigos rezan en privado y sobre todo predican para reunir a otros creyentes decididos a escaparse de la catástrofe de Harmaguedón.

Con el estudio (fundamentalista) de la Biblia, la predicación (que otros llamarán «propaganda») es una de las características de los testigos de Jehová. Las otras dos son: el anuncio del fin del mundo y una *sólida organización*, que se la deben a sus fundadores: Russell creó la «sociedad de la Torre Vigía de Sión»; su sucesor, el jurista Rutherford, y sobre todo Nathan Homer Knorr, nacido en 1905 y que está al frente de la sociedad desde 1942, la desarrollaron considerablemente.

La sede central de la organización, muy jerarquizada, sobre un modelo teocrático, está en Brooklyn. Un colegio central de siete miembros, elegidos

---

[16] Los presbiterianos constituyen una rama del calvinismo, organizado de manera distinta.

[17] En octubre de 1975 habría que situar el 6.000 aniversario de la creación de Adán.

por los «ungidos» [18], está dirigido por un presidente. Hay una filial en cada país, dividida a su vez en circunscripciones y distritos. Cada filial y circunscripción es visitada regularmente por un inspector responsable. En la base se encuentran las congregaciones, especie de parroquias que se reúnen en el «salón del reino» bajo la dirección de un colegio de ancianos.

La predicación, llamada «ministerio del campo», es asegurada por unos «proclamadores» que le dedican al menos dos horas al mes, y por «pioneros» temporales o especiales que dedican 1.200 horas anualmente a esta tarea. Van acompañados de un mayor, llamado «vigilante del servicio del campo». Actualmente, los testigos de Jehová cuentan con casi 3.000.000 de personal activo en 205 países. Gracias a la generosidad y a la abnegación de los fieles, disponen de importantes recursos financieros, que les permiten la creación de lugares de reunión y la publicación y difusión de 385 millones de Biblias, libros y folletos diversos. En Francia, donde hay 1.230 congregaciones y 85.000 testigos, los más difundidos son «La Tour de Garde» y «Réveillez-vous». En Bélgica se contaban, el año 1984, 294 congregaciones con 20.043 testigos.

Su presencia ya es antigua en España. En 1925, Rutherford pronunció una conferencia en Madrid ante unas 1.200 personas, dando impulso a la organización de los testigos de Jehová en España. Son conocidas sus asambleas multitudinarias en varias ciudades, donde se han abierto varios «salones del reino»: en 1978 se reunieron 57.000 testigos de Jehová en Barcelona, donde hicieron 1.356 bautizos; en 1981 celebraron su asamblea nacional en Madrid, con unos 60.000 afiliados. El anuario de aquel año presentaba las siguientes cifras: 43.276 proclamadores o propagandistas oficiales, con 7.849.368 horas dedicadas a trabajos de propaganda; los bautizados en 1980 fueron 2.926; sus 700 congregaciones abarcan la práctica totalidad del te-

rritorio nacional. El número total de adeptos se calcula en unos 120.000.

### b) Los renovadores

Los primeros movimientos de «despertar» se formaron en el protestantismo con los bautistas y mennonitas [19], los metodistas [20], los pentecostales [21], los darbystas [22] y los antonistas [23]. Hoy, entre otros muchos, señalaremos en esta corriente

---

[18] Por el testimonio del Espíritu, uno sabe que ha sido «ungido», es decir, que es miembro de Cristo. Al principio, todos eran conscientes de serlo, pero su proporción disminuye a medida que crece el número de adeptos. En 1973 había 10.523 «ungidos» entre 1.758.429 «testigos» activos.

---

[19] *Bautistas y mennonitas:* Iglesias salidas de la Reforma y que deben su nombre a *Menno Simonis* (1495-1560) y al hecho de que no bautizan más que a adultos confesantes (convencidos).

[20] *Metodistas:* Iglesia nacida de la predicación de John y Charles Wesley (1707-1788). Niega la predestinación y predica la posibilidad de la santidad por una devoción metódica.

[21] *Pentecostales:* Iglesia nacida en Estados Unidos (1906) entre los bautistas. Destaca los dones del Espíritu y no tiene jerarquía. Cada Iglesia local es independiente.

[22] *Darbystas:* pertenecen al movimiento llamado del «réveil» (despertar), renovado por J. M. Darby (1800-1882). Se inspira rigurosamente en las Escrituras. Sin clero.

[23] «El *Antonismo,* o culto antonista, es sin duda la única secta de origen belga cuya notoriedad y éxito ha desbordado ampliamente nuestras fronteras, especialmente en Francia. Su fundador es Antoine Louis (1846-1912), obrero metalúrgico de Lieja, que abandonó el catolicismo a los 42 años para interesarse por las asociaciones espiritistas, entonces florecientes. Habiendo descubierto sus dotes de curandero, que explotó sin exigir paga alguna, transformó su casa en despacho de consulta donde recibía cada día 50 ó 60 personas en 1900 y de 500 a 1.200 en 1910. Los medios utilizados eran ante todo la oración, la imposición de manos, el licor Koene, el papel y la tela magnetizados, etc. Tras un proceso por ejercicio ilegal de la medicina, abandonó sus prácticas para conservar sólo la oración y la imposición de manos.

... El culto se instituyó oficialmente en 1910 con la consagración del primer templo en Jemeppe-sur-Meuse. Al «desencarnarse» el Padre, el culto fue dirigido por la Madre, su esposa, hasta que murió en 1940. Esta fecha marca el ocaso del Antonismo, acentuado por una guerra de sucesión entre el sobrino de Antoine, el padre Dor, y su oponente.

El Antonismo tuvo un gran éxito a comienzos de siglo: unos 150.000 adeptos, entre ellos 50.000 en Francia, según Woodrow. Se implantó especialmente en los ambientes obreros de Lieja y en algunas aldeas francesas... Hoy habría 31 templos en Bélgica, 28 en Francia y unas 150 salas de lectura (a menudo casas particulares) donde se procede sólo a la lectura de la Enseñanza» (*La Belgique et ses dieux,* 360-361).

dos grupos que no merecen ser clasificados entre las sectas más que con la condición de quitarles todo el carácter peyorativo que pudiera dársele a esta palabra: los cuákeros y el Ejército de Salvación.

– Los *cuáqueros* deben su nombre al mote que le pusieron a su fundador George Fox y a sus primeros compañeros. El nombre significa «tembloroso», porque invitaban a sus oyentes a «temblar» ante Dios. De hecho, el joven zapatero inglés estaba indignado sobre todo contra el dogmatismo, el formalismo y el conformismo de la Iglesia anglicana. Meditando en la vida de Jesucristo, quedó impresionado por la fuerza vibrante del Espíritu, fuente de libertad. Ser cristiano es obedecer a Dios más que a los hombres y a quienes pretenden representarlo. Los cuáqueros sólo tiemblan ante Dios.

En 1652, George Fox fundó la «Sociedad de amigos», verdadera denominación del movimiento cuáquero. Los «amigos», largo tiempo perseguidos, se instalaron en Nueva Inglaterra hacia el año 1680, siguiendo a uno de ellos, William Penn. Aquel territorio, que habría de ser el reino de la justicia evangélica, tomó el nombre de Pensilvania. Fue entonces cuando se establecieron la doctrina y las prácticas de los cuáqueros.

El Espíritu es el que ilumina a todo hombre con su «luz interior». Es él el que hace fructificar la semilla divina depositada en cada uno y le da la fuerza de obedecer a Cristo. Por tanto, no hay necesidad ni de clero, ni de iglesia, ni de sacramentos. Basta una libre asociación de amigos, y la meditación en silencio.

Los cuáqueros se esfuerzan en conformar su vida con los principios evangélicos: fraternidad, reconciliación, justicia y paz. Han hecho del pacifismo una exigencia. Por mucho tiempo, Pensilvania fue conocida como «un país sin ejército». Los cuáqueros están presentes en cualquier parte donde haya que socorrer a las víctimas de la guerra o de otros azotes. Sus organizaciones de ayuda, de filantropía y de educación son conocidas en todas partes.

En el plano personal, su moral intransigente se manifiesta en una gran austeridad. Son puritanos auténticos, que irradian por su actividad y sus «buenas obras».

Su Comité mundial consultivo tiene su sede en Londres. Son unos 200.000 en todo el mundo, la mitad de ellos en Estados Unidos y unos 20.000 en Gran Bretaña.

– *El Ejército de salvación* se llamó «Misión cristiana» hasta 1878. Había sido fundada con este nombre en 1865 por un pastor metodista, William Booth (1829-1912).

Quiere ser al mismo tiempo un hogar espiritual para sus miembros, un instrumento de evangelización y un organismo de ayuda social. La caridad vivida en el servicio de los pobres es a la vez el fruto de la fe y el medio de dar testimonio del mensaje evangélico.

Debe su nombre a su organización casi militar, orientada a la eficacia. Está dirigida por un «general» elegido por un alto consejo. Tiene a sus órdenes varios comisarios generales, oficiales y militantes, que pueden reconocerse por su uniforme. La música y los salmos forman parte de la misión.

El Ejército de salvación cuenta actualmente con 2.500.000 militantes en unos 85 países. En Francia hay unas 2.000 personas, oficiales y miembros que pertenecen a este ejército para la salvación de las almas a través de la asistencia a los cuerpos.

– La *AUCM o Moon*: La «Asociación para la Unificación del Cristianismo Mundial», título oficial de la secta Moon, pretende aportar a los hombres de nuestro tiempo una «nueva esperanza» prometiéndoles, gracias al mensajero de Dios, Sun Myung Moon, «el reino de los cielos en la tierra» que Jesús no logró establecer. En este sentido, la AUCM semeja una secta milenarista, orientada hacia una «segunda venida». Pero, como veremos, es algo muy distinto.

*Religiosamente*, la doctrina de la AUCM está contenida en *Los principios divinos* que, según se dice, Sun Myung Moon habría meditado y madurado en las cárceles de Corea del Norte entre 1948 y 1950. Este libro, más bien repelente, pretende conjugar lo esencial de las principales religiones del mundo, tanto del budismo como del cristianismo mundial. Se inspira en los profetas del Antiguo Testamento, en el Génesis, pero igualmente en Lutero y en los puritanos de América. Todo ello se interpreta en torno a cuatro grandes ejes: el milenarismo, un mesianismo coreano, un espíritu de reforma y un cierto maniqueísmo.

Para Moon, en este final del segundo milenio [24], entramos en la «edad providencial para la etapa de perfección de la resurrección», la edad en que habrá de manifestarse el «Señor de la segunda venida». Es el tiempo de la «plenitud», en el que «todas las confesiones se unirán» gracias al «mensajero de Dios»: Sun Myung Moon.

Este mesías coreano viene a cumplir y a superar lo que Jesús no pudo alcanzar. —Este mesianismo se inscribe en una tradición coreana en la que, en los últimos cien años, han aparecido nada menos que 250 mesías—. La gran idea de Moon es el fracaso de Jesús. Su muerte le impidió realizar la salvación total de la humanidad, espiritual pero también corporalmente, en la tierra. Esta idea procede de una lectura muy particular de la Biblia y de la historia. Para Moon, la creación tenía que desarrollarse en la pareja de Adán y Eva, hijo e hija de Dios. Pero la envidia de Satanás los llevó a unirse sexualmente antes del tiempo fijado por Dios. Entonces se convirtieron en hijos de Satanás. Para redimirlos, Dios no dejó de enviarles mensajeros, desde Noé hasta Juan bautista, pasando por Abrahán y Moisés. Vino luego Jesús, hombre perfecto, Hijo de Dios, pero no Dios. Rechazado por sus hermanos en Israel, abandonado, murió como un réprobo en la cruz, sin poder casarse con una nueva Eva. No pudo, por consiguiente, engendrar la posteridad perfecta de los «hijos ligados al bien», sino sólo una descendencia espiritual.

Por eso Dios suscitará a un tercer Adán, el Señor de la segunda venida. Vendrá en medio de un nuevo Israel escogido por su virtud, el pueblo coreano. También él criticado, perseguido como Jesús, destruirá el mal y creará con su esposa Eva la pareja perfecta, que celebrará las «bodas del Cordero». Con los favoritos de Dios, los americanos, arrastrados por este nuevo mesías, los «pioneros de la Edad Nueva» vencerán a Satanás y establecerán el reino de Dios en la tierra. Como es fácil de adivinar, este nuevo mesías no puede ser más que Sun Myung Moon.

Toda esta historia está construida sobre una *visión binaria y maniquea* del mundo. Por una parte, está el hombre-sujeto y la mujer-objeto, el hombre que «da el amor» y la mujer que «ofrece en cambio la belleza». De ahí la importancia central de la pareja, que tiene su modelo en el matrimonio de Moon con Han Hak ja [25], como símbolo de la unificación de las religiones. Más profundamente, el mundo está dividido entre Caín y Abel, entre Dios y Satanás, entre los hijos malditos de la concupiscencia y los benditos de Dios. Entre ellos es constante la lucha, como atestiguan las cruzadas. Y la victoria final del bien no se obtendrá hasta después de «tres grandes guerras mundiales..., para que la humanidad pueda superar tres veces a nivel mundial las tres tentaciones de Jesús» [26]. El vencedor será un nuevo Abel: Moon. Y el adversario en nuestro tiempo, el nuevo Caín, enemigo de Dios, se designa con claridad: el comunismo ateo. El campo de batalla es Corea, «línea del frente entre Dios y Satanás». Fácilmente se ven las implicaciones políticas del moonismo.

*Políticamente*, la finalidad de Moon es aplastar el comunismo, la «plaga mayor de nuestro tiempo», presente en todos los continentes y hasta en las Iglesias. Para esta tarea esencial, la AUCM ha creado y preparado algunos organismos eficaces. El más importante es el internacional «Causa», fundado en 1980 en New York y confiado al coronel coreano Bo hi Pak. Con sus conferencias, sus publicaciones, sus amistades, los encuentros que organiza, Causa influye en las elecciones sosteniendo candidaturas como la del presidente Reagan, actúa sobre el personal político de diferentes Estados, financia y prepara golpes de Estado anticomunistas como el del general García Meza en Bolivia (1980), sostiene a las

---

[24] Según la lectura literal de la Biblia por Moon, habría habido 2.000 años de Adán a Abrahán, 2.000 de Abrahán a Jesús, y por tanto otros 2.000 de Jesús al fin del mundo.

[25] Casado varias veces, en 1960 Moon se casó con esta joven de 18 años, de la que tiene 13 hijos.

[26] Como ya ha habido dos grandes guerras mundiales, Moon predica y reclama la «tercera guerra mundial» contra el mundo soviético, el mal, tesis bien vista por el presidente Reagan, que sostiene activamente a Moon.

guerrillas como la de los «contras» antisandinistas... Así, Causa defendió a Nixon cuando el Watergate, apoyó a la derecha americana en su cruzada moralizante... El secretario general de Causa en Francia es Pierre Ceyrac, recientemente elegido en el Frente nacional, con Michel de Rostolan [27]. Pero entre los participantes en las reuniones animadas por Causa o sus filiales encontramos a Jacques Soustelle, a Georges Suffert, a J.-F. Revel, a Alain Griotteray, a Claude Delmas, a Jacinthe Santoni, a Philippe Malaud... [28]. Los grandes favoritos de Causa son el general Stroessner, «hombre especialmente elegido por Dios para dirigir a su país», el general Ríos Montt de Guatemala, o Alvarez de Honduras...

Otros organismos, con denominaciones más o menos explícitas, están encargados de favorecer y difundir la buena palabra anticomunista en los ambientes influyentes. Está el ICUS (Movimiento para la unidad de las ciencias), destinado a los científicos; el CARP (Movimiento estudiantil para los principios divinos), para los estudiantes, cuya sección francesa es el Movimiento para los valores absolutos (MURVA). Está la «Fundación mundial de socorro y amistad», para los ambientes médicos; el «Consejo Internacional de seguridad», para los militares; el «Projet Volunteer», reservado a la ayuda mutua; la «Conferencia mundial de los medios de comunicación», para los periodistas y hombres de los medios de comunicación social. Todo ello depende más o menos de una amplia «Federación internacional para la victoria contra el comunismo» [29]... Esta inmensa empresa política se apoya en un gigantesco imperio económico.

*Económicamente*, Moon es una gran internacional que, con 700 millones de dólares de beneficios anuales, supera al Unilever, a ITT o a la Chrysler. Su mayor negocio está constituido por el monopolio mundial del condicionamiento y de la comercialización del ginseng, una raíz de virtudes al parecer tonificantes. En Francia, están los laboratorios farmacéuticos astutamente bautizados «Alpha et Omega», pero también los relojes y las joyas Christian Bernard. En Corea, Moon es fabricante de armas gracias a la sociedad Tong Il, y produce dióxido de titanio. En Uruguay posee el tercer Banco del país, el mayor hotel, una fábrica de embalaje de carne y amplias propiedades agrícolas. En Estados Unidos, Moon se ha hecho banquero con el Diplomat National Bank, pesquero con una empresa de construcción naval, dos grandes firmas de condicionamiento, congelación y expedición, y hotelero con la compra del *New-Yorker*... [30].

Pero es sobre todo en el terreno de la información donde sus dominios no tienen nada que envidiar a los de Springer o d'Hersant [31]. En Uruguay posee el segundo diario nacional «Ultimas Noticias». Su imprenta «Impresora Polo» edita el 70% de las publicaciones y el 15% de los libros uruguayos. Es obra suya «El Soldado», mensual del centro de estudios militares. Muy moderno, participa en varias cadenas de radio, entre ellas Radio Cristal. En Estados Unidos, el brazo derecho del reverendo Moon, M. Julian Safi, ha adquirido el «Washington Times» y ha transformado el «News World» en «New York Tribune», que rivaliza con el liberal «New York Times». Un bimensual «International Report», una cadena de televisión por cable, y sobre todo una agencia de prensa «Free Press International» completan la panoplia de medios del reverendo magnate. Por otra parte, su influencia supera a la de los periódicos que controla. Porque muchas publicaciones y periodistas simpatizantes,

---

[27] Causa: Confederación de asociaciones para la unificación de las sociedades de América. Pierre Ceyrac es delegado ejecutivo en Europa de «Causa» y trabaja también en la «Fundación mundial de socorro y amistad». M. de Rostolan, veterano de Orden Nuevo, ha organizado con P. Malaud (CNIP) la manifestación «SOS derechos del hombre» contra Gorbachov, con el «apoyo logístico» de «Causa». Estos datos y otros muchos se publican sobre todo en un dossier de «Actuel» (13 marzo 1985).

[28] J. Soustelle escribió el 22.11.1984 al presidente Reagan en favor de Moon, que estaba en la cárcel. Jean Marcilly, amigo personal de Le Pen, ha escrito *Le Pen sans bandeau*.

[29] Moon tiene incluso *troupes* de artistas: Little Angels, Korean Folk Ballet, New Hope Singer.

[30] En Francia han adquirido el «Trianon-Palace», para instalar allí un Instituto dependiente de «Causa», el embajador de Colombia José Chávez y su hermano el barón de Kerg.

[31] En 1984, el «Canard enchaîné» denunció los vínculos entre el grupo Hersant y Moon. Lo cierto es que «Le Figaro-Magazine» es presentado por «Causa» como el periódico más «verdadero» de la prensa francesa.

en América latina, pero también en Europa, recogen los artículos «made in Ultimas Noticias» o «International Report».

Una sólida organización muy fuertemente jerarquizada controla este prodigioso conjunto político-religioso. Al frente de ella está la pareja Moon en Barrytown (Estado de New York). Cada uno de los 120 países en donde está implantado Moon tiene un responsable. El de Francia era H. Blanchard, que se convirtió luego en director para Europa. Igualmente, cada asociación o empresa patrocinada por la AUCM está dirigida por un hombre de confianza del amo.

En la base, los fieles, reclutados con discernimiento, habilidad y tenacidad, son formados en el servicio ciego a Moon y a su proyecto de regeneración del mundo. Todos los domingos, las comunidades renuevan su juramento al «Padre perfecto»: «¡Oh, Señor! Te juramos fidelidad hasta la muerte. Te damos nuestra sangre, nuestro sudor, nuestro bien pasado, presente y futuro».

Como la pareja es la célula fundamental de la «teología» moonista, Moon tiene mucho empeño en constituir esas parejas. Es él el que elige a los cónyuges y preside gigantescas ceremonias de matrimonios colectivos.

La AUCM cuenta hoy con más de 2 millones de adeptos en todo el mundo, la mayoría en Corea, en Japón y en Estados Unidos. Tuvo más dificultades para implantarse en Francia, donde no habría más que 1.200 miembros. Pero apunta ahora a la «cabeza», penetrando en los ambientes influyentes.

¿Secta de renovación religiosa de tendencia política, o «movimiento esencialmente político con una fachada religiosa»? Tal es la cuestión que plantea la existencia de Moon.

No están reconocidos legalmente en España, pero los «moonis» empiezan a montar una fuerte infraestructura. Recientemente se han publicado varios artículos en diarios y revistas y se han emitido programas radiofónicos simpatizantes del movimiento. Su número, sin embargo, no pasa del centenar y actúan en Madrid, Valencia y Sevilla.

– La Nueva Acrópolis, bajo apariencias culturales, es claramente política. Está en el eje entre las sectas renovadoras y las sectas que hemos llamado «modernistas» o «humanistas».

Fue *fundada* por el argentino Jorge Angel Livraga en 1957. Se introdujo en Francia con Fernand Schwarz en 1973, en Lyon y luego en París.

Oficialmente, su *objetivo* es «promover la conciencia de la fraternidad humana», y «explorar los poderes latentes en el hombre y las leyes desconocidas de la naturaleza».

Más discretamente, en su *Manual del militante*, la Nueva Acrópolis rechaza el «mito de la democracia, antinatural, inoperante y caótica». Se trata de establecer un «gobierno aristocrático y totalitario», una «estructura que hay que crear, que se alimente de hombres y transforme a los más aptos en su gran cuerpo y su gran alma, haciéndolos superhombres. Los ineptos tendrán que quedarse atrás».

En función de este objetivo, la *organización* está fuertemente jerarquizada y es incluso de tipo paramilitar, con brigadas de trabajo, brigadas femeninas, cuerpos de seguridad, un guardasellos, instructores... Trabajan cantando en medio de una tenue bruma, saludan a un águila bajo el sol: todo esto recuerda al fascismo.

Nueva Acrópolis organiza conferencias, cursos, viajes con pretensiones culturales, históricas y filosóficas. Es la fachada que puede llevar a una militancia neo-fascista.

– *Iglesia de Cristo, ciencista (Christian Science):* fundada por una mujer, en seguimiento de su tercer esposo (Eddy), Mary Baker Eddy (1821-1910). Apareció en Estados Unidos en 1879. Se implantó en Francia en 1898.

Su *doctrina* está contenida en el libro de Eddy titulado *Ciencia y salud, con la clave de las Escrituras*. Relaciona a la salud con la fe. Dios es el principio de toda existencia. El mal no viene de él. La enfermedad y la muerte son manifestaciones del pecado.

La *Iglesia-madre* está en Boston, administrada por un consejo de cinco directores vitalicios elegidos. No tiene sacerdotes. Los servicios dominicales están animados por lectores elegidos.

El órgano de unión es el diario «The Christian Science Monitor» (unos 200.000 ejemplares).

La «Christian Science» contaría con unos 1.500.000 miembros; de ellos, un millar en Francia.

### c) Los «modernistas»

Estas sectas son ante todo modernistas por su fecha de nacimiento, en plena mitad del siglo XX. Y lo son además porque se inspiran menos en un vago sincretismo religioso y filosófico que en pretensiones pseudo-científicas. Tienen, finalmente, la ambición de curar al hombre y al mundo de los males que padece.

– Los Amigos del hombre fueron fundados en Suiza, en 1916, por Alexandre Freytag (1870-1947). Cuando murió, en Francia, tomó su relevo Bernard Sayerce con Lydie Sartre. Esta última, llamada «la querida mamá», creó en Burdeos «el servicio social de los Amigos del hombre»; su hijo espiritual es Joseph Neyrand.

La doctrina de los «Amigos del hombre» no es más que una asunción en serio del cristianismo. La práctica del evangelio debería cambiar el carácter de los hombres, modificar su comportamiento, y así transformar el mundo. De esta verdad elemental, los «Amigos del hombre» han sacado una especie de ruralismo evangélico que algunos han intentado vivir, por ejemplo en la aldea de Frespech (Lot-et-Garonne). Hoy se orientan hacia la ayuda al tercer mundo.

La sede mundial de los «Amigos del hombre» está en Cartigny, en el cantón de Ginebra. Las principales «estaciones» se encuentran en Suiza, en Francia, en Alemania y en Bélgica. En Francia hay dos publicaciones que difunden las ideas del movimiento: «Le Moniteur du règne de la Justice» y el semanario «Journal pour tous».

– La Cienciología es el nombre común de la Iglesia de la nueva comprensión. Fue creada en 1950 en Estados Unidos por M. Lafayette Ron Hubbard, ingeniero y autor de ciencia-ficción. A finales de los años 60 se implantó en Francia, donde M. Ron Hubbard fue condenado por estafa en 1978 y desapareció después de 1981 [32].

La Iglesia de la cienciología quiere ser «una filosofía religiosa aplicada». Su objetivo oficial es la liberación del hombre gracias a las técnicas cienciológicas y la adquisición de poderes casi ilimitados. Al final, los problemas del mundo se resolverán, y se conocerán la paz y la felicidad. Todo esto se explica en un lenguaje codificado por el «diccionario Hubbard». Mediante la «dianética», el «auditing» (confesión) y costosas «sesiones de clarificación» [33], los adeptos se van liberando progresivamente de sus «engrammas» (traumatismos psicológicos contraídos en esta vida o en una vida anterior). Se hacen «claros» y luego «tétanos operacionales», es decir, capaces de hacer que reine esta claridad en la tierra para el bien de todos.

La Iglesia de la cienciología está organizada de una forma muy jerarquizada y disciplinada. Reclutados por medio de debates, de cuestionarios, de lecturas, de cursos, los adeptos pueden hacerse a su vez dignatarios (SEA-ORG), gracias por ejemplo a un crucero en el «Apollo». Después de 1982, la Cienciología ha sido adquirida y reorganizada por David Miscavige, que la ha hecho registrar con el nombre de Religious Technology Center (RTC).

Desde sus dos centros más importantes, en Clearwater (Florida) y en Copenhague para Europa y Africa, el RTC apadrina o controla numerosas asociaciones y organizaciones tales como: la comisión de ciudadanos para los derechos del hombre; la Game (grupo para mejorar los métodos de enseñanza); la liga por una justicia honesta; la asociación para el respeto de las libertades espirituales; Narconón para los toxicómanos; Soutien para un medio ambiente sano... Todo esto, venta de libros, cursos, contratos de liberación, hacen de la Iglesia de la cienciología un buen negocio; tan sólo en Florida recoge 2 millones de dólares por semana [34].

---

[32] En 1976, el lionés Roger Gonnet introdujo RTC en Francia, pero abandonó el Centro en 1984.

[33] Un libro del reverendo Hubbard cuesta entre 400 y 500 F. (unas 9.000 pts.). En 1952, los derechos de autor habrían subido a 150 millones de dólares. Un joven ingeniero informático, Gérard Mirault, muerto en diciembre de 1984, habría dado 50 millones a la secta. Una sesión o un curso llegan a suponer de 35 a 133.450 francos.

[34] Ron Hubbard fue condenado a 4 años de cárcel por la 11.ª cámara correccional de París, por estafa (cf. «Nouvel Observateur», 15 mayo 1987).

La Iglesia dice contar con 6 millones de adeptos en 32 países, 130 iglesias, 175 misiones y 230 grupos de dianética. Sus cursos, sus revistas («Arc», «The Auditor», «Justice et Liberté») llegan a un público numeroso; pero sus efectivos estarían bajando y se calcula su número en 150.000 para Francia. En Bélgica, "a finales de los años 60 y comienzos del 70, en el momento en que las religiones cristianas perdían muchos adeptos, la cienciología conoció una fuerte expansión, especialmente a partir de 1970. La fundación de una misión en Bruselas data de 1973; hubo también centros temporales en Brujas, Gante y Amberes. Desde 1981, la misión de Bruselas se convirtió en la «Iglesia de la cienciología de Bélgica», que depende del cuartel general regional fijado en Dinamarca. La Iglesia belga tuvo mucho éxito entre 1978 y 1982, ya que hubo de atender a seis o siete veces más peticiones. La situación se estabilizó desde entonces. En 1983, la Iglesia ocupaba a unos 30 colaboradores, pero este número se redujo a 12 en 1984, debido a los resultados financieros de la Iglesia. A finales de 1984, se dice que en Bélgica había un millar de miembros «pre-claros» en camino a hacerse «claros», que unos cincuenta habían alcanzado el estado «claro» y que el fichero completo contaba con 6.000 ó 7.000 direcciones" (*La Belgique et ses dieux*, 315).

Con la implantación de las bases americanas, se instalaron en España numerosos miembros que, por amistad o por atracción hacia las ideas de curación, captaron a algunos españoles. En 1969, la Iglesia de Cristo Científico quedó inscrita en el Registro de asociaciones religiosas; fueron sobre todo los cubanos quienes la propagaron entonces. Actualmente hay iglesias filiales en Madrid, Palma de Mallorca, Barcelona y Fuengirola.

– La *Meditación trascendental* (MT) se hizo célebre desde que se adhirió a ella el grupo de los «Beatles». Fundada en la India en 1958, esta asociación se difundió por Europa y Estados Unidos desde 1960. Su creador era el yogi Maharishi Mehesh, que intentaba propagar los métodos hinduistas racionalizándolos y laicizándolos.

En efecto, la MT se presenta como una técnica neutra, sin referencias religiosas o políticas. Pretende ser «ciencia de la inteligencia creadora», que intenta incrementar las capacidades intelectuales y espirituales de sus alumnos a fin de establecer en la tierra «un gobierno mundial de la era de la iluminación». Para obtener este resultado, MT propone ejercicios diarios de relajación, la repetición mental de un «mantra», que permitan acceder por el silencio interior a la «conciencia pura» o «samadhi». El ser profundo que se ha alcanzado de este modo libera de la ansiedad, desarrolla la personalidad y la creatividad; puede conducir incluso a poderes supranormales, como la invencibilidad, la invisibilidad o la levitación. Tal es el «efecto Mashari». Bastaría con que el 1% de la población mundial se beneficiara de ello para que quedara eliminada toda violencia.

En esta perspectiva, el «gurú» ha previsto ya los futuros ministerios de su gobierno mundial: «ministerio de la integridad cultural», «ministerio de la salud y de la inmortalidad», «ministerio de todas las posibilidades»... Entretanto, la Universidad internacional Maharishi (MIU), en los Estados Unidos, forma maestros y da licenciados y doctorados. En Suiza, en Francia, en Tailandia, hay otras asociaciones dependientes de MT que dan, con matrículas caras [35], lecciones de «mantra» y sesiones de formación. Las más conocidas son: el Instituto MERU; la Asociación universitaria de meditantes; la Asociación educación y conciencia para padres y educadores; la Asociación para la promoción de una salud perfecta. Hay incluso una «Asociación de formación para la ciencia de la inteligencia creativa» que se beneficia del 1% patronal a título de formación permanente (!).

Finalmente, MT publica una revista: «Gouvernement mondial». Cuenta con un millón de adeptos en el mundo, de ellos 20.000 en Francia. Con sus 76 años, el Maharishi Mahesh Yogi vive confortablemente en Seelisberg Suiza, sede internacional de la secta [36].

Se dan habitualmente cursos sobre Meditación trascendental en varias ciudades españolas; la sede

---

[35] 50.000 francos el curso superior.

[36] MT tendría 1.600 centros, 16.000 profesores y 3 millones de meditantes, de los que 32.000 están en Francia.

central de Madrid da clases semanales y esporádicamente hay conferencias y cursos en otros lugares.

## 3. Sectas orientales

¿Habrá que clasificar entre las sectas a una filosofía como el «taoísmo», a una forma de budismo como el «zen», a una orden como la de los «sikhs», a un particularismo religioso como el del «jainismo», a una doctrina como el «confucianismo»? Ciertamente que no, dada su antigüedad y la sólida permanencia de su implantación, que caracteriza a regiones y naciones enteras. Aquí hablaremos tan sólo de sus derivados o de sus desviaciones recientes.

Nos parecen de especial importancia dos o tres de ellas: Hare Krisna, Gurú Maharaj ji, Ramakrisna Mission y, algo aparte, Nichiren Shoshu.

– *Hare Krisna* se llama también «Asociación para la conciencia de Krisna». Fue fundada en 1966 por Bhaktivedanta Swami Prabhupada, fallecido en 1977. Partió de los vedas y de la tradición hinduista, pero atendiendo especialmente a Krisna. Para él, no se trata de un avatar de Visnú, sino del Dios único y supremo. Se llega hasta él por el canto del mantra pronunciado por Sri Saitanya (1486-1534): «Hare Krisna, Hare Krisna, Krisna, Krisna, Hare, Hare. Hare Rama, Hare Rama, Rama, Rama, Hare, Hare».

La secta predica, además del yoga de la devoción, una ascesis que excluye el alimento animal, el alcohol, los juegos de azar, las relaciones sexuales ilícitas...

Una comisión, compuesta por 11 gurús y 12 devotos de alto rango, dirige la organización desde Estados Unidos. Los adeptos se reúnen en templos –141 en el mundo–, puestos bajo la responsabilidad de un consejo y de un presidente. La secta dispone de misiones repartidas por 46 países y cuenta con varios millares de discípulos.

Pero es también una vasta empresa comercial, que posee en los Estados Unidos diez amplias propiedades rurales, inmuebles, una casa editorial, una cadena de restaurantes vegetarianos y una fábrica de incienso y de productos cosméticos («Spiritual Sky») [37].

"En contra de lo que sucede en otros países, como Francia, las autoridades belgas no parecen estar actualmente decididas ni a perseguirlos ni a reconocerlos legalmente. Cuando llegaron de Amsterdam, donde desde 1971 estaba establecida la sede principal para el Benelux, los primeros devotos se instalaron en Amberes en 1974. En 1980, trasladaron su sede a Septon (Durbuy), en el castillo de Petite-Somme. Pero, después de diez años de implantación en Bélgica, el número de adeptos no ha crecido de forma significativa. Mezcladas las diversas nacionalidades, no serían más de un centenar para el conjunto del territorio. Sin embargo, el grupo parece organizarse para durar, gracias a los medios importantes de que dispone. Además del castillo de Septon (rebautizado como «asram Radhadesh»), cuya restauración está en curso, y sus 44 hectáreas de terreno y de bosque, los devotos han comprado una finca importante en Braine-le-Château. Explotan dos restaurantes vegetarianos (Lieja y Bruselas), así como almacenes en donde se venden los productos exóticos de la sociedad «Spiritual Sky»...

... Aunque el secreto y la movilidad geográfica hacen sospechosa toda contabilidad en esta materia, el reclutamiento parece difícil en Bélgica, a pesar del éxito «comercial». Todo lo más, una veintena de belgas, flamencos en su mayoría, lo cual se explica quizás por el hecho de que la secta está sostenida sobre todo por Amsterdam; los adeptos proceden esencialmente de ambientes artísticos y estudiantes marginales. Esencialmente (7/10) son célibes masculinos. En Durbuy hay una docena de niños" (*La Belgique et ses dieux*, 386s).

La «Sociedad internacional para la conciencia de Krisna» fue inscrita en el Registro de Asociaciones confesionales no católicas de España en 1976: los casi 150 devotos de «Hare Krisna» han ido sentando sus reales en Madrid, Barcelona y en una finca de Brihuega (Guadalajara); también en Málaga y en las Islas Canarias tienen puntos de contacto.

---

[37] Se ha procesado a algunos miembros de Hare Krisna por estafa, tráfico de drogas o tenencia de armas.

– *Gurú Maharaj ji* tiene por nombre oficial «Misión de la luz divina» (MLD). Nació en la India en 1960, bajo impulsos del gurú Sri Maharaj ji, que se presentaba como el «maestro perfecto», venido a revelar a los hombres de este mundo agitado los medios para librarse del sufrimiento. Recogía lo esencial del mensaje de Krisna, de Buda y de Jesús. Meditar esta enseñanza en nuestro tiempo: esto es lo que da el «impulso vital» [38] para salir de este mundo.

Los discípulos viven en comunidades llamadas «asram». Allí se someten en todo al gurú, para quien trabajan. El «maestro perfecto» actual es el hijo del fundador. A menudo abandonan sus bienes en beneficio del asram. Pero la organización vive también de los festivales internacionales que organiza, de las empresas que controla o apadrina [39]. Su sede de Florida habla de 7 millones de adeptos.

La «Misión de la luz divina» se estableció en España en 1973; tras un relativo fracaso, volvió a aparecer con fuerza en 1976; los seguidores españoles del gurú Maharaj ji son unos 3.000 y cuentan con centros en las principales capitales españolas.

– *Ramakrisna Misión* fue fundada en 1897 por Vivekananda (1862-1902). Era un anexo de su «Orden de Ramakrisna», creada unos años antes, y compuesta de maestros (los «swamis»).

Vivekananda era el discípulo preferido de Ramakrisna (1834-1886), hijo de un brahmán pobre y un visnuíta ferviente al mismo tiempo que profundamente místico. Siguiendo sus ideas, intentó una continuación del «Vedanta», enriqueciéndolo con las experiencias místicas más puras del cristianismo y del islam. La misión de Ramakrisna continúa predicando una espiritualidad hinduista de alto grado, adaptada a lo mejor con que cuenta la filosofía occidental. Tiene monasterios para los contemplativos, colegios para la enseñanza, así como obras sociales en la India y en varios países de Africa, de Europa, de Asia y de América.

Como se ve, entre las sectas, al lado de los estafadores de Dios, hay almas sedientas de vida espiritual.

– *Nichiren Shoshu* es un compromiso japonés entre estos dos caminos. Religiosamente, recoge la doctrina de un monje budista disidente del siglo XIII, Nichiren. Pero, social y políticamente, la traduce en un sistema muy eficaz de éxito temporal. El fundador de la secta, en 1937, es Tsunesaburo Makigushi. De la enseñanza de Nishiren Daishonin, ha mantenido sobre todo la práctica herética del «shakubuku», la conversión forzada. Las cuatro palabras de la ley que Nishiren había escrito en un pergamino [40] se han convertido en «la vía del medio», comprendida como una armonía entre espiritualismo y materialismo. Hay que tender a la «budidad»: la felicidad indestructible del Buda, pero incluyendo en ello la salud, el éxito profesional, la riqueza...

En la práctica, Nichiren Shoshu está organizada muy jerárquicamente, de una forma casi militar. Comprende una sociedad cívica, la Soka Gakai, intolerante, y un partido: el Komeito. Este, nacido en 1964, «Partido del gobierno propio», es el tercer partido japonés. Está caracterizado a la vez por su conservadurismo y su anticomunismo, pero también por su independencia respecto a los Estados Unidos. Se pronuncia por un desarme general de Japón y una aproximación a China. Reclutando entre los pobres, cuenta con 29 diputados en la Dieta. Posee un periódico que tira 4 millones y medio de ejemplares, el «Seiko Shimbun», y una universidad cerca de Tokio.

Nichiren Shoshu cuenta con 10 millones de adeptos en el Japón; 250.000 en América del Norte; 150.000 en América del Sur; 40.000 en Australia y Asia del Sudeste; 8.500 en Europa. En Francia, donde fue implantada en 1961 por el médico Eichi Yamazaki, dispone de seis centros, uno en Lyon, con 3.000 miembros que recitan todas las mañanas y todas las tardes dos capítulos del sutra del Loto.

Como vemos, el misticismo hindú en su moda sectaria ha sabido acomodar el Bhagavadgita y los sutras a las ambiciones políticas y comerciales.

---

[38] Nombre de la principal publicación de la secta.

[39] Una compañía aérea, una agencia de viajes, una casa editorial, discos...

[40] «Nam Myoho Renge Kyo»: saludo al sutra del Loto.

# 4. En el islam

Como hemos visto, las divisiones se produjeron rápidamente a propósito de la sucesión del profeta. Dieron origen al *jariyismo* [41] y al *chiísmo*.

Este, a su vez, se fraccionó en varias sectas [42]. Actualmente hay tres movimientos de especial importancia: el wahabismo (p. 167), los hermanos musulmanes, de los que hablamos ya anteriormente (p. 168), y el baha'ismo.

## • El baha'ismo

Esta secta –o esta fe– es propia del islam chiíta que, por otra parte, la persigue. En efecto, sus fundadores fueron dos chiítas iraníes: Mirza Ali Muhammad (1812-1850) y Mirza Husayn-Ali (1817-1892). El primero, apodado el «Bab» (la puerta), anunciaba la venida de un gran profeta. Fue fusilado por orden del sha. Su tumba, en el monte Carmelo, se ha convertido en el lugar sagrado de la fe baha'i. El segundo, llamado «Baha'u'llah» (Gloria de Dios), pretendía ser el profeta anunciado por el «Bab», y murió desterrado en San Juan de Acre.

La doctrina baha'i no se basa en los libros santos, sino en el mensaje directo de Dios a Baha'u'llah. La revelación divina es progresiva a través de todas las grandes religiones. En ellas hay una profunda armonía entre sus principios y sus exigencias.

La organización no tiene sacerdocio ni es una orden monástica. Los fieles se reúnen en asambleas espirituales. Pero la moral proscribe el ascetismo y demuestra un gran conformismo: obediencia al gobierno, educación obligatoria, monogamia, vida de familia y de trabajo...

La secta baha'i, rechazada por el islam, está presente en más de 150 países.

«La fe (baha'i) se implantó en Bélgica en 1947 con la llegada a Bruselas de unos pioneros americanos, es decir, misioneros voluntarios no retribuidos, que se encargan de dar a conocer la existencia de la fe. A ellos se unieron en 1957 cinco familias iraníes baha'is. Hoy existen unos 600 adeptos, distribuidos en 79 localidades a través de todo el país, pero especialmente en Bruselas y en el sur. Entre ellos, el 30% son iraníes y el 10% anglosajones. Finalmente, viven en el extranjero unos treinta belgas baha'is, especialmente en Africa, como misioneros. Los miembros se reclutan preferentemente entre las clases medias; hay muchos profesores» (*La Belgique et ses dieux*, 362).

La «Asamblea espiritual de los baha'is de España», conocida ya desde 1947 en los ambientes españoles gracias a la obra de la norteamericana Virginia Orbisson, quedó reconocida legalmente en 1968; sus 1.500 seguidores españoles tienen una importante presencia en Cataluña: existe una editorial baha'i en Tarrasa y un centro de difusión e información gratuita en Cartagena.

# 5. Las sectas cuestionadas

Además de las cuestiones que planteábamos al principio de este capítulo, el fenómeno de las sectas plantea por lo menos otras dos, fundamentales: ¿Por qué, en un momento determinado, un hombre pretende ser de origen divino, o estar encargado de transmitir un mensaje de Dios? Y, sobre todo, ¿por qué otros hombres, contemporáneos suyos o sus descendientes, le creen y le siguen? Conviene observar, una vez más, que estos dos interrogantes se dirigen también a los fundadores de las grandes religiones: Moisés, Buda, Confucio, Jesús, Mahoma, y a sus discípulos.

## a) ¿Por qué los «gurús»?

La primera cuestión recibe tres tipos de respuesta. Las ciencias humanas pueden dar algunas explicaciones históricas, sociológicas, psicológicas. Pero nunca serán totalmente satisfactorias, convincentes; siempre dejarán una parte sin explicar.

---

[41] Cf. capítulo 6: Islam, p. 166.
[42] Cf. nota 29 del capítulo 6, p. 166.

Una conversión no es un desequilibrio mental. La fe se contenta con adherirse a la proclamación del profeta, percibiendo en él el espíritu de Dios, atestiguado en su vida y en sus obras. No persuade más que a los que ya creen, y la cuestión sigue en pie para los que no tienen ninguna experiencia espiritual.

Finalmente, la infalibilidad reconocida de una autoridad suprema autentifica el mensaje. Pero éste sólo es válido para quienes lo admiten.

Estas controversias remiten a la noción fundamental de verdad. O bien una religión declara que posee la verdad, que tiene su monopolio y que todos los que la desechan son «herejes», «cismáticos», «sectarios»... O bien «confiesa la verdad», reconociendo la múltiple diversidad de los caminos que conducen a Dios, admitiendo la imposibilidad humana de poseerla toda entera y la necesidad y la esperanza de dejarse poseer por ella. Se comprende que la concepción tolerante de la verdad, que es propia de las religiones orientales, haya favorecido la aparición de sectas numerosas.

El «sectario» y la secta podrían definirse entonces como la pretensión de erigir unas verdades parciales en verdad total, absoluta y exclusiva.

Así es como proceden los mormones y los testigos de Jehová, pero igualmente Hare Krisna y los hermanos musulmanes, que aíslan tal o cual versículo de la Biblia, de los sutras o del Corán para hacer de él la única revelación. Entonces, los textos sagrados se convierten con frecuencia en arsenales de citas de donde sacar armas contra los demás, los «traidores» y los «impuros»...

Siempre cabe la tentación para una Iglesia [43] de degenerar en secta. Y, al revés, muchas sectas se han convertido en Iglesias cuando han aceptado, a la vez, fijar las verdades esenciales que unen a sus fieles y seguir abiertas a las inspiraciones de los renovadores.

Así, pues, la secta es definida desde fuera por una institución religiosa que ha determinado sus dogmas y sus reglas de funcionamiento. Tal es el caso de la Iglesia católica. Y, al revés, una religión secular menos institucionalizada corre el riesgo de ir desmenuzándose hasta el infinito en una proliferación de grupos más o menos «proféticos». Es a lo que ha llegado el protestantismo. Y no es una casualidad que el mayor número de sectas hayan salido de las familias protestantes de los Estados Unidos, del hinduismo o del budismo.

### b) ¿Por qué las sectas?

La segunda cuestión está pidiendo igualmente respuestas religiosas y sociológicas.

Durante mucho tiempo, los «sectarios» fueron confundidos con los «posesos», con los extraviados o los «seguidores de Satanás». Actualmente se prefiere encontrar razones históricas y sociales para su aparición. Y es verdad que la multiplicación de las sectas corresponde generalmente a períodos de inestabilidad, de transición, de convulsión de culturas y de certidumbres: el siglo de las invasiones, el siglo XVI, el siglo XIX o el decenio que siguió a 1968. Estos períodos han sido también los que vieron nacer las grandes utopías. De este modo, se puede pensar que la proliferación de las sectas corresponde, en los períodos agitados de la historia, a la doble necesidad de evasión y de seguridad espiritual y moral.

Este cambio en la manera de comprender el fenómeno ha estado marcado, en mayo de 1986, por la publicación de un informe del Vaticano sobre el desarrollo de las sectas. La Iglesia católica lo explica por la incapacidad de las sociedades modernas y de las Iglesias para responder a las aspiraciones individuales y colectivas del hombre. Las sectas proliferan sobre el vacío espiritual de un mundo egoísta y materialista o desamparado. «Las estructuras despersonalizantes –segregadas en occidente y exportadas al resto del mundo– crean múltiples situaciones de crisis», escribe este informe, añadiendo: «Las sectas pretenden tener y dar respuestas; lo hacen a nivel afectivo y a nivel intelectual, respondiendo con frecuencia a las necesidades afectivas de tal manera que obnubilan las facultades intelectuales».

Este desarrollo no puede sin embargo reducirse

---

[43] Iglesia tiene aquí el sentido de institución religiosa.

a un fenómeno de disidencia respecto a la sociedad o a las Iglesias demasiado comprometidas con ella. Y el texto romano señala justamente, como una de las principales razones de la extensión de las sectas, una «necesidad de pertenencia y de identidad». Quizás sea de esta frustración de identidad de donde los «sectarios» sacan el fanatismo frecuente de su comportamiento. Todo neófito tiende a hacerse iconoclasta. Como para el adolescente la conquista de una identidad nueva, la adhesión a una secta se traduce por el rechazo de la sociedad, una afirmación excesiva, una especie de marginación y el ardiente proselitismo de los descubrimientos.

### c) ¿Cómo son las sectas?

Lo mismo que el informe Vivien, el del Vaticano insiste en el peligro de «las técnicas de reclutamiento y de formación, de los procedimientos de adoctrinamiento» de algunas sectas. Todo esto ha sido denunciado con mayor vigor todavía por Roger Ikor.

Los reclutadores saben detectar a los «idealistas», a los decepcionados, a los inestables, a los angustiados, a los desamparados, a los rechazados disponibles para la seducción. «¿Hay algo que no va? ¿Te sientes insatisfecho? Ven a vernos una tarde; esto no te compromete en nada...».

A continuación, ya no se trata más que de una «manipulación psicológica». Aislamiento, abstinencia, ayuno, régimen alimenticio deficitario, falta de sueño, condicionamiento del lenguaje mediante el empleo de una jerga especializada y fórmulas de encantamiento, sumisión a un reglamento interior: tales son los métodos que se utilizan. No difieren de la ascesis monacal más que por el espíritu y por los objetivos que animan a los «maestros».

En efecto, los informes citados se olvidan un poco de dos aspectos de las nuevas sectas con que hoy nos encontramos: la explotación comercial de la credulidad de los adeptos y su función política.

Lo hemos visto claramente con el anti-comunismo de «Moon» o de Nichiren Shoshu, con los «pececillos juguetones» de los Niños de Dios –o mejor dicho de Mo David–, con las empresas rentables de la familia «Moon», de la Meditación trascendental o de Maharaj-ji. Esas sectas no tienen más que una finalidad: el poder y el enriquecimiento de sus «gurús».

Es verdad que no todas son tan nocivas. Algunas, como «los Amigos del hombre» o «Ramakrisna Misión», tienen preocupaciones francamente espirituales y filantrópicas. Otras, finalmente, son sobre todo esotéricas, como los «Rosa-Cruz», culturales o más o menos filosóficas. Hay sectas y sectas.

Pero todas ellas, al explotar un «camino hacia el alma», son un desafío a la responsabilidad fraterna de nuestras sociedades.

## CRONOLOGIA DE LA APARICION DE ALGUNAS SECTAS EN LOS SIGLOS XIX Y XX

1825: Los darbystas en Irlanda, luego en Suiza.

1830: Los baha'is en Irán.

1830: Los mormones en Estados Unidos.

1878: La Iglesia ciencista en Estados Unidos (hoy en el Reino Unido...).

1880: Ahmadiya en la India.

1881: Los testigos de Jehová en Estados Unidos (hoy por todo el mundo).

1910: La Iglesia kimbanguista en el Congo.

1917: La Iglesia renovada en Rusia (hoy en Europa del Este, Grecia...).

1920: El caodaísmo en Indochina.

1927: Los hermanos musulmanes en Egipto.

1930: Nichiren Shoshu en Japón.

1938: El Rearme moral en Suiza (luego en la India, USA, Francia...).

1939: Hoa Hao (budista) en Indochina.

1950: Iglesia de la cienciología en Estados Unidos (y en Francia).

1953: El Cristo de Montfavet en Francia.

1954: La Iglesia de la unificación (o Moon) en Corea (hoy Japón, USA).

1958: Meditación trascendental en la India (en USA, Suiza, Francia...).

1966: Hare Krisna en Estados Unidos (en Europa).

1968: Los Niños de Dios en Estados Unidos (asociación disuelta en Francia).

## Lecturas

### a) General

J. Bosch, *Las mil y una sectas*. PPC, Madrid 1973.

Id., *Iglesias, sectas y nuevos cultos*. Barcelona 1981.

A. Cardin, *Movimientos religiosos modernos*. Madrid 1982.

M. Colinon, *Falsos profetas y sectas de hoy*. Barcelona 1956.

J. García Hernando, *Pluralismo religioso en España*, t. II. *Sectas y religiones no cristianas*. Atenas, Madrid 1983.

V. Sau, *Sectas cristianas*. Barcelona 1972.

W. Brian, *Sociología de las sectas religiosas*. Madrid 1970.

A. Woodrow, *Las nuevas sectas*. México 1977.

C. Crivelli, *Pequeño diccionario de las sectas protestantes*. Atenas, Madrid 1960.

### b) Particular

A. Carrera, *Los falsos manejos de los Testigos de Jehová*. Bilbao 1976.

J. L. García, *Los Testigos de Jehová a la luz de la Biblia*. Clié, Tarrasa 1976.

J. Girón, *Los testigos de Jehová, su historia y su doctrina*. PPC, Madrid 1974.

M. Aboín, *Historia y doctrina de los Mormones*. Fe católica, Madrid 1971.

Calvin Miller, *La servidumbre del yoga y las filosofías orientales*. Clié, Tarrasa 1980.

Baha'-u-lláh, *La Aurora del Dios prometido*. Tarrasa 1974.

Id., *Los Siete Valles y Palabras ocultas*. Tarrasa 1974.

*¿Qué es la fe baha'i?* Buenos Aires 1972.

# Conclusión

No quiere Dios que creer nos impida buscar y encontrar las causas. Con toda tu alma esfuérzate en comprender (San Agustín a un discípulo).

Termina aquí esta obra. Pero queda incompleta, sin acabar.

Por una parte, *el panorama es incompleto. Faltan las religiones del pasado,* un pasado que nunca está completamente muerto. ¿Quién puede decir lo que subsiste de las creencias de los incas o de los aztecas en el cristianismo latino-americano? Las mitologías germánicas o babilonias y las religiones célticas o iranias ¿no siguen influyendo aún en las religiones contemporáneas?

Incluso entre estas últimas, algunas sólo *se han evocado* aquí brevemente; algunas han sido ignoradas, olvidadas, o al menos no estudiadas. Los shintoístas, los zoroastrianos, los jainistas, los indios de América habrían merecido algunas páginas [1].

Por otra parte, *este libro está pidiendo una comparación y una síntesis* que recojan las correspondencias de una religión con otra, sus rasgos comunes y sus diferencias.

No hemos hecho más que vislumbrar las filiaciones, los cruces, los mestizajes y las continuidades entre los cultos primitivos y las religiones contemporáneas. Hemos intentado esbozar, de vez en cuando, algunos de estos paralelismos y convergencias. Se necesitaría otro libro para iluminarlos y descubrir las constantes del fenómeno religioso.

Entretanto habrá que concluir con *algunas observaciones.* Me limitaré a un rápido examen de los diversos «credos», de las concepciones de Dios, del más allá y de la moral.

### a) Los credos

Hemos visto que, en contra de lo que a veces se piensa, *no todas las religiones tienen un credo explícito.*

El hinduismo y el budismo no tienen un credo literal, sino una enseñanza diversa según los caminos de búsqueda y de conocimiento de la verdad. Además, esas religiones no tienen ni la organización, ni la autoridad única capaces de enunciar un resumen de sus creencias. Indican un modo de vivir más que una doctrina.

Es espontáneamente, en la familia, en la casta en donde han nacido, donde los hinduistas o los budistas creen y viven según una espiritualidad que impregna toda la existencia. Allí encuentran, en las fiestas domésticas o colectivas, las experiencias narradas por los grandes mitos. Lo mismo ocurre con los animistas.

Tan sólo las *religiones monoteístas* han establecido unos resúmenes de su fe. Incluso el islam y el judaísmo invitan sobre todo a sus fieles a recitar afirmaciones elementales, que atestiguan su reconocimiento de un Dios único, creador de todas las cosas.

«Yahvé es el Señor de los ejércitos..., el que hizo alianza con Abrahán y liberó a su pueblo..., y atesti-

---

[1] Estaban representadas en Asís en octubre de 1986.

gua su bondad con los que lo aman y guardan sus mandamientos» (Ex 20, 2). Fue tan sólo en el siglo XII cuando Maimónides resumió y explicitó esta fe en trece «principios», que a veces se reducen a tres.

Ser musulmán es atestiguar su fe recitando la sahada: «No hay más Dios que Alá, y Mahoma es su profeta». De esta afirmación capital se deduce toda la doctrina: «Dios es uno. No tiene hijos ni ha sido engendrado»; lo ha creado todo; su misericordia es infinita; envía a los hombres sus ángeles, su libro y sus profetas; los muertos resucitarán para el juicio final en donde sólo serán condenados los que hayan rechazado la unicidad de Alá.

Ser judío es creer en la existencia de un creador, perfecto, solo, único y eterno. Sólo él ha de ser servido. Conoce las acciones de los hombres, las recompensa y castiga. Moisés, el mayor de sus profetas, les dio para ello su ley, la Torá. Hay que creer y esperar la venida del mesías y la resurrección de los muertos.

Pero para los judíos y los musulmanes, tan esenciales como esta proclamación de fe son la ley y los mandamientos, la Torá y el Corán. Se resumen en esta recomendación del Tratado de los Padres: «Cumple su voluntad como tu voluntad, para que él haga tu voluntad como la suya. Anula tu voluntad ante su voluntad, para que él anule la voluntad de los otros ante la tuya» (Pirké Abot).

Sin duda es *el catolicismo* el que exige a sus fieles una profesión de fe más clara y precisa. Cuando se habla de credo, se trata generalmente del resumen de la fe cristiana, tal como fue elaborado ya en los primeros siglos. El más célebre es el del concilio de Nicea en el año 325. A la creencia en un Dios en tres personas, en un solo Cristo, Hijo de Dios, hecho hombre, muerto y resucitado, añade la creencia en «la Iglesia», que manifiesta a Dios.

¿Se adhieren íntegramente todos los bautizados a todos los artículos de este símbolo de los apóstoles? Puede ser que no... Lo cierto es que los católicos contemporáneos lo traducen de manera distinta en sus testimonios personales [2].

_____

[2] *Leur credo*, éd. Resiac.

A pesar de estas diferencias individuales de interpretación, los credos, explícitos o no, manifiestan y realizan la unidad de una comunidad de creyentes. Representan el mínimo de lo que caracteriza y distingue a cada religión. Una religión se define en gran parte por su credo.

Pero, separadas por estos credos, ¿tienen las religiones por lo menos en común la fe en Dios? ¿Es verdad, como decía Juan Pablo II en Asís, que «adoramos al mismo Dios»?

## b) Dios

No cabe duda de que la idea de lo divino ha estado presente en la humanidad desde sus orígenes. Su nacimiento no carece de explicación: miedo a lo desconocido, inmortalización de los héroes fundadores de una sociedad, sacralización de las fuerzas naturales, trasposición y compensación de los deseos irrealizables, idealización de los valores.

Pero también se puede admitir que ninguna de estas hipótesis, ni incluso todas ellas en conjunto, agotan el concepto de Dios. Dios está más allá de toda explicación psicológica o social. Tal es el dios de las religiones.

### • No todo el mundo cree en Dios

Hay que reconocer sin embargo que hoy al menos, pero también en el pasado más remoto, hay y ha habido ateos. Más numerosos aún son en nuestras sociedades contemporáneas los indiferentes y los agnósticos. *Indiferentes*: esos hombres no se plantean la cuestión de Dios o la rechazan como si no tuviera ninguna importancia y ninguna relación con sus comportamientos y sus proyectos. *Agnósticos*: los hombres que ni niegan ni afirman la existencia de Dios; para ellos, pertenece al terreno de lo incognoscible. En esto son como los budistas, para los que Dios mismo no es más que una *ilusión*. «Los seres no son creados ni por Dios, ni por el Espíritu, ni por la materia». Las verdades santas no son más que el fruto de una experiencia de que el dolor es la única realidad, y de la que Dios y el alma están ausentes.

• *El Dios de los monoteístas*

Tan sólo los monoteístas y, generalmente, los hinduistas y los animistas –más monoteístas de lo que se cree– ponen a Dios en el umbral de toda creencia. Único, a pesar de sus «avatares» o manifestaciones, está en el origen de todo lo que existe. Increado, pero *creador permanente*, es sobre todo fuente de toda vida. Es la vida misma, o la energía vital, «una fuerza suprema que sobrepasa toda nuestra capacidad humana»[3]. Para todos los que creen en él, Dios está de ordinario «más allá de todo cuanto existe», *trascendente* y, sin embargo, «todo entero en el hombre», invisible, eterno, infinito y misterioso, pero presente al universo. A través de las diversas expresiones, los diversos creyentes lo proclaman «todopoderoso», «liberador», «misericordioso», y hasta Padre[4]. El da sentido a todo lo que existe. Ahí se detienen las analogías entre las diversas representaciones de Dios.

La mayor diferencia está en su *identidad*. Es verdad que todos admiten que no se le puede representar ni conocer verdaderamente, pero para unos –los que pertenecen a las religiones reveladas– Dios se manifestó a los hombres; dijo su nombre, aunque ese nombre sea impronunciable, a sus profetas: Abrahán, Moisés, Jesús, Mahoma. Es Elohim, Adonai, Yahvé, Alá.

Para los otros –hinduistas, animistas– «tiene muchos nombres»[5], pero no se describe a sí mismo ni se nombra. Sólo es posible acercarse a él por medio de comparaciones. La más frecuente es la de la luz.

El *Dios cristiano*, sin duda el más difícil de concebir, se distingue claramente de las otras representaciones de Dios. Su originalidad está en que es una *persona viva*. No sólo eso; es el Padre de todos los hombres: pero tiene él mismo un «Hijo único, Nuestro Señor», «luz de las naciones». Hace algo más que revelar su nombre a los hombres. Se encarna,

precisamente en la persona de ese Hijo, «concebido del Espíritu Santo, y nacido de la virgen María». Hecho increíble: ese Hijo divino «fue crucificado», pero resucito y volvió «a los cielos, junto a Dios, su Padre». Finalmente, ese Dios es trinitario: Padre, Hijo, Espíritu. Tal es la segunda novedad radical del cristianismo: la coexistencia de tres personas en Dios. ¿Es una manera de decir que «Dios es amor», relación y movimiento hacia sus criaturas, y de su Iglesia hacia el mundo?

Este panorama de las imágenes de Dios esboza *otra definición de la religión*. La religión es el conjunto de medios que un grupo humano se da para nombrar a Dios. Conocerlo, vivir en su presencia según su voluntad y ponerse en camino hacia él. Toda religión es una aproximación indefinida a Dios. Pero Dios no es prisionero de ninguna religión. Si existe, las supera infinitamente... A no ser que «Dios no exista» y que le toque «a cada uno hacer que exista».

### c) *El más allá*

Esta creencia en Dios es inseparable de la *aspiración a la inmortalidad*. Las sepulturas más antiguas y el culto a los muertos atestiguan que se trata de una creencia universal desde el origen de la humanidad entre nuestros antepasados prehistóricos. ¿No es esto una prueba de que responde a uno de los anhelos más profundos del corazón humano?

Este deseo de inmortalidad es *protesta* contra la aniquilación y el absurdo de la muerte. Anhelo de una supervivencia que supera la vida, pero también creencia o presciencia de una energía en el hombre que sea otra cosa y algo más que su cuerpo: un principio inmaterial, espíritu o alma.

Este alma tiene una existencia propia. Sobrevive a la disolución del cuerpo. Entonces, según las religiones, alcanza a Dios, la Gran Alma, o se reencarna en un nuevo ser, quizás un animal.

Pero esta supervivencia o este renacimiento del alma no deja de guardar relación con su existencia terrena. La imagen de esta segunda existencia responde a otro deseo fundamental del hombre: el de *una justicia perfecta*. Al no encontrarla en este mun-

---

[3] Juan Pablo II, *Discurso en Asís* (27.11.1986).

[4] En Isaías, en el evangelio, en las oraciones animistas, en los textos hinduistas.

[5] Rigveda.

do, donde a menudo los «malos» son felices y los «buenos» desgraciados, se la imagina en otro mundo.

Ese otro mundo es un mundo distinto en donde se restablecen los valores. El más allá prolonga los actos humanos, no en su apariencia, sino en su intención radical. Les da cumplimiento. Los «buenos» reciben allí la recompensa de una felicidad que merecieron aquí abajo. Los «malos» sufren allí los castigos de sus «faltas».

Pero cada religión tiene su manera de concebir la inmortalidad y el más allá. Estas imágenes revelan su verdad profunda. Cada uno tiene su más allá.

### d) y sus diversas imágenes

– Para el *animista*, los muertos siguen viviendo en medio de los vivos. Pueden perturbar o proteger a su familia. Pero su existencia es vagabunda: la morada de los muertos o un vago paraíso en los lugares donde vivieron. También pueden reencarnarse en un niño.

– El *alma de los hinduistas* sigue estando sometida a su karma. Si está bajo el peso de las malas acciones, de los ritos sin observar, tendrá que reencarnarse indefinidamente, hasta que finalmente se haga ligera y libre y pueda disolverse en el absoluto impersonal.

Si las creencias populares se imaginan un juicio, una subida al paraíso o una bajada al infierno, éstos no son nunca eternos. Se le da al alma la oportunidad de volver a encontrar en un nuevo cuerpo una vida nueva. Sin embargo, lo esencial del hinduismo no es el otro mundo, sino la evasión, la liberación beatífica y un tanto abstracta.

– Para los *budistas*, la muerte es la posibilidad de liberarse. Puede desembocar en el nirvana, la liberación definitiva, la extinción de toda ilusión y por tanto de toda existencia. El no-ser inefable es el verdadero paraíso de un Buda eterno. Es el despertar a un más allá de toda pena y de todo gozo.

– Los *judíos* aspiran sobre todo a la creación del reino de Dios que realizará la visión de los profetas: la unidad de un universo de justicia y de amor, el reino del mesías. Pero, sobre todo después de Maimónides, profesan la resurrección de los muertos. Creen que Dios recompensará a los que hayan cumplido la ley y castigará a los pecadores. A los primeros, la vida futura; a los segundos, la «exclusión».

– La *creencia del islam* está dominada por la noción de juicio y de resurrección. Tras la muerte del individuo, viene un primer juicio. Pero es en el juicio final donde «cada alma recibirá el premio de lo que haya hecho». Entonces resucitarán los muertos; los elegidos saborearán las delicias del «janna», el paraíso, mientras que los «infieles» «tendrán el fuego por morada».

– *Para todos los cristianos*, la muerte no es más que un paso. La resurrección de Jesucristo, Hijo de Dios, anuncia y promete su propia resurrección, cuando vuelva al final de los tiempos para establecer su reino. Los católicos creen en un paraíso, vida eterna en el conocimiento de Dios y de su paz. El infierno será el eterno sufrimiento de los que, habiendo negado a Dios, tomen conciencia de su separación y de su pecado.

Los ortodoxos aspiran a la resurrección final que abrirá el «eterno presente de Dios». Los reformados, finalmente, acentúan más bien la resurrección que la inmortalidad, puro don de Dios. Por medio de Cristo, la humanidad renovada vivirá con él.

### e) La moral

Es sin duda en la ética donde las religiones están más conformes entre sí. Las diferencias «no excluyen una afinidad y una concordancia en los valores comunes». «La búsqueda milenaria de las religiones... ha enseñado a los hombres un cierto comportamiento moral» [6].

No cabe duda de que la moral tiene fundamentos sociales pragmáticos y raíces psicológicas profundas. Y los valores proclamados por las religiones no son exclusivos de ellas. Todas las filosofías —como todas las religiones— hablan de verdad, de libertad, de justicia, de paz. Pero las religiones les dan

--------

[6] Juan Pablo II, *Discurso* citado.

un arraigo más profundo, una fuente y un sentido divinos.

A través de sus libros sagrados, de sus ritos, de sus imágenes del más allá, revelan y difunden *una cierta idea del bien y del mal*. Esta distinción, inscrita en la conciencia de todo ser humano, ha sido explicitada por Dios mismo. Entonces, toda ética religiosa consiste en conocer el orden querido por el creador y respetarlo. «Hacer la voluntad del Padre», como exige el cristianismo, obedecer a sus mandamientos según la ley de Moisés o el Corán, no perturbar en nada el orden del mundo: tal es la moral de todas las religiones. Para ellas, el mal es siempre una desobediencia a Dios, el bien es adhesión a su voluntad. Esta concepción reposa más o menos en la idea tan querida por Platón de que el alma o el espíritu han caído en un cuerpo. Y la religión tiene la finalidad de ayudar a esta prisionera a liberarse de este mal original.

Existen sin embargo dos maneras de respetar la ley divina. La primera es la sumisión a la ley que él ha dictado. La segunda es la respuesta a una llamada. Estas dos prácticas separan menos a las religiones entre sí que a los fieles de cada religión.

*La moral de la ley* es la obediencia estricta a un código fijado en un libro santo. Se presenta bajo la forma de prohibiciones y de prescripciones. Estas se refieren tanto a los ritos de purificación y de alimentación como a los comportamientos individuales o sociales. El hombre religioso se ve así metido en una red de deberes negativos y positivos. Pero esta sumisión escrupulosa a unas reglas exteriores conduce al que la practica a la satisfacción y a la seguridad del «deber cumplido». Aunque no le sea propia, es la moral del fariseo.

A esta moral pasiva, a menudo popular, y que encuentra una nueva vitalidad en todos los integrismos, todas las religiones han opuesto siempre una *moral del espíritu*. Para ella, lo que cuenta no es tanto la materialidad de lo prohibido como la llamada que en ello se manifiesta. Es el mensaje claro del evangelio: «La letra mata, el espíritu vivifica» (2 Cor 3, 6) [7]. Pero, bajo otra forma, y en no pocos lugares, todos los libros sagrados dicen lo mismo. Lo importante no es seguir los preceptos, sino «temer al Señor» [8], ser «santo» como lo es el Padre celestial [9].

Esta moral se basa en dos imágenes complementarias de Dios y del hombre, radicalmente diferentes del pesimismo fundamentalista. Dios no es el que condena, sino el que salva. El hombre no es un esclavo, sino un ser libre, capaz de responder a las invitaciones divinas. Es una moral de la esperanza.

En efecto, la moral religiosa más auténtica es mucho más que el cumplimiento de un deber para con uno mismo y para con la sociedad. Dios está en su origen. Y es también su fin.

Toda moral es búsqueda de la felicidad o, como decían los antiguos, del *Soberano Bien*. Para un animista, un budista y más aún para un judío, un cristiano y un musulmán, ese «soberano bien» tiene un nombre: se llama Dios. La finalidad y el sentido de la moral religiosa consiste en encontrar a Dios, sea cual fuere su nombre. El término de la vida moral es transformarse en «espíritu» como él [10], fundirse en él. Esa es la salvación, la liberación que él promete a sus fieles.

Para alcanzarlo, la moral consiste en liberarse del «yo», en escaparse de la «carne», es decir, en despojarse del egoísmo para apegarse a «los bienes que no pasan». Lo esencial de todas las morales religiosas es el *desprendimiento*. Sólo eso permite escaparse del ciclo infernal de reencarnaciones, así como unirse a Dios.

Esta unión con Dios comienza en este mundo. Va progresando por medio de la liberación en el hombre de las fuerzas que lo impulsan hacia el bien o, mejor dicho, que lo atraen hacia la santidad de Dios. Es lo que se llama la *práctica de las virtudes*.

---

[7] Jesús dice: «¡Ay de vosotros, fariseos, porque, aunque ofrecéis el diezmo..., os olvidáis de la justicia y del amor de Dios!».

[8] Expresión tanto de la Biblia como del Corán (2, 172).

[9] «Sed santos, como vuestro Padre...», dice Jesús; y el maestro sufí Ibn al Arabi habla de Jesús como de «el sello de la santidad absoluta».

[10] «Me he convertido en aquel a quien amo yo y aquel a quien amo se ha hecho yo mismo. Somos dos espíritus infundidos en un solo cuerpo» (Al Hallaj).

Su catálogo es bastante similar de una religión a otra. Tanto si se habla de la compasión universal del budista o de la caridad del cristiano, siempre se trata de ser generoso. Etimológicamente, de ser «bien nacido». Es decir, según el apóstol Juan, de «haber nacido de Dios» y estar destinado a Dios. No hay más que una moral, la de «amar al prójimo» como Dios lo ama.

Tanto si este amor se llama búsqueda de la verdad, como construcción de la justicia y de la paz, es un bien común, pero no exclusivo, de todas las religiones. Convergen todas ellas en esa «colaboración en la causa de la humanidad» [11]. Porque el que hace al hombre, hace a Dios. O, si se prefiere, contribuye a que Dios sea Dios en cada hombre.

¿No es ésta la esencia misma de las religiones que hemos intentado comprender?

☆

La religión está más allá de una sabiduría o de una moral. Toda sociedad es religiosa. Y la religión fundamenta y justifica a una sociedad. Pero la religión es algo más y algo muy distinto de un simple fenómeno social. La religión nace y se encarna en una *cultura*, y podemos preguntarnos si existe una cultura sin religión. Pero la cultura no basta para explicar una religión, a pesar de que ésta saque de aquélla sus ritos y sus símbolos. La religión a su vez influye en la cultura y la cuestiona. Le da vida.

La religión es sin duda una forma primitiva de la *ideología*. Y toda religión tiende a degradarse en ideología. Pero su concepción del hombre y del universo engloba y supera las doctrinas y los sistemas de ideas. Afecta no solamente al conocimiento más radical y a la felicidad de la humanidad, sino a la revelación de un Dios invisible y presente, misterioso y cercano a los hombres. Es él el que, bajo nombres e imágenes diversas, está en el centro de toda religión. Origen de todo, anima todas las cosas y atrae a todos los hombres. La religión no es quizás más que esta orientación hacia un Dios esperado, salvación y liberación.

La religión existe *en unas instituciones*. Pero las instituciones no pueden aprisionarlo. Igualmente, la religión habla de Dios. Pero Dios no es propiedad de ninguna religión. Se manifiesta fuera de ellas. Es aquel al que no se posee, siempre infinitamente distinto de todas las imágenes que las religiones proponen de él.

Dios, futuro del hombre y presente en él, como una semilla de eternidad, es la búsqueda siempre renovada de todas las religiones de ayer, de hoy y de mañana.

---

[11] Juan Pablo II, *Discurso* citado.

# Indice general